KB133159

신편

국역 산림경제

2

KSI 한국학술정보[주]

일 러 두 기

이 책은 아래와 같은 요령으로 엮었다.

1. 이 책은 홍만선의 『산림경제』를 전 2책으로 분책 국역하고, 2권 끝에 색인을 첨부하였다.
2. 이 책의 국역 대본은 삼목영 구장본(三木榮 舊藏本 －현 일본 무전과학진흥재단<武田科學振興財團> 소장)－을 대본으로 하고, 한독의학박물관(韓獨醫學博物館) 일산문고본(一山文庫本) 및 오한근(吳漢根) 씨 장본(影印本)과 대교 교감하고, 국역 대본에 누락된 부분은 위 두 이본에서 찾아 해당 위치에 전재 삽입하여 국역하고, 그 근거를 주기(註記)하였다.
3. 원문은 교감 내용을 오두에 기록하고 구두를 찍어 영인 첨부하였다. 다만 여백의 부족으로 오두에 기입이 곤란한 경우에는 위치를 표시하고 별면으로 조판하여 말미에 붙였다.
4. 본서의 전거가 된 전적이나 글(작품)에서 약칭이거나 잘못된 것은 조사하여 바로잡고, 해제 말미에 일람표로 붙여 이용에 편리하게 하였다.
5. 번역은 원의에 충실을 기하였다.
6. 주석은 간단한 것은 (　)나 [　] 안에 간주(間註)하고 그 밖의 경우 각주(脚註)하였다.
7. 맞춤법과 띄어쓰기는 한글 맞춤법 통일안을 따르는 것을 원칙으로 하였다.
8. 한자(漢字)는 이해를 돕기 위하여 넣었으며, 시(詩)에서는 원문을 병기하였다.
9. 이 책에 사용되는 부호는 다음과 같다.

    (　): 음과 뜻이 같은 한자를 묶는다.

    [　]: 음은 다르나 뜻이 같은 한자를 묶는다.

    <　>: 보충역을 묶는다.

    “　”: 대화 등의 인용문을 묶는다.

    ‘　’: 재인용이나 강조 부분을 묶는다.

    『　』: 서명(書名)을 표시하거나 각주에서 출전을 밝힌다.

차　례

산림경제 제3권

구급 救急

구황 救荒 벽한(辟寒) 조를 붙였다

벽온 辟瘟

벽충 辟蟲

산림경제 제4권

치약 治藥

선택 選擇

잡방 雜方

산림경제 제3권[1)]

구급 救急

구급 서

산골에 살다보면 성읍과 멀리 떨어져 있으므로, 고질로 오래 앓는 병이면 의원에게 찾아가 진찰을 받아 침을 맞거나 약을 먹을 수도 있지만, 만약 갑자기 급한 병을 만나게 되면 손을 쓸 수가 없어서 끝내 요절하게 되는 자가 많다. 그러므로 구급법을 기록하여 제10편을 삼는다.

자액사(自縊死)

목매어 죽은 자로, 아침에서 저녁 사이에 죽은 자는 몸이 이미 식었어도 살릴 수 있으나 저녁에서 아침 사이에 죽은 자는 살리기가 어렵다. 그리고 복부(腹部)가 따뜻한 자는 하루 이상이 되었어도 살릴 수가 있다. 마땅히 천천히 시체를 안아 풀어내려야 하고 목맨 새끼줄을 끊어서는 안 된다.

그리고 이불 속에 편안히 눕혀놓게 하고는 한 사람은 손으로 옷가지를 두껍게 싸서 곡도(穀道)[2)]를 단단히 막아 기운이 새나오지 못하게 하고, 한 사람은 발로 그의 양쪽 어깨를 밟고 손으로는 그의 머리채를

---

1) 산림경제 제3권 : 본권(本卷)은 대본에 4권으로 되어 있으나 갑본(甲本)과 을본(乙本)에는 모두 3권으로 되어 있고, 각지(各志)의 모두(冒頭)에 있는 소서(小序)의 순번으로도 3권이 타당한 듯하므로 바로잡는다.

2) 곡도(穀道) : 대장(大腸)과 항문(肛門)을 말하나, 여기서는 항문을 말한다.

당겨서 팽팽하게 하여 늘어지지 않도록 한다. 또 한 사람은 손으로 가슴 위를 누르고서 자주 문지르며 흔들어주고, 한 사람은 팔과 다리를 주무르면서 굽혔다 폈다 해준다. 그리하여 기(氣)가 입을 따라 나와 숨을 쉬고 눈을 뜨더라도 그대로 누르고 당기는 일을 중지하지 말아야 한다. 또 두 사람을 시켜 대롱을 두 귀에 대고 끊임없이 불게 해야 한다. -『동의보감』-

급히 닭의 볏을 찔러 피를 내서 입 안에 떨어뜨려주면 그 즉시 살아난다. 남자는 암탉, 여자는 수탉을 사용한다. 또 계시백(鷄屎白 닭똥의 흰 부분)을 대추 크기만큼 채취하여 술에 타서 코에 부어주면 더욱 묘효(妙效)가 있다. -『동의보감』-

또 양상진(梁上塵 들보에 낀 먼지)을 대두(大豆)만큼 채취하여 대롱 속에 넣고, 네 사람이 각각 대롱 하나씩을 가지고 동시에 힘껏 두 귀와 콧속에 불어넣으면 즉시 살아난다. -『동의보감』-

또 반하(半夏) 가루나 조각자(皁角刺) 가루나 세신(細辛) 가루를 콧속에 불어넣어 재채기가 나오면 즉시 살아난다. 잠시 후에 따뜻한 죽물을 조금 주어 목을 축이게 하고 차츰차츰 넘기게 한다. -『동의보감』-

익수사(溺水死)

물에 빠져 죽은 자는 하룻밤을 지났어도 오히려 구제할 수 있다. 급히 건져낸 다음 먼저 칼로 썰어 입을 벌리고 입이 벌어지면 젓가락 한 매로 재갈을 물려 물이 나올 수 있게 한다. 그리고 의복을 벗겨버리고 배꼽[臍中]에 200장(壯)이나 300장을 떠준다. 두 사람을 시켜 붓두껍으로 양쪽 귀를 불게 하고, 또 조각자 가루를 면(綿)에 싸 곡도(穀道) 속에 넣어두면 잠깐 사이에 물이 나오고 즉시 살아난다. -『동의보감』-

또 오리 피를 입 안에 부어주고, 초(醋) 반 잔을 가져다 콧속에 부어

주며, 소합원(蘇合元)[3] 세 알을 생강탕[薑湯]에 개어 먹이면 즉시 깨어난다. -『동의보감』-

또 한 방법은, 아궁이의 뜨거운 재 한두 섬을 가져다가 머리와 얼굴만을 내놓고 묻어놓으면 물이 일곱 구멍을 통하여 쏟아져 나와서 즉시 살아난다. -『동의보감』-

또 한 방법은, 소 한 마리를 끌어다가 죽은 사람을 가로 싣되 배가 소의 등에 닿도록 업어 싣고 사람을 시켜 소 양쪽에서 채찍질하면서 서서히 몰고 가게 하면 물이 나와서 살아나게 된다. -『동의보감』-

대롱을 사용하여 한쪽 끝을 뾰족하게 깎아 항문(肛門)에 넣고 사람을 시켜 뜨거운 손으로 배를 누르게 하면 물이 대변(大便)을 따라 나온다. 그리고 만약 추운 계절이면 많은 솜을 시루에 넣고 뜨겁게 쪄서 그것으로 온몸을 감싸 주었다가 식으면 다시 뜨거운 솜으로 바꾸어 싸주어서 따뜻한 기운이 안팎으로 통하게 하면 즉시 살아난다. 이것은 죽은 사람을 일으켜 살아나게 하는 참으로 좋은 방법이다. -『전방』-

동사(凍死)

얼어 죽어서 사지(四肢)가 빳빳해지고 구금(口噤 입을 열지 못하는 증세)이 되어 미기(微氣)만 있는 자는, 큰 솥에 재를 볶아 뜨겁게 만들어서 포대에 담아 가슴을 눌러주되 식으면 뜨거운 것으로 갈아준다. 그리하여 입이 열리고 기(氣)가 나온 다음에 따뜻한 죽물이나 따뜻한 술이나 생강탕을 조금씩 먹여 주면 즉시 깨어난다. 만약 먼저 심장을 따뜻하게 해주지 않고 갑자기 불로 뜸을 뜨면 냉기(冷氣)가 화기(火氣)와 충돌하게 되어 반드시 죽는다. -『동의보감』-

---

3) 소합원(蘇合元) : 소합환(蘇合丸). 악기(惡氣)를 물리치는 효력(效力)이 있다. 약능(藥能)은 소합유(蘇合油)·서각첨(犀角尖)·정향(丁香) 등 20여 재료가 들어가며 성각(省覺)의 효능(效能)을 가졌다.『洗冤錄方』

또 한 방법은, 모직물이나 거적으로 죽은 사람을 싸서 새끼줄로 매어 평온(平穩)한 곳에 놓아두고 두 사람에게 마주 보고 앉아 가볍게 굴려 오고가기를 모직물을 마전하는 법과 같이 하게 하여 사지가 따뜻해지면 즉시 살아난다. -『동의보감』-

낙수(落水)에 얼어 죽은 자는 젖은 옷을 벗겨버리고 산사람이 입었던 옷을 벗어 따뜻할 때 감싸준다. 구활(救活)하는 방법은 위와 같다. -『전방』-

입정사(入井死)

여름철에 우물을 청소하다 사람이 많이 죽게 되는데, 그중에도 5월과 6월이 더욱 심하다. 깊은 우물 속에는 모두 은복(隱伏)된 기운이 있어서 만약 들어가면 사람들이 숨이 막혀 갑자기 죽게 된다.

그런데 시신(屍身)이 푸르고 검으며 다친 흔적이 없는 것은 바로 그 기운에 중독(中毒)된 때문이다. 그럴 때는 즉시 우물물을 떠서 입에 머금어 얼굴에 뿜어주고 아울러 찬물에 웅황(雄黃) 가루 1~2전을 개어 먹여야 한다.

그리고 전근(轉筋)[4]이 뱃속으로 들어가 아파서 죽게 된 자는 네 사람에게 수족(手足)을 잡아 멈추게 하고 배꼽 좌측 -『허방(許方)』(허임방<許任方>을 말한 듯함)에는 좌(左)·우(右)라 하였다. - 2촌(寸)에 뜸 14장(壯)을 뜨고 또 생강(生薑) 1냥을 썰어 좋은 술 5잔을 부어서 진하게 달여 돈복(頓服)[5]시킨다. 또 초를 뜨겁게 끓여서 옷 솜을 푹 적시어 전근이 나는 곳에 싸매주고 또 진하게 염탕(鹽湯 소금을 넣고 끓인 물)을 달여 수족을 담가주고 가슴과 겨드랑이 사이를 씻어주면 즉시 소생한다. -『동의보감』-

---

4) 전근(轉筋) : 장딴지의 근육이 뒤틀려 별안간 경련(痙攣)을 일으키는 현상을 말한다.

5) 돈복(頓服) : 여러 번에 나누지 않고 한꺼번에 많이 복용(服用)함을 말한다.

졸사(猝死)

무릇 폭망(暴亡)은 시간이 지나지 않았어야 구제할 수 있다. 비록 기(氣)가 끊어지고 사지(四肢)가 식었더라도 만약 가슴과 배가 따뜻하고 코가 조금 따뜻하며 눈 속의 신채(神彩)[6]가 구르지 않거나 입 속에 침이 없으며 혀와 고환이 줄어들지 않은 사람은 모두 살릴 수 있다. -『동의보감』-

무릇 갑자기 죽은 자가 입이 벌어져 있고 눈이 떠져 있으며 손이 펴져 있고 똥을 쌌으면 허증(虛症)이 되니 마땅히 기(氣)를 보해야 하고, 눈이 감겨 있고 구금(口噤)이 되어 있고 주먹이 쥐어져 있으면 실증(實症)이니 마땅히 겉으로 발산시켜야 한다. -『동의보감』-

갑자기 죽은 자를 구제하려면 급히 조각자(皁角刺) 가루나 반하(半夏) 가루를 콧속에 불어 넣으면 즉시 살아난다. -『동의보감』-

남성(南星)·세신(細辛)의 가루나, 그것이 없으면 양상진(樑上塵)을 채취하여 콧속에 불어넣어 재채기를 하면 즉시 소생된다. -『허준 구급방』[7] -

수탉 볏의 피를 입 안에 부어주고 또 대롱을 사용하여 콧속에 불어넣어 주거나, 또 우황(牛黃)이나 사향(麝香) 1전(錢)을 따뜻한 술에 개어 먹여주면 즉시 살아난다. -『동의보감』-

호마유(胡麻油 검은 참깨기름) 반 홉을 생강즙에 타서 먹여주면 매우 신묘하다. -『전방』-

생강즙을 많이 먹여주어도 살아난다. -『전방』-

소합원(蘇合元)이나 비급환(備急丸)[8] 세 알을 따뜻한 술에나 생강 탕

---

6) 신채(神彩): 정신과 안색(顔色)을 말함이 보통이나 여기서는 사람 눈동자 속의 생기 있는 빛을 말한다.

7) 『허준 구급방』: 조선시대의 명의(名醫) 허준의 저서(著書)인 『언해구급방(諺解救急方)』을 말하는 듯하다.

8) 비급환(備急丸): 중악(中惡)·객오(客忤) 등을 치료한다. 파두(巴豆) 1전, 건강

에나 아이 오줌에 개어 부어주되 만약 구금(口噤)이 되었으면 빨리 입을 벌리거나 아니면 이를 부러뜨리고라도 부어주어야 한다. -『동의보감』-

침구법(鍼灸法)으로, 인중(人中)[9]에 침놓는 것이 있다. 만약 침이 없으면 큰손가락 손톱으로 집어 뜯어준다. -『의학입문』-

급히 인중 및 은백혈(隱白穴)[10]을 뜸뜨고 또 제중(臍中) 100장을 뜸뜨면 즉시 살아난다. -『허방』-

잠을 자다가 갑자기 기절(氣絶)한 데는 수탉 볏의 피를 내어 얼굴에 발라주고 마르면 다시 발라준다. 또 재[灰]로 죽은 사람을 빙 둘러 에워 싸놓는다. -『동의보감』-

불을 밝히지 말고 다만 그 뒤꿈치와 엄지발가락의 발톱 난 부분을 아프게 깨물어주고 그 얼굴에는 침을 많이 발라주면 즉시 살아난다. 또 우물 밑의 진흙을 얼굴에 발라주고 사람을 시켜 우물 속에 머리를 집어넣고 그 사람의 성명(姓名)을 부르게 하면 문득 깨어난다. -『윤방』-

놀라서 갑자기 죽은 자에게는 따뜻한 술을 많이 먹여준다. -『윤방』-

술에 대취한 사람이 방사(房事)를 하다가 갑자기 죽은 때는 냉수를 많이 먹여주면 즉시 살아난다. 무릇 갑자기 죽는 것은 기가 막혀서이다. 그러니 물을 얼굴에 뿜어주면 심장이 깨어나고 기를 통하게 하는 데 묘한 처방이 된다. -『허방』-

---

(乾薑 : 생포(生泡)하여 껍질을 제거함) 2전, 천대황(川大黃) 3전으로, 먼저 대황(大黃)·건강(乾薑)을 찧어 세말해서 파두상(巴豆霜)을 넣고 천 번을 찧어 꿀에 개서 소두대(小豆大)로 환약을 만든 다음 약 기운이 새나가지 않도록 밀기(密記)에 저장해 둔다. 용법은 한번에 3~4알을 따뜻한 술이나, 숙탕(熟湯)·미음(米飮) 등으로 먹는다.『金匱要略方』

9) 인중(人中) : 비주(鼻柱)와 상순(上脣) 사이의 움푹 들어간 도랑[溝]. 즉 수구(水溝)를 말한다.

10) 은백혈(隱白穴) : 족태음비경(足太陰脾經)에 소속된 경혈(經穴). 위치는 엄지발가락 끝 안쪽 곁으로 조갑각(爪甲角)에서 부추 잎 하나 들어갈 만한 사이에 있다.

중악(中惡)

무릇 사람이 늦은 밤에 뒷간에 가거나, 들판에 나가거나, 무덤에 올라가거나, 빈 집에서 놀다가 갑자기 눈에 귀물(鬼物)이 보이고 입과 코로 악기(惡氣)를 들이마셔서 곧장 땅에 쓰러지는 수가 있다. 그렇게 되면 사지(四肢)가 차갑고 머리와 얼굴이 푸르고 검으며 두 손은 주먹을 꽉 쥐고 입과 코에서는 피를 토하게 되는데 잠깐 사이에 구제할 수 없게 된다. 이 증세는 시궐(尸厥)[11]과 같으나, 다만 배에서 소리가 나지 않고 가슴과 복부가 모두 따뜻한 것이 다른 점이다.

가슴이 따뜻한 자는 하루 만에도 살아날 수 있으니 절대로 그 시체를 다른 데로 옮기지 말고 즉시 여러 사람들을 빙 둘러 세워서 북을 치고 불을 놓게 하거나, 혹 사향(麝香)이나 안식향(安息香)[12]을 태우면서 깨어나기를 기다렸다가 깨어나면 그때 옮겨야 한다. -『동의보감』-

먼저 소합원(蘇合元) 세 알을 생강탕이나 혹 따뜻한 술에 개어 먹인다. -『동의보감』-

또 급히 반하가루나 혹은 조각자(皁角刺) 가루를 가져다 양쪽 콧속에 불어넣으면 즉시 살아난다. -『동의보감』-

또 파의 노란 속을 채취하여 콧속에 4~5촌 깊이로 들어가게 찔러서 눈 속에서 피가 나오게 하면 즉시 살아난다. -『동의보감』-

또 오래된 땀받이옷[汗衣]을 취(取)하되 모름지기 속옷(內衣)이어야 하며 오래도록 땀에 밴 것이 좋다. 남자는 여자의 속옷을 사용하며 여자는 남자의 속옷을 사용하는데, 그것을 태워 가루를 만들어서 매번 2전(錢)씩을 백비탕(百沸湯)[13]에 타 먹인다. -『동의보감』

---

11) 시궐(尸厥) : 정신(精神)이 아찔하여 급작스럽게 엎드러져서 까무러치는 병.
12) 안식향(安息香) : 때죽나무과(科)에 속하는 낙엽교목(落葉喬木)이다. 여기서는 이 나무에서 나는 진액(津液) 말린 것을 말하는데 약재(藥材)나 향료(香料)로 쓴다.
13) 백비탕(百沸湯) : 맹탕으로 끓인 물.

또 사향(麝香) 1전을 갈아서 초(醋) 2홉에 타 먹이면 이내 차도가 있다. -『동의보감』-

생강즙과 전내기술[醇酒] 각 반 잔씩을 함께 백비(百沸)되도록 달여서 먹인다. -『동의보감』-

흰 개를 잡아 머리를 잘라 뜨거운 피 1되를 취하여 먹인다. -『동의보감』-

또 부추즙을 내어 입과 콧속에 부어준다. -『동의보감』 어떤 데는 "귓속에도 부어준다."고 되어 있다. -

또 창포(菖蒲)를 찧어 즙을 내어 먹인다. -『동의보감』-

또 도효(桃梟)[14]를 술에 갈아 먹인다. -『동의보감』-

또 황단(黃丹) 1전을 꿀 3홉에 타 먹인다. -『동의보감』-

또 사람을 시켜 얼굴에 오줌을 누게 하고, 또 아이 오줌을 입에 부어준다. 『전방』

또 침구법(鍼灸法)으로는, 뜸을 백회혈(百會穴)[15]에 9장, 인중(人中)에 7장, 제중(臍中)·기해(氣海)[16]에 100장씩 뜬다. -『고사촬요』·『허방』-

윗입술 속이 팽팽하며 기장쌀 같이 흰 것이 있는데 그것을 침으로 따버려야 한다. -『고사촬요』-

귀격(鬼擊)[17]

이러한 병들은 다 예고 없이 얻어지는 것이다. 갑자기 사람이 달려들

---

14) 도효(桃梟) : 나무에 달린 채 저절로 마른 천엽도(千葉桃).

15) 백회혈(百會穴) : 독맥경(督脈經)에 소속된 경혈(經穴). 위치는 전정(前頂)의 뒤 1촌 5푼인 정(頂)의 중앙(中央) 선모(旋毛)의 가운데인데, 바로 양이첨(兩耳尖)의 직상으로 오목 들어가 콩 하나 들어갈 만한 곳이다. 수족삼양(手足三陽)과 독맥(督脈)의 회(會)이다.

16) 기해(氣海) : 기해혈(氣海穴)로서 임맥경(任脈經)에 소속된 경혈(經穴). 위치는 배꼽 아래 1촌 반 사이 움푹한 곳[宛宛]에 있으며, 남자(男子)의 생기(生氣)의 해(海)가 된다.

17) 귀격(鬼擊) : 이 증세는 갑자기 귀기(鬼氣)에 걸려 일어나는 병이다. 홀연히 칼로 찌르고 몽둥이로 때리는 듯이 흉복(胸腹) 사이가 아파 손을 대지 못하는 증세로서 주로 정기(正氣)가 쇠약하여 생기는 병이다.

어 칼로 찌르는 것처럼 가슴과 배가 아파서 손을 댈 수도 누를 수도 없으며, 혹은 피를 토하고 코피가 나고 하혈(下血)을 하기도 한다. 이것을 치료하는 방법은 중악(中惡)을 치료하는 방법과 같다. -『동의보감』-

서각(犀角) 5전(錢), 주사(朱砂)・사향(麝香) 각각 2전 반을 가루로 만들어 매번 2전씩 새로 길어온 물에 개어 먹인다. -『동의보감』-

좋은 술을 양쪽 코에 불어넣으면 즉시 차도가 있다. -『고사촬요』-

계백시(鷄白屎)・마(麻 참깨) 한 줌을 술 7되에 넣어 3되가 되도록 달여서 뜨거울 때에 먹여 땀을 낸다. 땀이 나지 않으면 다리미에 불을 담아 양쪽 옆구리 아래를 쬐어준다. 그리하여 땀이 나면 즉시 낫는다. -『전방』-

뱃속에 피가 새서 가슴이 답답하여 죽게 된 자는 웅황(雄黃) 가루를 콧속에 불어넣어 준다. 또 술에 개어 1전씩 하루에 세 번을 먹이면 피를 변화시켜 물로 만들 수 있다. -『동의보감』-

인중(人中)을 뜸뜨면 즉시 차도가 있는데, 만일 차도가 없으면 다시 뜬다. -『고사촬요』-

배꼽 위 1촌과 배꼽 아래 1촌 되는 곳에 7장(壯)을 뜬다. -『고사촬요』-

귀압(鬼魘)[18]

사람이 여관(旅館)이나 오래도록 비워 두었던 냉방(冷房)에서 잠자던 중에 귀물(鬼物)에게 가위눌린바 되어 다만 어물어물 소리 내는 것만 들릴 뿐, 문득 사람이 소리 질러 불러도 깨어나지 않는 것이 바로 귀압(鬼魘)이다. 급히 구제하지 않으면 죽는다. 그리고 앞에 가까이 가서 급하게 불러서는 안 되고 다만 누웠던 곳에서 조금 옮겨 놓고 천천히 불러야 한다. 또 불을 밝혀서도 안 되나 만약 등불이 있었으면 그대

---

18) 귀압(鬼壓) : 잘 때의 가위눌림. 몽압(夢壓). 즉 자다가 무서운 꿈을 꾸고 놀라서 몸짓을 하거나 소리 지르는 증세.

로 놓아두고 등불이 없었으면 절대로 불을 켜서는 안 된다. 그럴 때는 발복사뻬[足跟]와 엄지발가락 발톱 가를 아프게 물어뜯고, 그 얼굴에 침을 많이 발라놓고는 - 『고사촬요』에는 "얼굴에 물을 뿜는다." 하였다. - 이어 대롱으로 두 귀를 불어주고 또 반하(半夏) 가루나 조각자(皁角刺) 가루를 양쪽 콧속에 불어주면 즉시 살아난다. - 『동의보감』 -

양상진(樑上塵)을 채취하여 콧속에 불어넣어 주고, 또 새 붓끝으로 콧구멍을 찔러주되 남자는 왼쪽 콧구멍을 찌르고 여자는 오른쪽 콧구멍을 찔러준다. 그리고 엎치락뒤치락 운동을 시켜주면 즉시 일어난다. - 『전방』 -

마땅히 사향소합원(麝香蘇合元)을 써야 한다. - 『동의보감』 -

복룡간(伏龍肝 불 땐 아궁이 속의 흙) 가루 2전을 우물물에 타서 먹이고 콧속에 불어넣어 준다. 또 부추즙을 입과 귀와 코에 부어주기도 하는데 염교[薤]의 백즙(白汁)도 좋다. - 『동의보감』 -

만약 반듯이 누워서 손으로 가슴을 덮고 있으면 압(魘)에서 깨어나지 못하니 다만 가슴 위의 손을 내려놓은 다음에 천천히 불러 깨운다. 옆 사람의 손이나 다른 무거운 물건에 눌려 있어도 모두 그러하니 내려놓아 주어야 한다. 대체의 요법은 귀격(鬼擊)을 치료하는 방법과 동일하게 치료하는 것이 마땅하다. - 『오방』 -

객오졸궐(客忤猝厥)

객오(客忤)란 중악(中惡)의 종류이다. 거의가 길에서나 문밖에서 얻는다. 그 증세는, 사람의 가슴과 배가 쥐어뜯기 듯이 아프고 창만(脹滿)해 오르며 기가 가슴을 충(衝 찌름)해 오는 것인데, 즉시 치료하지 않으면 사람이 죽게 된다. 그럴 때는 백초상(百草霜 앉은 검정) 5전을 채취하여 소금 3전과 합쳐 갈아서 따뜻한 물에 타 먹인다. - 『동의보감』 -

또 계란 크기만큼의 소금을 푸른 비단에 싸서 붉게 태워 갈아서 술에 넣어 돈복(頓服)시켜 좋지 않은 내용물을 토해 내게 해야 한다. 또 세신(細辛)과 계심(桂心)을 세말하여 입 안에 넣어준다. -『동의보감』-

소합원(蘇合元)을 생강즙이나 혹은 따뜻한 술이나, 아이 오줌[童尿]에 타서 먹인다. -『동의보감』-

숙애(熟艾) 1냥을 물에 달여 즙을 내어 돈복시키면 즉시 낫는다. -『동의보감』-

구리그릇이나 혹 질그릇에 열탕(熱湯)을 담아 두꺼운 옷으로 배 위를 덮고 옷 위를 밀어주되 식으면 열탕으로 바꿔 넣어가며 밀어주면 이내 치유된다. -『동의보감』-

조각자(皂角刺) 가루를 코에 불어넣거나 혹은 부추즙을 귓속에 부어주고 제중(臍中)에 100장을 뜬다. -『윤방』-

시궐(屍厥)

시궐이란 바로 중악(中惡)의 종류이다. 그 증세는 신맥(身脈 맥박)은 모두 이상 없이 움직이기는 하나 형세는 알 수 없다. 그 증상이 시체와 같기 때문에 명칭을 시궐이라 한다. 무릇 상가에 문상(問喪)가거나 병자를 문병(問病)하거나 혹은 묘혈(墓穴)에 들어가거나 무덤 위에 올라갔다가 갑자기 사악(邪惡)한 기운에 걸려 일어나는 현상이다.

손과 발이 차갑고 머리와 얼굴이 검푸르며 아관(牙關)[19]이 뻣뻣해지며 현기증으로 쓰러져서 사람을 알아보지 못하며 혹은 헛소리를 하기도 하고 또는 뱃속에서 기(氣) 달리는 소리가 뇌명(雷鳴)과 같으며 귓속에서 소곤거리는 듯한 소리가 들리는 것이 이것이다. 급히 소합원(蘇合元) 3알을 따뜻한 술이나 혹 생강탕으로 먹이고, 또 오래된 땀옷을 태워 가루를 만들어 먹인다. - 중악(中惡) 조에 자세히 보인다. -

또 창포즙(菖蒲汁)을 입 안에 부어준다. 또 생강즙 반 잔과 술 한

19) 아관(牙關) : 입 속 구석의 윗잇몸과 아랫잇몸이 맞닿은 부분.

잔을 백비(百沸)토록 달여 먹이고 이어 대롱을 두 귀에 대고 불어주면 즉시 소생한다. -『동의보감』-

침구법(鍼灸法)으로는, 인중(人中)에 침을 놓되 이[齒]에 닿도록 하면 즉시 소생한다. 백회혈(百會穴)에 77장, 기해혈(氣海穴), 관원혈(關元穴)[20]에 각각 300장씩 뜸을 뜬다. -『허임경험방』-

담궐(痰厥)[21]

담궐은 담이 갑자기 성하여 정신을 잃고 의식을 잃는 병으로 목구멍에서 톱질하는 듯한 소리가 난다. 그럴 때에는 급히 청유(淸油)를 많이 먹여 주면 즉시 담을 토하고 낫는다. 또 죽력(竹瀝 푸른 대나무를 불에 구워 받은 진액)에다 생강즙을 조금 타서 많이 먹인다. 또 청심원(淸心元) 1알을 죽력에 타서 생강즙을 섞어 먹인다. 또 계란 노른자 3개를 아이 오줌에 타서 먹여도 모두 즉시 소생한다. -『허방』-

식궐(食厥)

식궐은 음식을 지나치게 먹은 데에서 흔히 원인된다. 음식을 먹은 뒤에 혹 기분에 노여운 경우를 만나면 변하여 이상하게 된다. 급폭한 증세는 말을 못하며 사람을 알아보지 못하고 사지(四肢)를 들지 못한다. 그럴 때는 급히 강염탕(薑鹽湯 생강과 소금을 함께 달인 것)을 달여 다량을 입 속에 부어주고 더듬어 토하게 하면 즉시 소생한다. -『동의보감』-

---

20) 관원혈(關元穴) : 임맥경(任脈經)에 소속된 경혈(經穴). 위치는 배꼽 아래 3촌 지점에 있다. 소장(小腸)의 모(募)가 되며, 족삼음(足三陰) 임맥(任脈)의 회(會)이다.『擧痛論』

21) 담궐(痰厥) : 원기가 허한 데에 추운 기운을 받아서 담이 막히고 사지궐랭(四肢厥冷)·마비·어질증·기색(氣塞)을 일으키고, 맥박이 미약해지는 병. 심하면 졸도하여 인사불성이 된다.

회궐(蛔厥)

회궐이 일면 가슴과 배가 아프되 갑자기 통증이 일다가 홀연히 그치는가 하면 오심증(惡心症)[22]으로 소리를 지르며 때로는 서둘면서 차가운 침과 푸른 물을 토한다. 얼굴빛은 청황색이며 입술은 붉고 검은데 색상이 변하여 정상이 아닌 것이 이 증상이다.

만약 회충이 심장을 뚫고 올라오면 사람이 죽게 되니 심급하게 사군자육(使君子肉) 1냥을 물에 달여 먹여야 한다. 또 고련근(苦楝根)의 흰 껍질 1냥을 진하게 달여 빈랑(檳榔) 가루 1전을 타서 밤 오경(五更 새벽 4시)에 돈복(頓服)시킨다. 무릇 하루 중 오전 반나절은 회가 머리를 위로 향하고 있으므로 그 전날 저녁밥을 먹이지 말고 야반(夜半)이 지난 뒤에 먼저 저포(猪脯 돼지비계)를 지져 향취(香臭)가 코에 꽉 차도록 하고, 즉시 가늘게 씹어 즙을 넘기고 그 길로 위의 약을 돈복시켜야 하는데, 그것은 대개 회충이 배가 고파 먹을 것을 찾을 때이기 때문이다. 그러나 아플 때에는 시간에 구애받지 않는다. -『경험방』-

한참 아플 때에는 음식을 먹는 것은 좋지 않다. 그리고 단 것을 먹으면 배가 참을 수 없이 아프게 되는데 대개 회충은 단 것을 먹으면 일어나고, 신 것을 먹으면 취(醉)하고, 매운 것을 먹으면 엎드리고, 쓴 것을 먹으면 중지하기 때문이다. -『동의보감』·『만병회춘』-

산석류(酸石榴) 뿌리의 껍질 2근과 빈랑 10매를 물 7되에 넣어 2되가 되도록 달여서 찌꺼기를 건져내고 멥쌀로 흰죽을 쑤어 평조(平朝)에 빈속에 먹이면 조금 있다 회충이 모두 죽어 통쾌하게 사하(瀉下)된다. -『의학정전』-

또 한 방법은, 고련근에서 거죽의 거친 껍질을 벗겨 버리고 속의 흰 껍질 2냥을 채취하여 물 2사발을 부어 1사발 반이 되도록 달이다가 껍질을 건져내고 늦멥쌀 3홉을 넣고 미죽(糜粥)을 쑤어서 빈속에 먹인다.

---

22) 오심증(惡心症) : 가슴속이 불쾌해지면서 토할 듯한 기분이 생기는 현상.

-『의학정전』-

약을 먹여 회충을 죽이는 방법은, 먼저 볶은 고기 한두 점을 씹어 회충이 머리를 위로 향하도록 유인한 다음에 약죽(藥粥) 한두 입을 먹이고 조금 있다 또 한두 입을 먹인다. 이렇게 차츰차츰 더하여 한 사발을 먹이거나 혹 두 사발을 먹이면 그 회충이 다 죽어 사하된다. -『의학정전』-

삼충(三蟲 뱃속의 모든 충을 말함)이 먹이를 찾게 하는 방법은, 병을 앓은 뒤에 창자와 위를 텅 비게 하면 된다. 사람의 오장(五臟)을 갉아 먹는 것을 일러 호혹(狐惑)이라 하는데 매우 빨리 사람을 죽인다. 위로 폐계(肺係)를 먹으면 후문(喉門 목구멍)이 가렵고 아래로 대장(大腸) 하구(下口)를 먹으면 항문(肛門)이 가려워서 사람을 견딜 수 없게 한다. 그럴 때는 합환목(合歡木 자귀나무)을 아궁이에 때게 하고는 굴뚝 위에 앉아 그 연기가 항문으로 들어가게 하고, 또 입으로 들어가게 하면 즉시 낫는다. -『문의경험방』-

혈궐(血厥) 울모(鬱冒)라고도 한다

사람이 본래는 병이 없다가도 갑자기 죽은 사람처럼 몸을 움직이지 못하고 멍하니 사람을 알아보지 못하며, 눈을 감고 뜨지 못하며, 입을 다물고 말을 못한다. 혹은 사람을 조금 알아보나 사람의 소리를 듣기 싫어하며 다만 어지러운 듯이 하는 자는 시간이 지나면 곧 깨어난다. 이 증세는 땀을 과다하게 흘려 피가 적은데다가 기(氣)가 피에 합병된 데서 연유한 것인데 부인(婦人)에게 많이 있는 증세이다. 여노(藜蘆)·과체(瓜蔕)·웅황(雄黃)·백반(白礬)을 등분(等分 같은 분량)으로 분말하여 조금씩 취(取)하여 콧속에 불어넣어 준다. -『동의보감』-

기궐(氣厥) 중기(中氣)를 첨부하였다

기궐(氣厥)은 교귀(驕貴)한 사람에게 많이 생기는 증세이다. 일이 지나치게 번거롭거나 분노가 심하여 그 성질을 풀지 못함으로 인해서 기가 역(逆)하여 위로 올라오기 때문이다. 그 증상은 갑자기 쓰러져 정신을 잃고 의식이 없으며 아관(牙關)이 뻣뻣해지고 손발이 오그라드는 것으로, 그 형상이 중풍(中風)과 같으나 다만 입 안에 가래 끓는 소리가 없는 것이 다르다. 급히 소합원(蘇合元)을 먹이거나 혹 변향부(便香附) 가루 2전을 생강탕에 타서 먹이면 즉시 소생한다. 함부로 잡된 약을 써서는 안 된다. -『오방』-

중기(中氣)는 바로 기궐과 동일한 증세이다. 남과 싸우다가 분노가 복받침으로 인하여 기가 거슬러서 어지러워 쓰러진 것이다. 기맥(氣脈)은 가라앉고, 풍맥(風脈)은 부동(浮動)한다. 그리고 풍중(風中)은 몸이 따뜻하며 담연(痰涎)이 있는 데 비해 기중(氣中)은 몸이 차가우며 담연이 없다. 이럴 때는 급히 생강탕을 먹여 구제해야 한다. -『동의보감』-

만약 중기증(中氣症)에다 중풍(中風)에 쓰는 약을 사용하여 치료한다면 많은 사람을 죽이게 된다. -『동의보감』-

갑자기 상기(上氣)가 되어 - 크게 허(虛)하여 기가 폐장(肺臟)에 모여 생기는 병이다. - 목구멍이 닫혀 그 소리가 코고는 소리와 같기도 하고 가래가 목구멍에 있어서 소리 나는 것과 같은 자도 있는데, 이것을 폐절(肺絶)의 징후라 한다. 마땅히 인삼고(人蔘膏)를 사용하여 구제해야 하니 입을 벌려 놓고는 생강즙과 죽력(竹瀝)으로 자주 먹여야 한다. 만약 인삼고를 얻지 못하면 먼저 독삼탕(獨蔘湯)을 달여서 구제해야 한다. 일찍 서두른 자는 10에 7~8인은 온전하고 그다음은 10에 4~5인은 온전하나 늦으면 10에 1인도 온전하지 못한다. -『동의보감』-

중풍(中風)

갑자기 쓰러져 의식을 잃고 눈이 뒤집히고 입이 삐뚤어지며 손과 발을 쓰지 못하게 된다. 이럴 때는 급히 엄지손톱으로 인중(人中)을 집어뜯고 조각자(皂角刺) 가루를 코에 불어넣고는 즉시 두정(頭頂)의 머리털을 끌어 일으켜서 재채기가 나기를 기다려야 하는데 재채기가 나오면 치료가 가능하고 재채기가 나지 않으면 치료가 불가능하다. 구금(口噤)이 되었을 때는 오매육(烏梅肉)을 남성(南星)·세신(細辛) 가루에 섞어 자주 문질러주면 아구(牙口)가 저절로 열린다. -『의학입문』-

죽력 3홉과 생강즙 1홉에다 청심원(淸心元) 1알을 타거나 아니면 용뇌(龍腦)와 소합원(蘇合元) 3알을 타서 입 속에 먹여주며, 혹은 향유(香油)를 많이 먹이면 즉시 소생한다. -『허방』-

정신을 잃고 의식을 모르며 침이 고여 말하지 못할 때는 측백엽(側柏葉) 한 줌과 뿌리가 달린 총백(葱白) 한 줌을 진흙처럼 세연(細硏)하여 좋은 술 한 종발을 부어서 10~20번 끓도록 달여 찌꺼기를 건져내고 따뜻할 때 먹인다. -『전방』-

풍담(風痰)이 옹성(壅盛)된 자나 입과 눈이 삐뚤어져 말하지 못하는 자는 모두 토해 내야 한다. 경증(輕症)인 자는 과체(瓜蔕 참외꼭지)에 타서 마시게 하고 중증(重症)인 자에게는 여노(藜蘆) 5푼(分)을 사향(麝香) 반전(半錢)에 넣어 가루로 만들어서 제즙(虀汁) - 신채국 - 에 타서 먹인다. 그래도 만약 토하지 않으면 재차 먹인다. -『동의보감』-

백반(白礬) 2전을 생으로 갈아 가루를 만들어 생강 자연즙(自然汁)[23]에 타서 입을 벌리고 먹여 그 담연(痰涎)이 토해지거나, 혹 변화되어 내려가면 문득 깨어난다. -『전방』-

입과 눈이 삐뚤어진 데는, 왼쪽으로 삐뚤어졌으면 석회(石灰)를 물에

23) 자연즙(自然汁): 어떤 물질에 다른 물질을 가하지 아니하고 그 자체의 물기만으로 짜낸 액체를 말한다.

타서 즉시 오른쪽에 바르고, 오른쪽으로 삐뚤어졌으면 왼쪽에 발라 전처럼 방정(方正)하게 되기를 기다려서 전같이 되면 즉시 물로 씻어내야 하는데 큰 효력을 거둔다. -『윤방』-

몸이 각궁반장(角弓反張 팔다리와 몸이 뒤틀리는 것)되고 사지(四肢)를 쓰지 못하며 번란(煩亂)하여 죽으려 하는 자는 청주(淸酒) 5되에 계백시(鷄白屎 닭의 흰 똥) 1되를 찧어 체로 쳐 섞어서 천 번을 흔들어 마시게 한다. 장성한 자는 1되를 먹이는데 하루에 세 번씩 먹이며 5홉쯤 먹이면 차도가 있게 된다. -『전방』-

엄지발가락 횡문(橫紋)에 환자의 나이 수대로 뜸뜨면 즉시 낫는다. -『전방』-

중서(中暑)

여름에 길가다가 중서(中暑 더위로 인하여 까무러쳐 인사불성이 되는 병)로 죽은 자와, 정신이 혼미하며 담(痰)이 끓고 토사를 일으키며 숨이 차 답답해하고 목말라 하며 땀을 흘리고 머리가 아프며, 답답해서 죽게 된 자는 급히 부축하여 서늘한 곳에 눕힌다. 그리고 길 가운데의 뜨거운 진토(塵土)를 가져다가 가슴 위와 배꼽 위에 쌓아놓고 구덩이를 만들어 사람에게 그 속에 오줌을 누게 하면 즉시 살아난다. -『동의보감』-

수건이나 옷가지를 열탕(熱湯)에 담갔다가 제중(臍中)과 기해혈(氣海穴)을 따뜻하게 해주고 계속하여 열탕으로 덮은 옷 위를 적셔 따뜻한 기운이 배꼽과 배로 통하게 해야 한다. 만약 창졸간이라서 열탕이 없으면 길가의 뜨거운 흙을 움켜다가 배꼽 위에 쌓아 놓았다가 그 흙이 식으면 뜨거운 흙으로 바꿔 놓는다. -『동의보감』-

새로 길어온 물을 양쪽 코에 떨어뜨려 주며 부채로 부쳐주고 중한 자에게는 지장(地漿)을 먹이면 즉시 깨어난다. - 황토 땅을 파서 구덩이를 만들고 그 속에 물을 부어 저어서 흐리게 만든다. 조금 있다 그 가라앉은 맑은 물을 떠서 쓰는데 그것을 지장(地漿)이라 한다. - 만약 냉수(冷水)를 주어 마시게 하면 즉사(卽死)한다. - 『동의보감』 -

생강 한 덩이나, 마늘 한쪽을 물에 갈아 먹인다. - 『동의보감』 -

동변(童便)이나 청장(淸醬)을 물에 타서 먹인다. 또 생말똥을 짜서 그 즙을 먹인다. 요엽(蓼葉 여뀌의 잎)·향유(香薷)를 달여 먹인다. 또 석고(石膏) 1냥을 달여 즙을 짜 먹이면 즉시 낫는다. - 『동의보감』 -

마늘 한 줌을 길가의 햇볕 쬔 흙과 섞어 갈아서 새로 길어온 물에 타 가라앉혀 찌꺼기를 버리고 먹이면 약 기운이 뱃속에 들어가는 즉시 살아나는데 이것은 신인(神人)의 비급방(備急方)이다. - 『전방』 -

사람을 시켜 그 사람의 가슴을 불게 하여 따뜻하게 해주되 사람을 바꾸면서 불게 한다. - 『전방』 -

괴화(槐花)나무의 연한 순을 진하게 달여 먹이면 즉시 효력을 본다. 그 후로는 다시 재발하지 않는다. - 『윤방』 -

진말(眞末 밀가루)을 냉수에 타서 먹인다. 꿀물도 좋다. - 『문견방』 -

만약 놀라면서 헛소리를 하면 진사익원산(辰砂益元散)[24]을 우물물에 타서 먹인다. - 『의학입문』 -

중한(中寒)

상한증(傷寒症)에는 즉시 발병되는 것도 있고 즉시 발병되지 않는 것도 있어서 점점 깊어가다가 한(寒)을 맞으면 그 병이 즉시 발생하여 갑자기 어지러워 쓰러져서 구금(口噤)되고 사지(四肢)가 빳빳해지며 뒤틀리고 거품[涎沫]을 토하게 된다. 맥박(脈搏)은 부(浮)하고 긴(緊)하며 혹은 미(微)하고 혹은 무(無)한데, 만약 급히 치료하지 않으면 죽음이

24) 진사익원산(辰砂益元散) : 복서토사(伏暑吐瀉)·광언발축(狂言發搐) 등 증을 치료한다. 진사익원산은 바로 진사육일산(辰砂六一散)이며, 육일산(六一散) 즉 계부활석(桂府滑石) 수비온정(水飛溫淨)한 것 6냥, 거피(去皮)한 감초(甘草) 1냥에 제(製)한 진사(辰砂) 3전을 더한 것이다.

조석에 달려 있다. 그럴 때는 급히 환자를 떠메다가 따뜻한 방에 안치하고 손을 불에 쬐어 환자의 가슴과 배 사이를 문질러주고 뜨거운 술과 생강즙 각 반 잔을 먹인다. 그리고 겸하여 총백(蔥白) 2~3되를 둘로 나누어 싸서 볶되 매우 뜨겁게 만들어 바꿔가면서 배꼽 위를 눌러준다. 식으면 물에 적셔 다시 볶아서 눌러주어야 한다. -『동의보감』-

냉이 극하여 입술이 푸르며 궐역(厥逆)이 되어 맥(脈)이 없고 음낭(陰囊)이 줄어든 자는 급히 뿌리째 캔 총백(蔥白)·소맥부(小麥麩 밀기울) 각 3되와 소금 2되를 물에 고루 섞어서 볶아 위에서 하던 방법으로 배꼽 위를 눌러준다. 또 제중(臍中)과 기해혈(氣海穴)·관원혈(關元穴)을 각각 30~50장씩 뜸뜬다. -『오방』과 『전방』에서는 "기해혈과 관원혈에 각각 200~300장씩 뜬다." 했다. - 그렇게 해도 맥(脈)이 나오지 않고 손발이 따뜻해지지 않는 자는 죽는다. -『동의보감』-

상한(傷寒)

상한의 초증(初症)에는 갈근즙(葛根汁)이나 죽력(竹瀝) 그리고 치자(梔子) 10개를 달인 탕이나, 배[梨]의 생즙이 모두 효력이 있다. -『윤방』-

상한·방로(房勞)·염병(染病)을 따질 것 없이 구미강활탕(九味羌活湯)이 모두 큰 효력이 있다. 그 처방(處方)은, 강활(羌活)·방풍(防風) 각 1전 반, 창출(蒼朮)·천궁(川芎)·백지(白芷)·황금(黃芩)·생지황(生地黃) 각 1전, 세신(細辛)·감초(甘草) 각 3푼에 생강 3쪽, 대추 2개, 총백(蔥白) 2줄기를 넣어 물에 달여 뜨거울 때 먹인다. 땀이 없으면 자소엽(紫蘇葉)을 가미(加味)하고, 목구멍[咽]이 아프면 길경(桔梗) 1전을 가미하고, 감초를 더하여 7푼으로 만든다. 머리가 아프고 심히 무거우면 강활을 더하여 2전으로 만들되 반드시 병이 시작된 지 3일 안에 사용해야 한다. 여러 날이 지난 뒤에는 효력이 없다. 증세가 중하면 하

루에 두 번 먹이고 더욱 중하면 하루에 세 번 먹인다. -『경험방』-

건강(乾薑)을 굵게 썰어 월경수(月經水)에 담가 습기가 속까지 배어 들기를 기다렸다가 검게 볶아 가루로 만들고 3전을 월경수·동변(童便) 각 3종발을 조금 따뜻하게 하여 타서 먹게 한다. 방로(房勞 방사<房事>로 인한 피로)나 염병(染病 열병<熱病>)을 따질 것 없이 10여 일이 되었거나 혹은 수십 일이 되도록 화해(和解)하지 못하여 은열(隱熱 속에 숨어 있는 열)이 되었을 때에 사용하면 문득 효력을 본다. -『윤방』-

음양역(陰陽易)

무릇 상한(傷寒) 열병(熱病)에 있어, 남자의 병이 신차(新差 막 나았을 때)되었을 때 부인(婦人)이 그와 더불어 성교(性交)를 하여 득병(得病)한 것을 양역(陽易)이라 하고, 부인의 병이 신차되었을 때 남자가 그와 성교를 하여 득병한 것을 음역(陰易)이라 한다. 그 증세는 열(熱)이 가슴으로 상충(上衝)되어 머리가 무거워서 들 수 없고 눈 속에 불이 보이며 사지(四肢)가 뒤틀리며 아랫배가 켕기고 아픈데, 수족이 구부러지면 죽게 된다.

이럴 때는 급히 음부(陰部)에 가까웠던 잠방이 한쪽을 방원(方圓)으로 4~5치가 되게 잘라 - 남녀가 서로 사용한다.『오방』에는 "동녀(童女)의 잠방이를 쓴다." 하였다. - 소존성(燒存性)[25]이 되게 태워 가루를 만들어서 따뜻한 물에 타 먹인다. 또 실녀(室女 처녀를 말함)의 월경포(月經布)에서 음부에 가까웠던 부분을 잘라내어 소존성이 되게 태워서 가루를 만들어 미음(米飮)에 타 먹인다. 또는 사람의 손톱과 발톱 20편을 태운 재로 가루를 만들어 미음에 타 먹인다. 또는 청죽여(靑竹茹) 1되를 물 3되에 1되가 되도록 달여 두 번에 나누어 먹인다. 그리하여 소변(小便)

25) 소존성(燒存性): 어느 물건을 태우되 아주 재가 되어 형체를 알아볼 수 없게 하지 않고 그 물건이 무엇인가를 알아 볼 수 있도록 검게 태운 것을 말한다.

이 나오고 음두(陰頭)가 조금 부으면 즉시 낫는다. -『동의보감』-

탈양(脫陽)

크게 토하고 크게 사(瀉)한 뒤에 원기(元氣)가 접속되지 못하여 일어나는 증세이다. 사지(四肢)가 역랭(逆冷)하고 얼굴이 검어지며 가슴이 답답하고 숨이 차며[氣喘], 냉한(冷汗)이 저절로 나오고 외신(外腎 음경)이 오그라들며, 정신을 잃고 의식을 모르게 되는데 잠깐 사이에 구제하지 않으면 상한(傷寒)의 음양역(陰陽易)과 같은 증세가 된다. 급히 연수 총백(連鬚葱白) 3~7줄기를 술에 진하게 달여 먹이면 양기(陽氣)가 즉시 돌아온다.

또 생강(生薑) 1냥을 술에 갈아 먹인다. 또 계지(桂枝) 2냥을 썰어서 좋은 술에 달여 즙을 짜 먹여도 효력이 있다. 또 파와 소금을 문드러지게 짓찧어 뜨겁게 볶아서 배꼽 아래 기해혈(氣海穴)을 눌러주면 즉시 낫는다. -『동의보감』-

곽란(霍亂)

한전(寒戰)이 들고 열이 심하며, 머리가 아프고 어지러우며, 가슴과 배가 아파서 참을 수 없는 증세이다. 토하지도 사(瀉)하지도 못하는 것을 일러 건곽란(乾霍亂)이라 하고, 토사(吐瀉)가 그치지 않는 것을 일러 습곽란(濕霍亂)이라 한다. 그러므로 건곽란은 토사시키는 것을 위주로 한다. 소금 1냥, 생강절(生薑切) 반 냥을 함께 변색(變色)되도록 볶아서 동뇨(童尿) 2잔에 함께 달여 1잔쯤 되거든 두 차례로 나누어 먹이면 토하(吐下)되어 즉시 낫는다.

또 큰 숟가락으로 소금 한 숟갈을 노랗게 볶아 동뇨(童尿) 1되에 타서 따뜻하게 흔들어 먹인다. 또 염탕(鹽湯) 한 사발에 조각자(皁角刺) 가루를 조금 넣어 먹이면 토한다. 또 백비탕(百沸湯)에 새로 길어온 물을 타서 먹이면 숙식(宿食)된 악독한 물질을 토해 낼 수 있다. 소금을 타 먹이면 더욱 신묘하다.

또 녹비(사슴가죽)나, 장피(獐皮 노루가죽)를 연기에 쐬어 가장 황색(黃色)이 짙은 것을 물에 담갔다가 주물러 즙을 짜서 돈복시키면 즉시 토한다. 또 초(醋) 1~2되를 먹이면 토한다. -『동의보감』-

냉수(冷水)·밀수(蜜水)를 많이 마시게 하여 토하게 하면 좋다. 만약 통증이 그치지 않으면 재차 먹여 다시 토하게 하면 즉시 효력을 본다. -『경험방』-

습곽란(濕霍亂)은 토사가 그치지 않는 것이다. 향유(香薷)·임금(林檎) - 빛이 푸른 것 - 을 달여 먹이면 좋다. 노구솥[鍋] 밑의 그을음을 채취하여 2전을 백비탕 1잔에 넣어 급히 흔들어서 먹이면 토사가 즉시 그친다. 또 생강 5냥을 반으로 갈라 똥[屎] 1되에 넣어 함께 달여 즙을 짜서 먹이면 즉시 효력을 본다. -『동의보감』-

소똥이나 말똥을 즙을 내어 1잔을 먹이거나 혹은 뜨겁게 볶아서 면(綿)에 싸 아랫배에 붙여 준다. -『경험방』-

토사가 지나쳐 사지(四肢)가 역랭(逆冷)하며 인사불성(人事不省)이 되면 남성(南星) 가루 3전, 대추 3개, 생강 5쪽을 함께 달여 아주 뜨거울 때 먹이면 한번에 효력을 볼 수 있다. 혹은 반하(半夏) 가루를 생강즙에 개어 먹이거나 백반(白礬) 가루 1전을 백비탕에 타 먹여도 효력이 있다. 또는 곽향(霍香)·진피(陳皮) 각 5전을 물에 달여 따뜻할 때 먹인다. -『동의보감』-

곽란(霍亂)으로 토사가 올 때에는 일체 곡식(穀食 먹을 것)을 주지 말아야 한다. 비록 미탕(米湯)이나 속죽(粟粥)이라도 위장에 들어가면 그 즉시 죽는다. 반드시 토사가 그치기를 기다려서 한나절이 지나 심히 배고플 때에 흰죽을 주어서 차츰차츰 먹게 하고 쉬게 한다. -『동의보감』-

곽란에 전근(轉筋)이 오는 것은 토사(吐瀉)가 지나쳐서이다. 온몸이 전근되고 수족이 궐랭(厥冷)하여 기(氣)가 끊어져 죽게 된 자에게는 급히 향유 – 서곽(署霍)에는 빼놓을 수 없는 약이다. – 나 혹은 목과(木瓜) – 지엽(枝葉)도 좋다. – 혹은 출촉엽(秫蜀葉) – 쥐가 나서 힘줄이 불거져 크기가 복숭아나 오얏처럼 되며 오그라져 아픔을 참을 수 없는 것을 치료한다. – 혹은 노화(蘆花)를 달여 먹이면 된다. 또는 여뀌[蓼] 한 줌을 따서 진하게 달여 뜨거울 때 훈(熏)하기도 하고 씻기도 하며, 인하여 한두 잔을 먹인다. –『동의보감』–

한 방법은, 남자(男子)면 손으로 그 음경(陰莖)을 잡아끌고 여자(女子)면 그 젖을 잡아 양방(兩傍)이 가깝게 되도록 끈다. 이것은『천금방(千金方)』의 묘법이다. –『동의보감』–

관충혈(關衝穴)을 침으로 찔러 피를 내면 즉시 낫는다. – 관충혈은 무명지(無名指)의 바깥[外邊] 손톱구텅이[爪甲角]의 부추잎이 들어갈 만한 간격으로 살과 연결된 곳이다. 남자는 왼쪽 여자는 오른쪽에 자침한다.『고사촬요』–

전근이 되어 죽으려 할 때는 소금으로 제중(臍中)을 메우고 장(壯)수를 계산치 말고 쑥을 사르면 즉시 효력이 있다. 곽란으로 이미 죽었어도 흉중(胸中)에 따뜻한 기운이 있는 자에게는 이 방법에 의하여 뜸뜨면 또한 소생된다. –『동의보감』에 "이 법이 가장 효과적이다." 하였다. –

교장사(攪腸沙)

가슴과 배가 땅기며 아프고 냉한(冷汗)이 나며 붓고 가빠서 죽으려 하는 증세를 세속에서 교장사(攪腸沙)라고 한다. 건곽란(乾霍亂)과 비슷하며 혹은 상한(傷寒)과도 같다.

머리가 아프고 오심 구토를 하며 혼신(渾身)에 열이 나고 수족의 지말(指末)이 미궐(微厥)하며 혹은 배가 아파서 번민하고 혼란하기도 하는데 잠깐 사이에 구제할 수 없게 된다. 이 병은 산람(山嵐)과 장기(瘴

氣)로 연유되기도 하고 혹은 기포(飢飽)의 실시(失時)로 인하기도 하며, 음양(陰陽)이 포란(暴亂)하므로 말미암아 일어나기도 하는 병이다. 먼저 짙게 달인 애탕(艾湯)을 먹여 시험해 보아 만약 토한다면 바로 이 증세이다. 잠퇴지(蠶退紙 누에 밑에 깔았던 종이)를 태워 가루를 만들어서 뜨거운 술에 타 먹이면 즉시 효력이 있다. 또 염탕(鹽湯)을 많이 마시게 하여 토하게 해도 낫는다.

또 한 방법은, 침으로 그의 손가락등[手指背]의 손톱 가까운 곳 반 분쯤을 찔러 피를 내면 즉시 낫는데, 먼저 양쪽 팔뚝을 안마(按摩)하여 그 악혈을 쓸어 내려 손가락 끝에 모이게 해서 찔러야 한다.

또 다른 방법은, 손을 온수(溫水)에 담갔다가 병자의 무릎 안쪽을 때려 자흑점(紫黑點)이 나는 곳을 침으로 찔러 악혈(惡血)을 제거하면 즉시 낫는다.

또 한 법은, 양쪽 팔뚝에서 팔목 사이에 있는 힘줄에 반드시 흑색(黑色)이 되어 있으니 사침(砂鍼)으로 찔러서 검붉은 피를 빼내면 통증이 즉시 그친다. -『동의보감』-

바다에 가까운 지역에 하나의 급병증(急病症)이 있는데 곽란(霍亂)과 같다.

그 지역 사람들은 그 병 이름을 '살복통(殺腹痛)'이라 하는데 급히 치료하지 않으면 사람을 죽이기도 한다. 그 치료법은 이렇다. 끈으로 양쪽 팔 중절(中節)의 위아래를 단단히 묶으면 청흑맥(靑黑脈)이 척택혈(尺澤穴)26) 근처에 불쑥 일어나는데 어떤 사람은 양쪽 팔에 다 나타나기도 하고, 어떤 사람은 한쪽 팔에만 나타나기도 한다. 그 돌기(突起)한 곳을 침으로 찌르면 물총으로 쏘듯이 출혈(出血)이 되며 그 병은 즉시 낫는데 백번이면 백번 다 들어맞는다. 사(沙)와 살(殺)은 그 음(音)이 서로 근사하고 또 팔에서 피내는 방법도 동일하니 이른바 '살복

---

26) 척택혈(尺澤穴) : 수태음 폐경(手太陰肺經)에 소속된 경혈(經穴). 위치는 팔의 중간 약문(約紋)의 위 동맥중(動脈中)에 있다.

통'이란 바로 교장사인 듯하다. -『경험방』-

졸심통(猝心痛)

소합원(蘇合元) 5~6알을 강탕(薑湯)이나 따뜻한 술에 타서 먹인다. 생계란(生鷄卵)을 초(醋)에 넣어 흔들어서 먹인다. 백초상(百草霜) 가루 2전을 뜨거운 오줌에 타서 먹인다. 또 염탕(鹽湯)을 많이 먹여 토하게 해서 담이 나오면 즉시 통증이 그친다. 또 웅담(熊膽) 콩알만큼을 물에 타 먹이고, 또 현호색(玄胡索) 1~2전을 따뜻한 술에 타 먹인다. 애엽을 짙게 달여 먹인다. 또 총백탕(葱白湯)도 좋다. 부추즙은 혈통(血痛)을 제거하며 마늘즙은 급통(急痛)을 치료한다. 만약 번조(煩燥)하거든 메주 5홉을 물 3잔에 먼저 1잔 반이 되도록 달여 찌꺼기를 버린 다음 치자(梔子) 14개를 넣고 다시 달여 1잔이 되면 찌꺼기를 버리고 먹인다. 또 식도(食刀) 끝 쪽에 소금 1숟갈을 놓고 탄불에 올려놓아 빨갛게 되기를 기다렸다가 가늘게 부수어서 한 보시기의 물에 넣고 잘 섞이도록 갈아서 먹이면 잠깐 사이에 토출되어 즉시 낫는다. -『동의보감』·『허방』-

졸복통(猝腹痛)

계피(桂皮)를 달여 먹인다. 혹은 건강(乾薑)을, 혹은 호초(胡椒)를, 혹은 천초(川椒)를 달여 먹인다. -『동의보감』 나머지도 앞의 방법과 같다. -

견우자두(牽牛子頭) 가루를 총백탕(葱白湯)에 타 먹여서 대변(大便)이 통리(通利)되면 즉시 통증이 가신다. -『본초강목』-

독음혈(獨陰穴)[27] · 대돈혈(大敦穴)[28]에 침과 구(灸)를 아울러 행하

27) 독음혈(獨陰穴) : 발의 제2지(指) 아래 횡문(橫紋) 속에 있다.
28) 대돈혈(大敦穴) : 족궐음 간경(足厥陰肝經)에 소속된 경혈(經穴). 족대지(足大指)의 끝 조갑(爪甲)에서 부추잎이 용납할 만한 지점에 있다.

고 기해혈(氣海穴)에 30장을 뜬다. 또 일체 심복(心腹)·흉협(胸脇)·요배통(腰背痛)에는 천초(川椒)를 가루로 만들어 초에 반죽하여 떡을 만들어서 아픈 곳에 붙이고 숙애(熟艾)를 그 초떡 위에 펴놓은 다음 그 쑥을 태우면 통증이 즉시 가신다. -『허방』-

졸산통(猝疝痛)

아랫배가 아파서 대소변을 못 보는 것을 이름하여 '산정(疝疔)'이라 하고, 통증이 배꼽 아래서부터 상충(上衝)하는 것을 이름하여 '분돈(奔豚)'이라 한다. 무릇 산통(疝痛)은 위로 가슴과 옆구리에 연결되는데 심하면 외신(外腎)[29]이 줄어들고 어금니를 물고 뒤틀며 냉한(冷汗)이 물 흐르듯 하는데 잠깐 사이에 구제할 수 없게 된다. 천오(川烏)·치자인(梔子仁) 각 1전을 함께 볶아 술과 물 각 반잔과 함께 달여서 소금 한줌을 넣어 - 혹은 생강즙을 더하기도 한다. - 먹이면 즉시 효력이 있다. 또 사삼(沙蔘)이나 혹은 계심(桂心)·귤핵(橘核)·총백(葱白)·현호색(玄胡索)·우음경(牛陰莖)을 가루 내어 먹이거나 탕(湯)하여 먹이면 즉시 낫는다. -『동의보감』·『허방』 사삼을 상복하면 아주 신묘하다. -

초피(貂皮)나, 초서(貂鼠)의 네 다리를 태운 재를 술에 타서 먹인다. - 청서(靑鼠)의 다리와 황광(黃獷)의 다리도 좋다. - 또 회향(茴香)의 줄기와 잎사귀를 짓찧어 즙을 내서 뜨거운 술과 각 1홉씩 타 먹이면 즉시 낫는다. 또 지주산(蜘蛛散)을 먹인다. - 지주(蜘蛛) 14매를 육계(肉桂) 5전과 볶아 가루를 만들어서 대인(大人)은 1전, 소아(小兒)는 5푼을 빈속에 술로 먹인다. 혹은 밀환(蜜丸)하여 먹이면 더욱 신묘하다.『동의보감』-

소금을 볶아서 아픈 곳을 눌러준다. -『윤방』-

독음혈(獨陰穴) - 발의 제2지의 마디 아래 횡문(橫紋)에 있다. 또는 족대지

---

29) 외신(外腎) : 불알을 내신(內腎 : 콩팥)에 대칭하는 말이다. 또는, 외음경을 말하기도 한다.

(足大指) 차지(次指)의 아래 가운데 마디 횡문의 가운데에 있다고 한다. 5장(壯)을 뜬다. 남자는 왼쪽, 여자는 오른쪽을 뜬다. - 구각혈(口角穴)[30]을 뜬다.

천년와(千年瓦 오래된 기와) 3~7개를 깨 바둑알 크기로 만들어서 배꼽아래부터 횡골(橫骨) 위까지 늘어놓고 뜨되 음낭(陰囊)에 땀이 날 때까지 해준다. -『윤방』-

소아(小兒)가 태산(胎疝)으로 한쪽이 처진 것은 낭봉(囊縫) 뒤쪽 십자문(十字紋) 위를 3~7장 뜬다. 봄에 뜨면 여름에 낫고, 여름에 뜨면 겨울에 낫는다. 또 퇴산(㿗疝 토산불알)은, 피침(鈹鍼)으로 고낭(睾囊) 속의 수액(水液)이나 혹 예액(穢液)을 빼내면 즉시 낫는데 이것은 영추(靈樞)의 진결(眞訣)이다. -『동의보감』·『고사촬요』-

졸두통(猝頭痛)

머리가 아파 깨지는 듯한 것은 바로 흉격(胸膈)에 담음(痰飮)이 있어 그 기운이 상충한 소치이다. 단방(單方)으로 차[茗]를 달여 1~2되를 먹여 토하게 하고 토가 끝나면 다시 먹여 다시 토하게 하여 두어 차례 하면 즉시 낫는다. 또 조각자(皁角刺) 가루를 코에다 불어넣어 재채기를 하게 하면 그친다. -『본초강목』·『동의보감』-

참을 수 없이 머리가 아픈 것은 바로 풍담(風痰)의 소치이다. 치자(梔子) 가루를 꿀에 타 진하게 개어 혀 위에 붙여 주어 토하게 하면 통증이 즉시 그친다. -『경험방』-

두통이 치통(齒痛)으로 연결되는 것을 궐역두통(厥逆頭痛)이라 하는데, 백부자산(白附子散)이 마땅하다. 백부자(白附子) 1냥과 마디를 제거하지 않은 마황(麻黃)·천오(川烏)·천남성(天南星) 각 5전, 전갈(全蝎) 5개, 건강(乾薑)·주사(朱砂)·사향(麝香) 각 2전 반을 가루로 만

30) 구각혈(口角穴): 구각(口角)은 위아래 입술이 마주 닿는 곳[交會處]인데 이곳을 구각혈이라 하는 듯하나 자세치는 않다.

들어 술에 1자(字) - 곧 2푼 반을 말한다. - 를 타 먹이고 다 먹은 뒤에는 베개를 치우고 눕혀 조금 재우면 즉시 그친다. -『동의보감』-

졸토혈(猝吐血)

토혈(吐血)하여 위중(危重)하게 된 자는 백초상(百草霜) 가루 3전을 우물물에 타 먹이면 즉시 그친다. 또 포황(蒲黃)을 볶아 3전을 냉수에 타 먹인다. 또 송연묵(松煙墨)[31] 진하게 간 즙을 먹이고 또 부채즙을 먹인다. 또 생지황(生地黃)·생우(生藕)·생리(生梨)를 짓찧어 즙을 내서 먹을 갈아 서서히 먹이면 즉시 낫는다. -『동의보감』-

쪽잎(藍葉)을 즙내어 먹인다. -『견문록』-

졸육혈(猝衄血)

코피가 그치지 않는 자에게는 백초상 3전을 물에 타서 먹인다. 또는 콧속에 불어넣는다. 또 훤초(萱草 원추리) 뿌리즙 1잔과 생강즙 반 잔을 잘 섞이게 타서 먹인다. 또 난발(亂髮 머리빗에 끼어 있는 머리카락)을 태워 물에 1전을 타서 먹이고 다시 콧속에 불어넣는다. - 한 처방에는 병든 사람의 두발(頭髮) 태운 재를 코에 불어 넣는다고도 되어 있다. - 또 인중백(人中白)[32]을 불에 달구어 사향(麝香) 조금을 넣고 술에 갈아 먹이고 다시 콧속에 불어넣는다. -『의학입문』

생지황(生地黃) 3~5되를 짓찧어 즙을 내서 연달아 먹이고, 찌꺼기로는 콧구멍을 막아준다. 또 나복(蘿菖 무)을 즙내어 술에 타서 먹인다. -『동의보감』-

---

31) 송연묵(松烟墨) : 소나무를 태운 그을음을 원료로 하여 만든 먹.
32) 인중백(人中白) : 오줌버캐. 오줌을 담아둔 그릇에 허옇게 엉겨 붙은 물질이나 가라앉은 찌꺼기이다.

찹쌀(糯米)을 노랗게 볶아 가루를 만들어서 2전을 새로 길어온 물에 타 먹이면 즉시 그친다. -『허방』-

조육(棗肉)을 병 앓는 사람의 침으로 개어 피가 나오지 않는 코 가에 붙이고 또 우슬·차전의 뿌리와 잎을 즙내어 꿀을 타 먹인다. -『경험방』-

우물물에 종이를 적셔 정심(頂心) 위에 붙여주고 만약 왼쪽 코에서 나오면 실로 왼손 가운뎃손가락을 동여매주고 오른쪽 코에서 나오면 오른손 가운뎃손가락을 동여매주며 양쪽 코에서 다 나오면 양쪽 손가락을 모두 동여매주면 즉시 그친다. 또 큰 백지(白紙) 한 장을 십여 겹으로 접어 물에 담가 적셔 정중(頂中)에 올려놓고 다리미에 불을 담아 눌러주기를 2~3차례 거듭하여 종이가 마르면 즉시 그친다. -『동의보감』-

병 앓는 사람에게 알리지 말고 갑자기 정화수(井華水)를 그 얼굴에 세차게 뿜어주면 즉시 그친다. -『의학입문』-

대구어(大口魚) 가죽을 물에 담가 적셔 콧구멍을 막아주면 또한 코피가 그친다. -『문견방』-

구규출혈(九竅出血)

사람이 갑자기 크게 놀라게 되면 구규(九竅)[33]에서 피가 다 넘쳐 나온다. 그리고 혹은 사지(四肢)와 손가락 사이에서도 출혈(出血)되기도 한다. 우물물을 머금었다가 갑자기 그 얼굴에 뿜어주면 즉시 그친다. 그러나 병 앓는 사람에게는 먼저 알리지 말아야 한다. -『의학입문』-

소계(小薊)의 즙을 - 초약(草藥)인데 향명(鄕名)으로는 '조방가새'라 하며 대·소계가 있으나 다 서로 비슷하다. 다만 대계(大薊)는 줄기의 높이가 3~4척에 잎이 추상(皺狀)이나 소계는 줄기의 높이가 1척 남짓에 잎도 추상이 아니다. - 술과 각 반잔씩 섞어서 돈복(頓服)시킨다. 또 막 잡은 돼지나 양(羊)의

---

33) 구규(九竅) : 눈·코·입 등 인체(人體)의 모든 구멍으로 된 부분을 통틀어 일컫는 말이다.

피를 뜨거운 김에 2되를 마시면 출혈이 즉시 그친다. -『동의보감』-

사삼(沙蔘)·측백엽(側柏葉) 가루 각 1전 반을 백면(白麪)[34] 3전에 넣어, 물에 풀[糊]과 같이 타서 먹여도 그친다. -『허방』-

모규출혈(毛竅出血)

온몸의 털구멍과 마디절차[節次]에서 피가 나오는 증세인데, 만약 나오지 않으면 피부(皮膚)가 북과 같이 팽창(膨脹)되고 잠깐 사이에 눈·코·입이 그 기운을 받아 부어서 맞붙게 되는 증상으로 이것을 '맥일(脈溢)'이라 부른다. 생강즙 1잔을 먹이면 즉시 편안해진다. -『동의보감』-

혈훈(血暈)[35]

일체 거혈(去血)이 지나치게 많으면 반드시 현훈(眩暈)·민절(悶絶)의 증세를 일으킨다. 무릇 붕루(崩漏)[36]를 앓는 중에 거혈이 많다거나 어금니를 빼고 나서 거혈이 많다거나 금창(金瘡) 때문에 거혈이 많다거나 산후(産後)에 거혈이 많으면 모두 이 증세가 있게 된다. 급히 궁귀탕(芎歸湯)인 천궁(川芎)·당귀(當歸) 각 5전을 연달아 달여서 자주 먹이면 즉시 소생한다. -『동의보감』-

출혈(出血)이 지나치게 많아서 혼미(昏迷)하여 의식(意識)을 모르면 생지황(生地黃) 3~5근을 즙내어 연달아 먹인다. 만약 즙낼 겨를이 없으면 생으로 씹어서 즙을 먹게 하고 그 찌꺼기로 코를 막아주면 신효(神效)하다. -『동의보감』-

---

34) 백면(白麪): 메밀가루나 메밀국수. 여기서는 메밀가루를 말한다.
35) 혈훈(血暈): 해산한 뒤나 또는 그밖에 다른 증세로 인하여 피가 많이 나와서 정신이 흐리고 어지러운 병.
36) 붕루(崩漏): 부인병(婦人病)의 하나. 대하증(帶下症)이라고도 한다.

선훈(船暈)

배를 탄 사람이 크게 토사를 하고 머리가 돌며 눈에 불똥이 어른거리며 사지와 몸이 궐랭(厥冷)해지면서 죽게 될 때는 급히 고백반(枯白礬) 가루 1전을 백비탕(百沸湯)에 타서 먹이고 고백반이 없으면 소금 1숟갈을 초(醋) 1잔에 함께 달여 먹인다. 혹은 소금·매실과 같이 시고 짠 것은 다 달여 먹여도 된다. -『허방』-

멀미하는 자가 갈증이 난다 하여 물을 마시면 즉시 죽는다. 동뇨(童溺)를 마시게 하는 것이 가장 좋고, 자기(自己)의 오줌을 마시게 하는 것도 좋다. -『의학입문』-

졸전광(猝癲狂)

갑자기 미쳐 날뛰면서 친소(親疏)를 가리지 않고 망언(妄言)을 하며 욕설을 하고 옷을 벗어버리고 달아나며 높은 데 올라가 노래를 부르며, 머리를 풀어헤치고 고함을 치며, 물불을 가리지 않으며, 또 사람을 죽이려고 서둘면 마땅히 밥을 먹이지 말고 늘 철액(鐵液)을 내어 먹여야 한다. -『동의보감』-

고삼(苦蔘)을 오자대(梧子大)로 밀환(蜜丸)하여 매양 10알씩 박하(薄荷) 전탕(煎湯)으로 먹인다. -『경험방』-

지룡(地龍) 10여 마리를 문드러지게 갈아서 생강즙·백하즙·꿀을 각 1숟갈씩 넣어 우물물에 타서 먹인다. -『허방』-

납설수(臘雪水)[37]를 많이 마시게 한다. 또 야인건(野人乾) 담갔던 물을 먹이면 모두 효력이 있다. -『증류본초』-

사람이 광증(狂症)을 발하여 슬피 울거나 신음(呻吟)하면 이것은 사

---

37) 납설수(臘雪水): 선달에 주로 납형(臘享) 때 내린 눈이 녹은 물. 살충(殺蟲)·해독약(解毒藥)으로 많이 쓰인다.

기(邪氣)에 빌미가 되어서다. 노래를 하기도 하고 곡(哭)하기도 하며, 읊기도 하고 웃기도 하며, 도랑에 앉아서 똥 같은 더러운 것을 먹기도 하며, 옷을 벌거벗고 밤낮 없이 뛰어다니기도 하며, 벽을 향하고 엎드려서 사람을 보려고 하지 않는 자에게는 잠퇴지(蠶退紙) 태운 재 2전을 술에 타서 먹인다. -『의학입문』-

천산갑(穿山岬) 태운 재를 술에 타 먹이고, 또 반천하수(半天河水) - 나무구멍과 왕대그루에 고인 빗물이다. - 를 주워 먹게 하되 환자에게 알리지 말아야 한다. 또 호표(虎豹) 고기를 달여 먹이거나 도효(桃梟) - 복숭아 열매가 이미 말라서 나무 위에 붙은 채 겨울이 지나도록 떨어지지 않은 것. 정월(正月)·12월에 채취하는데, 중실(中實)한 것을 좋게 여긴다. 어떤 데는 "천엽도화(千葉桃花)가 열매가 열어 나무 위에 붙어 떨어지지 않고 마른 것이 신묘(神妙)하다"고 되어 있다. - 를 술에 갈아 먹이면 모두 즉시 낫는다. -『허방』-

흰 개의 피를 먹이거나, 또는 비마인탕(萆麻仁湯)을 항상 먹인다. 또 패천공(敗天公) - 오래 쓰던 패랭이 - 을 태워서 가루를 내어 술에 타서 먹인다. -『윤방』-

소리개[鳶]를 잡아 깃채 두 쪽의 기와 사이에 놓고 새끼줄로 묶어서 황토 진흙을 발라 불속에 묻어 소존성(燒存性)이 되도록 태워 가루로 만들어 술에 타거나 혹은 미음(米飮)에 타 먹이면 즉시 낫는다. -『문견방』-

호매(狐魅)

호리정(狐狸精 여우의 헛것)이 붙어 황홀(恍惚)히 산이나 들로 뛰어다니는 것을 일러 '여우에 홀렸다.[狐魅]'고 한다. 이럴 때는 여우의 간을 내어 구워서 가루를 만들어 1전을 타서 하루에 세 차례 먹인다. 또 여우의 창자나 밥통으로 갱학(羹臛 고깃국)을 만들어 먹인다. 또는 매고

기[鷹肉]를 먹이고 부리와 발톱을 태워서 가루를 만들어 물에 타 먹인다. 또 호리(狐狸 여우와 너구리)의 가죽에서 코끝의 검은 곳을 떼어 가루로 만들어 술에 타서 먹이면 모두 효력이 있다. -『허방』-

대변(大便)이 막힌 데

대변이 오랫동안 통하지 않아서 배가 불러 오르면서 번민증(煩悶症)이 오면 대마자(大麻子)를 갈아서 즙을 내어 죽을 끓여 먹이거나 또는 우방자(牛蒡子)를 반생반초(半生半炒)하여 짓찧어 두말(頭末) 2전을 취(取)하여 생강탕에 타서 먹인다. 또 돼지 쓸개[猪膽]를 계란 크기만큼 뜨거운 술에 타서 먹이거나, 또 조각자(皂角刺)를 태운 잿가루 1전을 미음(米飮)에 타 먹인다. 또 훤초근(萱草根 원추리 뿌리)을 짓찧어 즙을 내어 먹이면 즉시 통변(通便)된다. -『동의보감』-

또 한 방법은, 생전라(生田螺 생우렁이) 3개에 소금 1숟갈을 넣어 껍데기째 짓찧어 배꼽 아래 1촌 3푼에 올려놓고 비단으로 싸매 주면 즉시 통변된다. 또 환자를 반듯이 눕히고 백반(白礬) 가루를 제중(臍中)에 놓은 다음 새로 길어온 물을 떨어뜨려서 냉기(冷氣)가 뱃속에까지 통하게 하면 즉시 통변된다. -『만병회춘』-

비마자(萆麻子 아주까리) 기름 크게 1숟갈을 죽(粥)에 섞어서 먹이면 즉시 통변되는데 여러 번 시험해 보았더니 증험이 있었다. -『경험방』-

생길경(生桔梗)을 유장(油醬 기름과 장)에 담갔다가 항문(肛門)에 꽂아 넣으면 즉시 통변된다. -『윤방』-

소변(小便)이 막힌 데

소변이 갑자기 나오지 않아서 배꼽 아래서 불러 오르고 답답할 때에는 차전자즙(車轉子汁) 1잔에 꿀 1숟갈을 넣어 먹이거나 또는 지부초즙(地膚草汁) - 대싸리 - 1잔을 마시게 한다. 또 편축즙(萹蓄汁) - 옥매듭 - 1잔을 먹이거나 또는 구맥(瞿麥)을 진하게 달여 먹인다. 또 구인(蚯蚓)을 문드러지게 짓찧어 냉수(冷水)에 여과(濾過)하여 진한 것 반 사발을 먹이거나, 또 누고(螻蛄) 산 것 한 마리를 갈아 사향(麝香) 조금을 넣고 섞어 먹이면 즉시 통변된다. -『동의보감』-

홍화묘(紅花苗) 한 줌을 썰어서 달여 먹인다. -『경험방』-

생저담(生猪膽)을 즙롱(汁籠)이 달린 채 경두(莖頭)에 조금만 머물러 두면 담즙이 경두로 들어가 오줌이 저절로 나온다. 그리고 부인(婦人)에게는 담즙을 음호(陰戶)에 부어주면 즉시 통리(通利)된다. 또 전라(田螺 우렁이)를 생으로 짓찧어 배꼽 위에 덮어 놓는다. -『동의보감』-

와거(萵苣 상치)를 문드러지게 짓찧어 배꼽 위에 붙여주면 즉시 통리된다. 또 파잎에서 뾰족한 부분을 제거하고 음경(陰莖) 구멍에 3치가량 깊이로 넣고 사람에게 입으로 기(氣)를 불어 넣게 하면 즉시 통리된다. -『허방』-

자병(磁甁)에 물을 가득 담아 종이로 사구(四口)를 봉(封)하고 환자의 배꼽 안에 소금을 넣어 한번 비빈 다음 병 입을 거꾸로 배꼽 위에 엎어 놓고 누워 있게 하면 냉기를 느끼자 소변이 즉시 통리된다. -『허방』-

소금 두 말을 볶아 자루에 담아서 아랫배를 눌러주되 식으면 뜨거운 것으로 바꾸어 눌러준다. -『경험방』-

해역(**咳逆**)[38]

상한(傷寒) 및 오랜 병으로 해역(咳逆)을 얻게 되면 모두 악후(惡

38) 해역(咳逆) : 횡격막(橫膈膜)이 갑자기 줄어들면서 목구멍이 막혀 숨을 들이쉴 때 소리가 나는 병이다. 위병(胃病)·히스테리 등으로 인하여 흔히 생기는 병이다.

候)가 된다. 반하(半夏) 5전 생강(生薑) 2전을 가늘게 썰어 물에 달여 먹이면 즉시 그친다. -『동의보감』-

소합원(蘇合元) 세 알을 생강·시체(柹蔕 감나무에 달린 감꼭지)를 달인 탕(湯)에 타서 먹이면 즉시 그친다. -『허방』-

조각자(皁角刺) 가루를 코에 불어넣어 재채기를 내면 그친다. 또 그 증세가 일어나면 또 재채기를 시켜 백여 차례 재채기를 내야 드디어 그친다. 또 유황(流黃) 2전, 유향(乳香) 1전을 가루 내어 술에다 달여서 급히 환자에게 그 뜨거운 기운을 맡게 하면 즉시 그친다. -『동의보감』-

방아공이[舂杵] 머리에 붙은 가는 겨를 긁어서 삼키게 하면 즉시 효력이 있다. -『윤방』-

졸열(猝噎)

갑자기 목이 메어 밥을 넘기지 못할 때는 방아공이(舂杵) 머리에 붙은 가는 겨를 긁어 삼키게 하면 즉시 효력이 있다. -『윤방』-

졸실음(猝失音)

목이 쉬어[失音] 말할 수 없을 때에는 행인(杏仁)·계심(桂心) 각 1냥을 가루 내어 앵두(櫻桃) 크기로 밀환(蜜丸)해서 면(綿)에 싸 입에 넣고 녹여서 삼킨다. 또 귤피(橘皮)를 진하게 달여 자주 먹이고 고죽엽(苦竹葉 참대잎)을 진하게 달여 먹인다. 또 형개(荊芥)·소엽(蘇葉)을 진하게 달여 먹이면 즉시 효력이 있다. -『동의보감』-

급후폐(急喉閉)

회염(會厭)39)이 흡문(吸門)이 되는데 그 양쪽 곁이 모두 부은 것은 쌍아(雙蛾)라 하는 것으로 치료하기가 쉽고 한쪽에만 부은 것은 단아(單蛾)라 하는 것으로 치료하기 어렵다. 이것을 통틀어 후폐(喉閉)라 한다. 이 증세가 나기 며칠 앞서서 가슴[胸膈]의 기가 긴박하여 숨이 빨라지다가 홀연히 목구멍[咽喉]이 붓고 아프며 손과 발이 궐랭(厥冷)하고 기(氣)가 막혀서 통하지 못하면 죽음이 수유(須臾) 사이에 있게 된다. 급히 백반(白礬) 가루 반전(半錢)을 오계자청(烏鷄子淸 검은 닭의 달걀흰자)에 타서 먹이면 즉시 효력을 본다. 또 석해(石蟹 가재)를 짓찧어 즙을 내어 먹인다. 또 제조즙(蠐螬汁 굼벵이를 짓찧어 낸 물)을 먹이거나, 또는 웅작시(雄雀屎 참새 똥)를 가늘게 갈아서 반전(半錢)을 따뜻한 물에 타 먹이면 모두 즉시 낫는다. 또는 마인엽(馬藺葉 여실(蠡實)의 잎)이나 혹은 뿌리, 혹은 꽃을 짓찧어 즙을 내서 먹이거나, 또는 사간(射干) 뿌리를 즙내어 먹이면 모두 신묘(神妙)하다. 또 조각자(皁角刺)를 물에 담갔다가 즙을 내어 1잔을 먹이면 즉시 낫는다.

또 한 방법은, 파두육(巴豆肉)을 종이로 눌러 기름을 내어 심지[撚子]를 만들어서 불을 붙였다가 불어 끄고 연기로 훈하여 콧속에 들어가게 하면 즉시 입과 코에서 콧물과 침이 흘러나오면서 아관(牙關)이 저절로 열리게 된다. 또 파두육(巴豆肉)을 솜[綿]에 싸서 콧구멍을 막으면 즉시 통한다. -『동의보감』-

후폐(喉閉)에는 고백(枯白礬) 가루를 목구멍[喉]에 불어넣거나, 또는 의이인(薏苡仁) 7매를 머금게 한다. -『윤방』-

인후가 폐색되어서 온몸이 부종(浮腫)되었을 때는 우방자(牛蒡子) 1홉을 반생반숙(半生半熟)하여 가루를 만들어서 술에 타 먹인다. -『윤방』-

급성 후비(急性喉痺)에는 생유(生油) 1홉을 먹인다. 만일 효력이 없으면 급히 머리를 풀어헤치게 하고 정심(頂心 정수머리)의 방촌쯤에서 급히 머리카락을 아프게 잡아 뽑으면 얼마 있지 않아 통하게 된다.

---

39) 회염(會厭) : 회염 연골(會厭軟骨)의 준말로 목구멍 속 기관(氣管) 위에 있는 연골. 보통 때는 일어섰다가 음식물을 삼킬 때는 기관을 닫는 구실을 한다.

-『윤방』-

무릇 후폐의 급증에는 속히 침으로 그 부위를 찔러 피를 내고 아울러 담연(痰涎)을 토하게 하는 것이 중요하다. 만일 우물쭈물하고 구제하지 않으면 죽게 된다. 관상(關上)의 혈포(血泡)는 침을 사용하는 것이 가장 마땅하지만 관하(關下)의 나타나지 않은 것은 환자에게 물을 한입 머금게 하고 갈대를 뾰족하게 깎아 콧구멍을 찔러 피를 내면 신묘하다. -『동의보감』 창(瘡)에 침 맞은 자는 생강즙을 뜨거운 물에 타서 마시게 한다. - 그리고 중봉혈(中封穴) - 혈(穴)이 발의 안쪽 복사뼈 내과[內踝] 앞 1촌에 있는데 발을 위로 보게 하고 취(取)한다. - 에 50장을 뜨면 즉시 낫는다. 그리고 또 대서혈(大杼穴) - 혈(穴)이 제일추(第一椎)의 아래 양 곁 각 1촌 5푼 지점에 있다. - 에 백 장(百壯)을 뜬다. -『반방』-

토법(吐法)은, 겨울에는 청어담(青魚膽)에다 백반(白礬)을 넣고 복용할 때 되어서 백초상(百草霜)과 볶은 소금 조금을 더하여 초(醋)에 타서 오리털로 약을 찍어서 담을 토해 내도록 인도한다. 만일 어담(魚膽)이 없으면 백반(白礬) 반 냥(半兩)에 파두(巴豆) 10매를 함께 말려 파두는 버리고 백반만 쓰는데, 매양 1자(字)를 목구멍 속에 불어넣어 담혈(痰血)을 토해내게 하면 즉시 낫는다. -『동의보감』-

저아(猪牙)·조각자(皁角刺)·백반·황련(黃連)을 등분(等分)하여 기왓장 위에 놓고 불을 쬐어 말려서 가루를 만들어 반전(半錢)을 목구멍 속에 불어 넣으면 얼마 있지 않아 농혈이 토출되어 즉시 낫는다. -『동의보감』-

하품하다가 턱이 빠졌을 때

웃거나 하품하다가 아거(牙車)[40]가 어긋나서 입을 벌리지도 다물지

40) 아거(牙車): 아상(牙牀)을 말한다. 치아(齒牙)를 실은 것이 수레와 같으므로 이름을 붙인 것이다. 즉 치아를 실은 뼈로서 상하 양부(兩部)가 있다.

도 못하여 물도 마실 수 없는 형편으로 구제하지 못하게 되었을 때에는 술을 먹여서 크게 취하게 하고 잠들었을 때 조각자 가루를 코에 불어넣어 재채기를 하게 하면 절로 즉시 바로 잡아진다. 또 염매육(鹽梅肉) 2개로 어금니에 문질러 주면 즉시 벌어진다. 또 남성(南星) 가루를 강즙(薑汁)에 개어 붙이고 비단으로 싸매어 하룻밤을 재우면 자연히 낫는다.

또 한 방법은, 한 사람은 환자의 머리를 안아 안정되게 하고 한 사람은 손가락으로 그의 턱을 끌어서 차츰 차츰 밀면 다시 들어간다. 그리고는 마땅히 손가락을 빨리 빼내야 한다. 그렇지 않으면 교상(咬傷 물려서 생기는 상처)이 두렵다. -『동의보감』-

황랍(黃蠟)을 불에 쬐어 조각을 만들어 뜨거울 때 늘어난 쪽 가에 붙여주되 나을 때까지 한다. -『윤방』-

눈알이 튀어 나왔을 때

눈알이 까닭 없이 한두 치쯤 튀어나왔을 때는 새로 길어온 물로 눈알에 부어 적셔주되 물을 자주 갈아주면 눈알이 저절로 들어간다. 이어 맥문동(麥門冬)·상백피(桑白皮)·산치인(山梔仁) 각 1전을 물에 달여 먹인다. -『의학입문』-

눈알이 빠져서 뿔처럼 코에까지 늘어지고 검은 색깔로 변하며 참을 수 없이 통증이 오는가 하면 때때로 대변(大便)을 볼 때 출혈(出血)이 되는 것을 '간창(肝脹)'이라 하는데 강활(羌活)을 달여 먹이면 낫는다. -『동의보감』-

얻어맞아 눈알이 튀어 나왔을 적에는 만약 안계(眼系)가 끊어지지 않았으면 즉시 검내(瞼內 눈까풀 안)로 밀어 넣고 사방 눈두덩에 생지황(生地黃)을 가늘게 짓찧어 두껍게 붙여주어 바람이 새어들지 않도록 하고, 만약 안에 어혈(瘀血)이 있으면 침으로 찔러 나오게 하면 저절로

낫는다. -『동의보감』-

창자가 나왔을 때

대인(大人)이든 소아(小兒)든 장두(腸頭)가 나왔을 때는 백초상(百草霜)·오배자(五倍子)를 가루로 만들어서 초오(醋熬 초에 담갔다 볶는 것)하여 만들어서 거위 털로 찍어 발라주면 즉시 들어간다. - 윤방』 -

견순(繭脣)

입술이 긴축되고 작아져서 입을 벌리고 다물 수 없어 음식을 먹지 못하게 되는 것인데, 급히 치료하지 않으면 죽게 된다. 이 병 또한 기이한 병으로서 이름을 '견순(繭脣)'이라 한다. 급히 의이인탕(薏苡仁湯)인, 의이인(薏苡仁)·방풍(防風)·초(炒)한 적소두(赤小豆)·구(灸)한 감초(甘草) 각 1전 반을 달여 먹여야 한다. 겸하여 황백(黃柏) 2냥에 오배자(五倍子)·밀타승(蜜陀僧) 각 2전, 감초(甘草) 2푼을 가루로 만들어 물에 개서 황백 위에 발라 굽되 마르면 다시 발라 구워 말려서 약이 없어질 때까지 한다. 그다음에 황백을 얇은 조각으로 만들어서 잠잘 때 견순된 위에 붙여주면 다음날에 즉시 낫는다. 또 백포(白布)도 등잔심지를 손가락 크기로 만들어서 도끼날 위에 잘 올려놓고, 심지를 태워 물기가 생기게 하여 그 물기를 씻어 입술 위에 하루에 두세 차례씩 바른다. 고청포(故靑布 해묵은 푸른 천)로 만든 심지도 좋다. 저지(猪脂 돼지기름)를 개어 붙이면 더욱 좋다. 또 청피(靑皮)를 태워 재로 만들어 저지에 개어 입술 위에 붙이고 이어 청피 태운 잿가루 1전을 술에 타 먹인다. 또 사태피(蛇蛻皮 뱀의 허물)나 혹은 제조(蠐螬) - 굼벵이 - 를 태워 재를 만들어서 저지로 개어 붙여주면 좋다. -『동의보감』-

순종(脣腫)

순종에는 생서(生鼠)의 배를 갈라 장부(腸腑)를 제거하고 피가 있는 채 붙이면 비록 독종(毒腫)이라도 낫지 않는 것이 없다. -『윤방』-

유월(六月)에 건립(乾笠)의 잔털[茸]을 뜯어 물에 담갔다가 즙을 짜서 닭 깃으로 자주 찍어 바르면 즉시 효력을 본다.[41)]

설종(舌腫)

혀가 갑자기 저포상(猪胞狀)으로 부어서 입안에 가득한 증세이다. 이것은 환자가 알지 못해서 치료시기를 놓쳐 수유간에 죽게 되는 경우가 많은데, 음식을 먹을 수 없게 된 자도 죽는다. 급히 백초상(百草霜) 가루를 초(醋)에 개어 혀의 위아래에 발라주고 떨어져 나가면 다시 발라준다. 그러면 잠깐 사이에 저절로 사라진다. 또 우물물로 입을 닦아내고 조각자(皁角刺) 태운 재에 용뇌(龍腦)를 조금 넣어 혀의 위아래에 발라주면 침이 나오면서 즉시 낫는다. 또 포황(蒲黃) 가루를 자주 발라주고 황련전탕(黃連煎湯)을 자주 먹인다. 또는 비마자(萆麻子 아주까리)로 기름을 짜서 종이를 담갔다가 불태워 그 연기를 쐬면 즉시 낫는다. -『동의보감』-

침법(鍼法)으로는, 침으로 급히 혀 밑의 양 곁 대맥(大脈)을 찔러 피를 내고 또 혀끝을 찌르거나 혹은 혀 위를 찔러 피를 내면 즉시 사라진다. 그러나 혀끝 중앙맥(中央脈)은 일체 찌르지 말아야 한다. 잘못 찔러 피가 그치지 않으면 죽게 된다. 만약 잘못 찔렀으면 구리 젓가락을 달구어 지진다. -『동의보감』-

혀가 쑥 빠지고 들어가지 않는 것을 이름하여 '양강(陽强)'이라 한

---

41) 유월(六月)에 …… 본다 : 이 부분은 한독본(韓獨本)과 오씨본(吳氏本)에 의해 보충하여 번역하였다.

다. 상한열병(傷寒熱病)을 앓은 뒤에 혀가 한 치 남짓 나와 여러 날 들어가지 않으면 편뇌(片腦)로 가루를 만들어 혀 위에 발라주면 약 바르던 손을 떼기가 무섭게 줄어드는데 모름지기 5전만 쓰면 바로 낫는다. -『동의보감』-

산부(産婦)의 혀가 빠져 들어가지 않을 때는 주사(朱砂)를 그 혀에 발라 주고 아이를 낳는 시늉으로 두 여자를 시켜 부액(扶掖)하게 하고는 문밖에다 와분(瓦盆)을 놓았다가 땅에 떨어뜨려 소리를 내면 그 소리가 들리자 혀가 들어간다. -『동의보감』-

뇌배종(腦背腫)

무릇 옹저(癰疽)가 뇌(腦)에 나거나 등[背]에 나서 위험한 곳에 이르면 반드시 죽게 된다. 마땅히 술로 씻은 대황(大黃) 및 감초(甘草)를 3전씩 달여 먹여야 한다. -『의학입문』-

인동(忍冬)의 꽃과 잎을 생으로 짓찧어 뜨거운 술에 타 먹인다. 또는 계화(桂花) 4냥을 볶아 술 두 사발에 넣어 달여 먹인다. -『동의보감』-

마유(麻油 삼씨기름) 1근을 달여 10여 차례 끓여 식혀서 좋은 술 두 사발에 넣고 고루 섞이게 흔들어서 다섯 번에 나누어 하룻밤에 먹인다. -『직지』·『동의보감』-

벽려(薜荔 사철나무)잎을 문드러지게 짓찧어 즙을 짜서 꿀에 타 수차 마시게 하고 찌꺼기는 창(瘡) 위에 붙여두면 하리(下利)되어 즉시 낫는다. -『증유본초』·『동의보감』-

종기가 등에 나서 죽으려 할 때는 계장초(鷄腸草 닭의장풀)를 짓찧어 붙이거나 또는 복룡간(伏龍肝 부엌 아궁이 바닥의 불에 탄 흙)을 가루 내어 술에 개어 두껍게 붙여 주되 자주 갈아붙인다. -『경험방』-

배종(背腫)에는 거친 황색돌[黃色石] 거위알만 한 것을 센 불에 빨갛게 달구어 순초(醇醋)에 넣으면 자연 돌가루가 초 속으로 떨어지게 된다. 자주 달구어 돌이 없어지도록 되풀이한 다음, 그 가루를 볕에 말려 가루로 만들어 초에 개어 발라 준다. -『윤방』-

종독(腫毒)의 뿌리가 뻗어가는 곳에는 개 쓸개의 묵즙(墨汁)을 마늘즙에 타서 빙 둘러 발라주되 자주 발라줄수록 더욱 좋다. 그 독기가 무리지기를 기다려 조금씩 쓸어 점차로 발라 들어가서 종두(腫頭)의 곁에까지 이르면 독기가 모여들어 종두가 곪는다. 파종(破腫)한 뒤에는 찹쌀밥을 붙여주는 것이 고름을 빨아내는 데 가장 좋으며, 유근피(楡根皮)를 짓찧어 붙여도 좋다. -『문견방』-

뇌(腦)의 후발제종(後髮際腫)에는 손가락 크기만 한 백지(柏枝 측백나무 가지)를 따서 말발굽형으로 가로 깎아서 세지 않은 불재 속에 꽂았다가 뜨거울 때에 종처(腫處)에 대고 지지되 차도가 있을 때까지 한다. -『문견방』-

뇌종(腦腫)이 처음 날 때에는 모래가 섞이지 않은 황토(黃土)를 물에 개어 관(罐)을 만들되 아교를 고는 도관(陶罐)처럼 만들어 그 밑을 뚫리게 하여 종기 난 곳에 잘 놓고 지룡(地龍 지렁이)을 가득 담는다. 그리고 흙으로 뚜껑을 만들어 여러 구멍을 이리저리 뚫어서 지룡의 위에 덮고 쑥으로 심지 4~5개를 만들어 그 위에 벌여 놓고 불을 붙여 뜬다. 그리하여 그 지렁이가 다 녹기를 기다려 다시 넣고 다시 뜨기를 여러 날 계속하면 종기가 저절로 사라진다. -『백의방』-

뜸뜨는 방법에 있어서는, 무릇 옹저(癰疽)는 뇌나 등에 발생하는데 처음에는 좁쌀[粟米]만 하게 나와서 혹은 아프기도 하고 혹은 가렵기도 하며 인하여 적색(赤色)이 된다. 그것을 사람들은 다들 하찮게 여기고 치료하지 않다가 열흘이 못되어 죽고 만다. 그러나 창 위에 200~300장만 뜨면 낫지 않는 것이 없다. 다만 일찍 발견하여 일찍 뜨는 것이 좋다. 발생된 지 1~2일이 된 것은 10인을 뜨면 10인이 모두 살고, 3~4일이 지난 것은 5~6인은 살고, 5~6일이 지난 것은 3~4인은 살 수 있으나 7일이 지나면 뜰 수가 없다. 오직 머리는 모든 양(陽)이 모인

곳이므로 쑥 심지[艾炷]를 작게 만들어 조금 뜨는 것이 마땅하다. -『의학입문』-

종기가 처음 발할 때에는 창두(瘡頭)를 알 수 없는데 종이에 물을 적시어 그 위에 붙여두면 먼저 마르는 곳이 창두이다. -『동의보감』-

정종(疔腫)

정창(疔瘡)이 처음 날 때는 못대가리[釘蓋]처럼 불쑥 솟기 때문에 정(疔)이라 한다. 황포(黃疱 누런 물집)가 생기며 그 물집 속에 자흑색(紫黑色)이 있기도 하다. 초발 시에는 반드시 먼저 가렵고 다음에 아프며, 먼저 차고 나서 다음에 뜨겁다. 사지(四肢)가 무겁고 두통이 나며 마음이 경동되면서 눈에 불꽃같은 것이 보인다. 만약 증세가 위중(危重)하면 구역질이 나기도 하는데 거의가 저절로 죽은 소나 말의 고기를 먹어서 발생되는 것으로 1~2일 안에 사람을 죽이게 된다. 수족(手足)・두면(頭面)・흉배(胸背)・골절(骨節)에 나는 것이 급증이고 그 나머지 다른 곳에 나는 것은 그리 급증이 아니다. 또 홍사정(紅絲疔)과 어제정(魚臍疔)이 있는데 그 독기가 더욱 심하다. -『동의보감』-

치료하는 법은, 섬수(蟾酥) 녹두(綠豆)만큼을 혀 위에 놓고 반듯이 누워서 즙을 내어 삼킨다. 또는 정심(疔心)을 침으로 찌르고 약 한 알을 그 속에 넣고서 종이를 붙여 보호해 두면 신효하다. 또 강랑(蜣螂)[42]의 심하육(心下肉)을 정상(疔上)에 붙였다가 반일(半日) 만에 새것으로 갈아붙인다. 또는 반묘(斑猫)[43] 한 개를 깨쳐서 정상을 찌르고 붙여두거나, 또는 마치현(馬齒莧)을 찧어 두구(頭垢)와 개어 정상에 붙여두면 모두 신효를 거둔다. -『동의보감』-

---

42) 강랑(蜣螂) : 풍뎅이과에 속하는 곤충. 쇠똥구리. 말똥구리.
43) 반묘(斑猫) : 독충의 이름. 몸의 길이는 한 치쯤 되고 회흑색(灰黑色) 바탕에 적(赤)・청(青) 또는 흑색(黑色)의 반점(斑點)이 있다. 가뢰.

정종이 처음 날 때 우방자(牛蒡子) 한 낱을 삼키면 창의 머리가 즉시 나오게 되는데 밀가루[眞末]로 떡을 만들어 구멍을 내고 황랍(黃蠟)을 녹여 적셔 붙여주거나, 또는 백반(白礬)을 용화(鎔化)하여 염수(鹽水)에 조금 넣어 하루 밤낮을 담그면 즉시 풀린다. - 한 방법은 백반을 염수(鹽水)에 넣고 한소끔 끓도록 달여 그 물에 담그되 차도를 볼 때까지 한다. - 또 생콩 한 줌을 씹어서 침에 개어 수족의 정종(疔腫)에 바르면 신묘하다. -『윤방』-

손가락 크기만 한 뽕나무 가지를 채취하여 말발굽 형태로 빗겨 깎아서 세지 않은 불재 속에 꽂았다가 뜨거울 때 정처(疔處)를 지져 주는데 차도가 있을 때까지 한다. -『경험방』-

정독(疔毒)이 위중하여 죽게 되었을 때는 토봉과(土蜂窠 땅벌집) 1개와 사탈(蛇脫) 온전한 것 1조(條)를 그릇 속에 넣고 황토 진흙으로 단단히 싸서 불에 검게 태워 가루를 만들어서 매번 1전씩을 좋은 술에 타서 공복(空腹)에 먹인다. 조금 있다 뱃속이 크게 아픈데 그것이 그치면 정(疔)은 이미 곪아 황수(黃水)가 된다. 또 감국엽(甘菊葉) - 어떤 처방엔 감(甘) 자가 없다. - 을 짓찧어 즙을 내서 1되를 마시게 하고 또 줄기와 잎을 채취하여 짓찧어 정상(疔上)에 붙이면 즉시 낫는데 모두 신효하다. -『동의보감』 어떤 처방에는 "겨울엔 뿌리를 사용하면 거의 죽어가던 자에게도 효력이 있다."고 하였다. -

홍사정(紅絲疔)은 급히 그 홍사에 침을 놓아 피를 빼내고 백거즙(白苣汁)을 침구멍에 떨어뜨려주면 신묘하다. -『동의보감』-

어제정(魚臍疔)에는 사과엽(絲瓜葉 수세미잎)·뿌리 달린 파잎·뿌리 달린 부추잎을 문드러지게 짓찧어 즙을 내서 술을 타 먹이고 찌끼는 창(瘡)에 따라 좌우 겨드랑이 밑에나 사타구니 밑에 붙여주면 편안하다. 또 사탈 태운 재를 계란(鷄卵)에 개어 창 위에 붙여준다. -『동의보감』-

정독을 빨아내는 법으로는, 큰 거미 1마리를 정창(疔瘡) 위에 놓아두면 저절로 그 독기를 빨아내게 되는데 연달아 3~5개를 갈아주면 그 독기가 스스로 가신다. 만약 거미가 지치면 물에 담가 살리는 것으로 신묘함을 삼는다. 또 지렁이 8~9마리를 술에 갈아서 걸러 마시고 찌꺼기로는 네 주위에 빙 둘러 붙이고 정의 꼭대기에 머물러 두면 그 독기(毒氣)가 나온다. -『동의보감』-

뜸뜨는 법으로는, 마늘을 문드러지게 짓찧어 정창의 네 주위에 발라주고 또 정의 꼭대기에 머물러 놓고는 쑥으로 백장(百壯)을 떠서 마늘이 마르는 것으로 효력을 삼는다. 마늘이 마르지 않으면 고치기 어렵다. -『동의보감』-

손가락이 갑자기 부어오르고 심하게 아픈 데는 지유(地楡)를 달여 탕(湯)을 만들어서 담그면, 반나절이면 낫는다. 또 황니(黃泥)를 물에 개어 손가락 주위에 1치 남짓한 두께로 바르고 뜨거운 재 속에 넣어 구워서 말리되 살갗이 쭈글쭈글하게 보이면 즉시 낫는다. -『윤방』-

무릇 독종(毒腫)이 처음 발생할 때에는 토봉과 위에 흙을 넣어 초(醋)로 개어 진흙처럼 만들어서 붙여주고 버들잎이나 껍질에 소금을 조금 넣어 달여서 씻는다. -『윤방』-

사람의 수염을 태워 붙이고 또 염탕(鹽湯)으로 따뜻하게 하루에 세 차례씩 씻어주고 이미 성롱(成膿)이 되었으면 백정향(白丁香)을 발라주면 즉시 터져 나온다. -『윤방』-

사전창(蛇纏瘡)

신상(身上) 및 두면(頭面)에 뱀 모양처럼 부종(浮腫)됨을 말한다. 빗물을 맞는 뜰의 벽돌 위에 낀 이끼를 채취하여 1전을 물에 타서 발라주면 사두(蛇頭)가 즉시 사라진다. -『의학입문』-

창(瘡)에는 머리와 꼬리가 있어서 엄연히 뱀의 형상과 같다. 처음 시작할 때에 마땅히 마늘로 사두의 머리 위를 막고 뜸을 뜨고 웅황(雄

黃)을 가루로 만들어서 초(醋)에 개어 붙이거나, 또는 술에 타서 먹인다. -『동의보감』-

온몸에 창이 생겨 모양이 사두와 같을 때는 납반환(蠟礬丸)을 매번 100알씩 먹이면 크게 신효(神效)가 있다. 황랍(黃蠟) 2냥에 명백반(明白礬) 가루 4냥을 넣어 중수(衆水)에 고루 섞어 오자대(梧子大)로 환(丸)을 만들어 따뜻한 술이나 뜨거운 물로 먹인다. -『동의보감』-

묘안창(猫眼瘡)

면상(面上) 및 온몸에 창이 생기되 고양이 눈과 같아 광채가 있고 농혈(膿血)은 없다. 다만 아프고 가려움이 일정치 않다. 물고기·닭고기·부추·파 등의 물건을 많이 먹으면 저절로 낫는다. -『동의보감』-

앵두창(櫻桃瘡)

목 위에 앵두 크기만 한 창이 생기는데 오색(五色)이 있고 창이 터지면 목의 피부가 끊어진다. 이럴 때는 다만 날마다 우유(牛乳)를 마시면 저절로 사라진다. -『동의보감』-

요포창(燎疱瘡)

온몸에 요포(燎疱)가 감당리(甘棠梨 팥배)처럼 생기는데 그것을 터치고 물을 짜내면 속에 손톱 크기만 한 돌 한 조각이 있다. 요포가 다시 생겨 온 피부와 근육에 퍼지면 치료할 수 없게 된다. 삼릉(三稜)·봉출(蓬朮) 각 5냥을 가루로 만들어 3첩(貼)에 나누어서 술에 타 먹이면 저절로 낫는다. -『동의보감』-

천포창(天疱瘡)

남녀가 방실(房室)로 인하여 전염(傳染)되는 것으로 코와 눈에 식상(蝕傷)이 생기며 음경(陰莖)이 썩어 문드러진다. 혹은 근골(筋骨)이 아프고 사지가 뒤틀려서 나병(癩病)과 다를 게 없다. 혹은 살가죽이 터지고 뼈가 문드러지고 코와 입이 지탱키 어려워서 죽음에 이르게 된다. 치료법으로는 향유(香油) 2근을 물 1잔에 넣어 달여 흰 연기가 일어나면 거두어 저장해 두고 매번 황주(黃酒) 1종(鍾) 향유 1잔을 넣어 하루에 세 차례씩 따뜻하게 먹인다. 다 먹으면 온전히 낫는다.

또 오리 한 마리를 3일간 굶겨 다만 맹물을 주워 먹게 하고 경분(輕粉) 1냥을 갱미반(粳米飯) 4냥에 고루 섞어 먹이되 오리가 다 먹기를 기다려서 갈대뿌리로 쳐서 포수(泡水)를 부수어 오리에게 먹게 하여 경분의 독기를 풀리게 한다. 그리고 오리털이 다 빠지기를 기다렸다가 잡아서 삶아 먹이면 신묘하다. -『동의보감』-

목통(木通)과 비해(萆薢)를 함께 달여 먹이면 매우 효력이 있다. 그리고 밖으로는 야국(野菊)·조목근(棗木根)을 달인 물로 씻은 다음에 지렁이 똥을 꿀에 개어 발라준다. -『허방』-

수은(水銀)·조육(棗肉)을 침[津唾]에 개어 함께 갈아서 질게 만들어 볕에 말리거나, 혹은 따뜻한 방에 말렸다가 담뱃대에 담아서 연기를 삼키고 빨리 입을 씻어내게 하면 신효하다. -『동의보감』-

음식창(陰蝕瘡) 음경(陰莖)의 종창(腫瘡) 조를 붙여 기록했다

무릇 남자의 음경에 나는 창(瘡)은 자흑색(紫黑色)으로 변하는데 충이 음경을 모두 갉아먹으면 죽게 된다. 급히 흐르는 시냇물 속의 돌 밑에 소라(小螺)가 있어 돌에 붙어사는데, 몸이 가늘고 길다. 그것을 잡아다가 불 위에 놓고 볶아서 고기는 버리고 껍데기만을 취하여 불에 태워 가루를 만들어서 먼저 총백(葱白)·흑두(黑豆)를 달인 물에 씻고, 다음에 향유로 개어 붙이면 즉시 살아나 합창되는데 신효가 있다. 또한 지골피(地骨皮) 달인 물로 씻은 뒤에 지골피 가루를 발라주거나 혹은 헝클어진 머리카락 태운 재를 붙여 주거나 또는 메주 1푼을 지렁이의 젖은 똥 2푼과 갈아서 붙이면 모두 묘효가 있다.

석채(石採) - 돌나물 - 를 질게 찧어 식처(蝕處)에 붙여주면 즉시 낫게 되어 가장 신묘하다. 또 가오동(假梧桐) - 개머귀 - 달인 물을 따뜻이 하여 식처를 3일간 담가주면 충(蟲)이 저절로 나와서 그대로 낫는다. - 『경험방』 -

다년간 소금을 담았던 가마니를 물에 진하게 달여서 씻어준다. - 『윤방』 -

남자의 음경이 종창(腫瘡)되어 아파서 견디기 어려워하는 자에게는 무청(蕪菁 순무)의 뿌리를 짓찧어 붙인다. - 『윤방』 -

음경이 창통(瘡痛)할 때는 황백(黃柏) 달인 즙으로 씻어주고 다시 가루를 만들어 붙여준다. 또 감초(甘草)를 꿀에 달여 발라준다. - 『윤방』 -

남자가 음창(陰瘡)이 발독(發毒)되어 살가죽과 근육이 문드러져서 모든 약이 효력이 없을 때는 생송진[生松脂]을 환처(患處)에 덮어 바르고 나뭇잎이나 부드러운 비단으로 싸매어 두면 송진이 마르면서 즉시 낫는다. - 『윤방』 -

음변(陰邊)에 창(瘡)이 났거나 음이 습비(濕痹)할 때는 피부가 갈라진 곳과 습양증(濕痒症)으로 물기가 머물러 있는 곳을 상근피(桑根皮) 달인 즙으로 씻어준다. - 『윤방』 -

음경(陰莖)이 가렵고 창이 났을 때는 호마자(胡麻子 검은 참깨)를 씹어 붙인다. - 『윤방』 -

음낭(陰囊)이 습양증으로 땀이 날 때는 가래[鏵]와 호미[鉏] 구멍에 낀 황토를 가늘게 가루 내어 바른다. 또 누런 콩을 생으로 씹어 붙인다. 또 차전자(車前子)를 달여 찌꺼기를 버리고 씻어준다. - 『윤방』 -

당창(唐瘡 창병)에는 수은(水銀)과 조육(棗肉)을 침에 개어 갈아서 진흙처럼 만들어 볕에 말리거나 혹 온돌(溫堗)에 말렸다가 죽통(竹筒)에 담아 태워서 그 연기를 삼킨다. -『윤방』-

머리의 옹저(癰疽)와 나력(瘰癧)에 뜸뜨는 자리

납승(蠟繩)으로 왼쪽 귓바퀴[耳輪] 끝에서 기점(起點)하여 오른쪽 귓바퀴 끝까지 갔다가 다시 왼쪽 귀의 먼저 기점한 곳까지 와서 절단한다. 그 중간을 꺾어 정중앙을 목의 후결골첨(喉結骨尖)에 닿게 하고 그 양쪽 끝을 끌어서 어깨로 넘겨 두 가닥으로 늘어뜨리면 등의 척골(脊骨) 위에 닿는데 두 끝을 합하여 맞닿는 점[合定點]을 표시한다. - 뜸뜰 자리가 아니다. - 또 볏짚[禾稈]으로 남자는 왼쪽, 여자는 오른쪽 장지(長指)의 동신촌(同身寸 손가락의 가운데 마디) 2촌을 재어 잘라서 먼저 점찍은 위에 정중앙을 만들고 가로 펴 각 양쪽 가의 1촌이 닿는 곳을 뜸뜬다. 오른쪽에 창질(瘡疾)이 있으면 왼쪽으로 나와 왼쪽을 뜸뜨고, 왼쪽이면 오른쪽으로 나가 오른쪽을 뜸뜨며 좌우가 다 창질이 있으면 좌우를 모두 100장씩 뜸뜬다.

손의 모든 종창(腫瘡)에 뜸뜨는 자리

노끈으로 남자는 왼쪽, 여자는 오른쪽을 견우혈(肩髃穴)[44]에서 수장지(手長指) 끝에까지 재어 끊는다. 그리하여 목에서부터 등마루에 이르는 점(點)에서 횡(橫)으로 1치 되는 점에 뜸뜨되 두부(頭部)의 예와

44) 견우혈(肩髃穴) : 수양명대장경(手陽明大腸經)에 소속된 경혈(經穴)이다. 위치는 박골두(髆骨頭)와 견단(肩端) 위의 두 뼈 틈 사이의 함(陷)한 곳의 완완(宛宛)한 가운데에 있는데 팔을 들고 취(取)한다.

같이 한다. 중간의 먼저 점찍은 곳에는 두부(頭部)든 수족(手足)이든 모두 뜨지 않는다.

발의 모든 종창(腫瘡)에 뜸뜨는 자리

노끈으로 남자는 왼쪽, 여자는 오른쪽부터 재는데 노끈 한쪽 끝을 족모지(足母指) 끝에 매어 기점으로 해서 뒤꿈치로 돌아 우모지(右母指) 끝에 이른다. 또 남은 노끈을 돌려 선점(先點)인 모지단(母指端)으로 되돌아가서 끊는다. 그리하여 정중앙을 꼽쳐서 목에서 어깨로 넘긴다. 척점(脊點) 닿는 것과 횡촌 2촌의 법은 수부(手部)의 식과 같고, 뜸뜨는 장(壯) 수도 동일하다.

기죽마혈(騎竹馬穴)을 찾는 법

곧은 싸리나무로 먼저 환자의 척택혈(尺澤穴) 횡문(横紋)에서부터 중지(中指) 끝에 이르는 길이를 재어 자르고, 옷을 벗겨 몸을 드러내어 죽마(竹馬) 위에 걸터앉히되 야윈 자에게는 가는 대[細竹]를 쓰고 살찐 자에게는 큰 대[大竹]를 쓴다. 싸리나무로 등마루에 곧게 걸터앉은 대나무에 닿게 하여 등마루에 직상해서 싸리가 끝나는 곳에 점을 찍는다. - 이 점에는 뜨지 않는다. - 그리고 또 볏짚[禾稈]으로 수중지(水中指) - 남자는 왼쪽 여자는 오른쪽이다. - 의 중절(中節) 양쪽 횡문(横紋)을 1치로 삼아 합 2치를 만들어서 정중앙을 접어 횡으로 양방(兩傍) 각 1치를 재어 - 족부(足部)에 대해 뜨던 곳. - 뜸을 뜨되 7장을 넘기지 말고 중지해야 한다. 많이 뜰 수 없는 것은 대개 이곳 두 혈은 심맥(心脈)이 지나는 곳이기 때문이다. 무릇 옹저(癰疽)의 병은 다 심기(心氣)가 유체(留滯)됨으로 말미암아 생기는 것이기 때문에 이 혈(穴)을 뜨면 심맥이 유통(流通)되어서 즉시 낫게 되며 죽은 자도 회생시킬 수 있다.

창(瘡)에 침(鍼)을 놓아 출혈(出血)이 그치지 않을 때

사람 똥을 태워 그 재를 붙인다. -『윤방』-

파상풍(破傷風)

무릇 창양(瘡瘍)이 봉합되지 않았을 때 바람이 들어가면 파상풍(破傷風)이 되고 습기가 들어가면 파상습(破傷濕)이 되는데, 사람을 가장 급속히 해친다. 창구(瘡口)가 평평하고 물즙이 없는 것은 바람을 맞은 것이고, 창의 가에 누른 물이 저절로 나오는 것은 물기에 맞은 것으로, 모두 질(痓) 증세를 일으키려 하는 것이니, - 질(痓)이란 입을 열지 못하고[口噤] 몸이 활처럼 뒤틀리는 것[角弓反張]을 말한다. - 급히 치료해야 한다.

통증이 창처(瘡處)에 있지 않은 것은 경락(經絡)45)이 상해서이니, 역시 사증(死症)이다. 처음 창종의 증세가 발견될 때는 흰 딱지[白痂]가 일어나고 몸에 한열(寒熱)이 난다. 이런 때는 급히 옥진산(玉眞散)인 방풍(防風)·남성(南星)을 등분(等分)하여 가루로 만든 다음 그것을 매번 2전씩 강즙(薑汁)에 타서 먹이고, 찌꺼기는 창구(瘡口)에 붙여준다. 그리고 구금(口噤)이 된 자는 동변(童便)에 타서 먹인다. 남성은 방풍의 제약을 받는바 되어 그것을 먹이면 마목(痲木)이 되지 않으므로 입이 열릴 수 있고, 입이 열리면 연축(攣搐)이 풀린다.

상풍(傷風)이 두면(頭面)에 있는 자는 급히 수조고(水調膏) - 행인(杏仁)을 진흙처럼 짓찧어 백면(白麵)과 등분하여 새로 길어온 물에 타서 고약을 만든다. - 를 사용하여 웅황(雄黃)과 섞어 창(瘡)에 붙여주되, 종기가

---

45) 경락(經絡) : 오장육부(五臟六腑)에 생긴 병의 증후가 몸 거죽에 나타나는 자리. 이 자리에 침이나 뜸으로 자극하면 관계된 장부(臟腑)의 병이 낫게 된다. 그 자극하는 부위를 경혈(經穴), 또는 혈(穴)이라고 하며, 경락에는 정경(正經) 열둘이 있고 기경(奇經) 8맥(八脈)이 있다.

사라질 때까지 해준다.

또 처음 발견되면 급히 퇴비 속의 제조충(蠐螬蟲) - 굼벵이 - 1~2 마리를 잡아 손으로 꼭 눌러 굼벵이가 입 속에서 약간의 물을 토해 내기를 기다렸다가, 물을 토해 내면 손으로 물기를 받아서 파상처(破傷處)에 발라주고 두꺼운 의상(衣裳)을 입혀서 잠시 동안을 기다리면 창구(瘡口)가 저려옴을 느끼는데 양옆구리에 미한(微汗)과 바람이 나오면 즉시 효력이 있다. 만약 바람이 긴급하거든 속히 이 벌레 3~5마리를 잡아 칼로 꼬리를 잘라내고 뱃속의 누런 물[黃水]을 가져다 창구에 바르고 재차 약간을 뜨거운 술에 떨어뜨려 넣어서 먹여 땀을 내면 즉시 효력이 있다. 또 이 벌레를 잡아 창구 위에 놓고 쑥으로 벌레의 꼬리를 뜨면 즉시 효력이 있다. - 『동의보감』 -

만약 요척(腰脊)이 반장(反張)되고 사지(四肢)가 뻣뻣하게 되며 구금(口噤)되고 몸이 냉하며 정신을 잃고 의식을 모르게 될 때는 급히 오공(蜈蚣)을 가늘게 가루 내어 어금니에 문질러주고 혹은 콧속에 불어넣어서 연말(涎沫)을 토해 내게 하면 즉시 소생된다. 또 오공 한 마리와 강표(江鰾) 3전을 가루로 만들어 매번 1전씩 방풍(防風)·강활(羌活)을 달인 탕에 타서 먹인다. 또 갈초(蝎梢 전갈) 7개를 가루로 만들어 뜨거운 술에 타서 하루에 세 번씩 먹이는데 이것이 곧 전갈산(全蝎散)이다. 무릇 파상풍을 앓는 자는 이것이 아니면 고칠 수 없다. - 『동의보감』 -

사람의 열 손가락의 손톱, 열 발가락의 발톱을 잘라 향유(香油)에 넣어 볶은 다음 갈아 술에 타 먹여 땀을 내면 문득 좋아진다. - 『거산사요』 -

침구법(鍼灸法)으로는, 천돌혈(天突穴)[46]에 먼저 침놓고 단중혈(亶

---

46) 천돌혈(天突穴) : 임맥경(任脈經)에 소속된 기경(奇經). 위치는 목[頸] 결후(結喉)의 아래 1촌 우묵한 곳에 있다. 음유 임맥(陰維任脈)의 회(會)가 된다. 『靈樞衛氣失常篇』

中穴)47) · 태충혈(太冲穴)48) · 간유혈(肝兪穴)49) · 위중혈(委中穴)50) · 곤륜혈(崑崙穴)51)에 침놓는다. 그리고 백회혈(百會穴) · 대추혈(大椎穴)52)을 뜸뜨고 또 제이추(第二椎) 제오추(第五椎)에 대추씨 반만 한 크기로 애주(艾炷)를 만들어 뜬다. -『허임방』-

단독(丹毒)

주마화단(走馬火丹)에는 경천(景天) - 지부지기. 또는 신화초(愼花草)라고도 하는데 싹과 잎이 마치현(馬齒莧)과 비슷하다. 4월 4일과 7월 7일에 채취한다. -을 문드러지게 짓찧어 즙을 내서 바르면 즉시 효력이 있다. -『신은지』-

석채(石菜) - 돌나물 - 를 문드러지게 짓찧어 붙이거나 또 우물가의 이끼를 붙여 주면 지극히 묘한 효과가 있다. 파초즙(芭蕉汁)을 붙여주고 또는 태수(胎水)를 먹이거나 바르면 모두 좋다. -『경험방』-

번루(蘩蔞) - 닭의장풀 - 를 짓찧어 붙이거나, 쪽잎[藍葉]을

---

47) 단중혈(亶中穴) : 임맥경에 소속된 기경. 위치는 옥당혈(玉堂穴)에서 아래로 1촌 6푼 지점인 횡으로 헤아려 두 젖 사이 움푹 들어간 곳에 있다. 반듯이 누워서 취한다. 족태음(足太陰)·족소음(足小陰)·수태양(手太陽)·소양(小陽)의 회(會)가 된다.『難經』

48) 태충혈(太沖穴) : 바로 태충혈(太衝穴)을 말하며, 족궐음 간경(足厥陰肝經)에 소속된 경혈(經穴). 위치는 족대지(足大指)의 본절(本節) 뒤 2촌인데 1촌 5푼이라고도 한다. 내간(內間)으로 2동맥(動脈)이 있는 손에 짚이는 들어간 곳에 있다.『素問氣交變大論』

49) 간유혈(肝兪穴) : 족태양 방광경(足太陽膀胱經)에 소속된 경혈(經穴). 위치는 제9퇴(椎)의 아래 양방(兩旁)으로 척주(脊柱)의 각 1촌 5푼 거리에 있으며 정좌(正坐)하여 취한다.『素問刺法論』

50) 위중혈(委中穴) : 족태양 방광경(足太陽膀胱經)에 소속된 경혈(經穴). 위치는 무릎의 뒤쪽 오금[膕] 약문(約紋)의 동맥이 있는 들어간 곳에 있다. 땅에 엎드려 누이고 취한다.『邪氣藏府病形篇』

51) 곤륜혈(崑崙穴) : 족태양 방광경에 소속된 경혈. 위치는 발의 바깥 복사뼈 뒤 5푼 지점. 뒤꿈치 위 움푹 들어간 곳에 있다.『機結篇』

52) 대추혈(大椎穴) : 독맥경(督脈經)에 소속된 기경(寄經). 위치는 제1추(椎) 위의 움푹 들어간 곳에 있다. 수족(手足)의 삼양(三陽)과 독맥(督脈)의 회(會)가 된다.『傷寒論』

즙내어 마시게 한다. 또 비마자(萆麻子) 5개를 껍질을 벗기고 짓이긴 다음 면(麪) 한 숟갈을 넣고 물에 개어 바르면 어린아이들은 더욱 효과가 있다. 또 석회(石灰)를 초(醋)에 개어 발라준다. -『윤방』-

은진(瘾疹)

은진(두드러기)에는 청심원(淸心元)을 월경수(月經水)에 개어 먹이면 아주 효력이 있다. 또 불에 가까이 하여 몸을 따뜻하게 하면 즉시 사라지는데, 추위 때문에 생긴 자에게 가장 효과적이다. -『경험방』-

화피(樺皮)를 물에 달여 먹이거나, 익모초(益母草)를 물에 달여 먹이면 모두 효력이 있다. -『동의보감』-

석회(石灰)를 초(醋)에 개어 바른다. -『윤방』-

홍색(紅色)·흑색(黑色) 두 색의 두드러기에는 계자황(鷄子黃)·적두(赤豆)·형개(荊芥)를 짓찧어 골고루 바르고 붙여준다. -『윤방』-

제중독(諸中毒)

무릇 해독약(解毒藥)에 있어서는 모두 뜨거운 것을 먹여서 독기(毒氣)가 더욱 심해지게 해서는 안 된다. 마땅히 식혀서 먹여야 곧 효력(效力)을 볼 수 있다.『지봉유설』

손과 발, 얼굴이 푸르도록 시간이 지난 자는 구제할 수 없다. 치료하는 방법은 위에 독기가 있으면 마땅히 토해 내야 하니 급히 향유를 많이 먹이고 거위 깃으로 더듬어 토하게 해야 한다. 독기가 아래에 있으면 망초(芒硝)를 감초탕(甘草湯)에 타 먹여서 하리(下利)시켜야 한다. -『동의보감』-

사람이 스스로 독물을 먹었을 때는 급히 구제해야 하는데 대법(大

法)으로는, 감초(甘草)·녹두(綠豆)가 모든 독을 풀리게 한다. 또 다른 방법은 어느 독이든 향유를 많이 먹여서 토하게 하고, 하리(下利)시키면 즉시 안정된다. -『동의보감』-

모든 독기를 없애는 데는 매번 세다(細茶 작설다(雀舌茶))와 백반(白礬) 3전씩을 가루 내어 새로 길어온 물에 타 먹이면 곧 효력을 본다. 또 오배자(五倍子)를 가루로 만들어 좋은 술에 2전을 타 먹이면 상격(上膈)에 있는 독은 즉시 토하고 하격(下膈)에 있는 독은 즉시 사하(瀉下)된다. 또 감초(甘草)를 가늘게 가루로 만들어 조금 볶아서 주량(酒量)의 다소에 따라 좋은 술에 타 먹이면 얼마 후 크게 토사하는데, 비록 갈증(渴症)이 나더라도 물을 마셔서는 안 된다. 만약 물을 마시면 구제하기 어렵다. 또는 납설수(臘雪水)를 먹인다. -『동의보감』-

감초(甘草)와 흑두(黑豆)는 모든 약과 모든 물건의 독을 풀리게 하는 효력을 가졌다. 그러므로 각 5전씩을 물에 달여 온랭(溫冷)에 상관없이 임의로 먹이면 신효를 거둔다. 혹은 죽엽(竹葉)이나 제니(薺苨)를 가미하면 더욱 효과적이다. -『동의보감』-

모든 중독(中毒)에는 먹었던 물건(物件)을 즉시 태워서 가루를 만들어 먹인다. -『경험방』-

제음식독(諸飮食毒)

음식을 먹고 중독(中毒)이 되어 고생할 때에 감초(甘草)·제니(薺苨) - 게로기 - 를 진하게 달여 먹이면 입에 들어가자마자 살아난다. 또 백편두(白扁豆) 가루 2전을 물로 먹여서 하리(下利)시키면 즉시 편안해진다. 또 사람의 똥을 즙내어 먹이거나, 흰 개의 똥을 물에 타 즙을 내어 먹인다. 또 쪽잎[藍葉]이나 쪽열매[藍實]를 되게 갈아 즙을 내어 먹이거나, 향유(香油)를 많이 먹이면 즉시 낫는다. -『동의보감』-

뜨거운 국수[熱麪]의 독

뜨거운 국수를 먹고 중독되었을 때는 구기자(枸杞子) 뿌리의 껍질을 달여 즙을 먹인다. 또 나복(蘿菖 무)을 즙내어 먹이되 생것이 없으면 나복의 씨를 물에 갈아 즙내어 먹인다. 또 행인(杏仁) 달인 즙을 먹인다. -『동의보감』-

두부(豆腐)의 독

두부를 너무 먹어 배가 불어나고 기(氣)가 막혀 죽게 되었을 때는 새로 길어온 물을 많이 먹이면 즉시 안정된다. 만일 뜨거운 술을 먹이면 즉사(卽死)한다. 또 나복을 즙내어 - 전탕(煎湯)이라고도 한다. - 먹이거나, 행인을 갈아 달인 농즙(濃汁)을 먹인다. -『의학입문』-

너무 배부르게 먹어서 거의 죽게 되었을 때에는 착구조(着垢組) - 때 묻은 댕기 - 나 혹은 착구의령피(着垢衣領皮) - 때 묻은 동정. - 를 물에 빨아 먹이면 즉시 풀린다. -『윤방』-

소주(燒酒)의 독

소주를 너무 마셔 중독(中毒)이 되면 얼굴이 파랗게 되고 구금(口噤)이 되며, 혼미(昏迷)하여 의식을 잃게 된다. 그리고 심하면 창자가 썩고 옆구리가 뚫어지며 온몸이 검푸르며, 토혈과 하혈이 되어 곧바로 죽게 된다. 환자를 처음 발견하면 빨리 옷을 벗기고 몸을 밀어 무수히 굴려서 토하게 하면 소생한다. 또 온탕(溫湯)에 나체(裸體)로 담가놓고 온탕을 부어주어 항상 따뜻하게 해주어야 하며, 만약 냉수(冷水)를 부어주면 즉사(卽死)한다. 또 급히 생과(生瓜 생오이)와 그 덩굴을 짓찧어 즙을 내서 빨리 입을 벌리고 먹여주기를 멈추지 말아야 하며 또 얼음을 부수어 입안과 항문(肛門)에 넣어주되 깨어날 때까지 해 준다. 또 갈근(葛根)을 짓찧어 즙을 내서 먹여준다. -『동의보감』-

감나무 잎을 짓찧어 즙을 내서 먹인다. -『윤방』-

제수육독(諸獸肉毒)

육축(六畜)[53]의 고기를 먹고 중독이 되어서 혹 피를 토하거나 하혈(下血)을 할 때는 호유자(胡荽子) 1되를 부수어 달여서 즙을 짠 다음 식혀서 하루에 반 되씩 두 번 먹인다. 또 개똥 태운 재 1전을 술에 타 먹이고, 생부추즙 1~2되를 마시게 한다. 또 인두구(人頭垢 머리의 때)를 물에 타 먹여서 토하게 하면 즉시 낫는다. 또 메주[豆豉]를 물에 담갔다가 즙을 짜서 두 되를 먹인다. -『동의보감』·『허방』-

여러 고기를 먹고 중독이 되었을 때에는 귤피(橘皮)를 달인 즙, 노위근(蘆葦根) 즙, 흑두(黑豆)를 달인 즙, 대황(大黃)을 달인 즙, 천초(川椒) 달인 즙을 먹이면 모두 좋다. -『의학입문』-

봉선화(鳳仙花)의 뿌리·줄기·잎을 즙내어 먹이거나, 좋은 술을 먹여서 크게 취하게 하면 즉시 풀린다. 또 생산약(生産藥)을 물에 갈아 먹이면 신효하다. -『경험방』-

쇠고기를 먹고 중독되었을 때는, 감초(甘草)를 진하게 달여 1~2되를 마시게 하면 즉시 낫는다. -『동의보감』-

인유(人乳) 1~2되를 마시게 하거나, 황백(黃柏) 가루 3전을 물에 타 먹인다. 또는 우황(牛黃)을 물에 타 먹인다. -『의학입문』-

부추즙이나 혹은 사람 똥을 즙내어 먹인다. 또 인두구(人頭垢)를 뜨거운 물에 타 먹여서 토해 내게 한다. -『동의보감』-

쇠고기를 먹고 협간(脇間)이 찔리고 아파서 참을 수 없고, 손발

---

53) 육축(六畜) : 집에서 기르는 대표적인 여섯 가지 가축(家畜). 소·말·돼지·양·닭·개 여섯 가축을 통틀어 말함.

이 청흑색(靑黑色)으로 변하면, 경각간에 기절(氣絶)하는 자가 10에 3~4인은 된다. 이럴 때는 즉시 야인건(野人乾) 1잔을 먹인다. 그래도 효력이 없으면 또 1잔을 먹인다. 그리하여 협간(脇間)이 찢어질 듯이 아프다가 무엇이 떨어지는 듯한 소리가 있어, 그 소리가 옆 사람에게까지 들리면 통증이 즉시 그치는데, 여러 번 시험하여 신효(神效)를 보았다. 또 우황(牛黃) 5푼을 먹이면 즉시 효력이 있는데, 여러 번 시험하여 모두 효험을 보았다. -『경험방』-

쇠간회[牛肝膾]를 먹다가 갑자기 인후(咽喉)가 아프면서 입을 벌리지 못할 때가 있다. 이때 입을 벌리고 보면 후익(喉嗌 목구멍) 사이에 독육(毒肉)이 어지럽게 생기는 것을 볼 수 있는데 어떤 것은 간(肝) 조각과 같기도 하고, 어떤 것은 중설(重舌) 모양과도 같아 경각간에 목구멍이 막혀서 숨을 못 쉬게 된다. 그럴 때는 급히 침(鍼)으로 독육(毒肉)이 생긴 곳을 난자(亂刺)하여 1~2되의 피를 내고, 물을 삼키게 하면 점차 낫는다. -『경험방』-

말고기를 먹고 중독이 되었을 때에는 부추즙을 먹이거나 개똥을 태워 가루로 만들어 술에 타서 먹인다. 또 노근(蘆根)을 달여 즙을 짜서 1~2되를 마시게 하거나, 좋은 청주(淸酒)를 많이 마시게 하여 취하면 즉시 풀린다. 탁주(濁酒)는 향시(香豉) 3냥과 행인(杏仁) 3냥을 더하여 함께 섞어 쪄서 오래도록 찧은 다음 하루에 두 번씩 먹게 한다. -『동의보감』 다른 처방(處方)에는 다만 행인(杏仁)을 씹어 먹어도 효력을 본다고 하였다. -

말고기를 먹고 중독되었을 때에는 인두구(人頭垢)를 물에 타서 먹이거나 웅서시(雄鼠屎) 3~7매를 갈아 물에 타서 먹인다. -『동의보감』-

개고기를 먹고 중독되었을 때에는 노근 달인 즙을 마시게 하거나, 행인(杏仁)의 껍질을 벗기고 갈아서 물에 달인 다음 찌꺼기를 버리고 마시게 하여 혈편(血片)을 하리(下利)시키면 효력이 있다. -『본초강목』 다른 처방에는 행인(杏仁) 3냥을 껍질째 가늘게 갈아서 열탕(熱湯) 3잔에

고루 섞어 세 번에 나누어 마시면, 먹었던 고기가 모두 전편(全片)으로 사출(瀉出)된다고 하였다. -

양고기를 먹고 중독이 되었을 때는 감초즙(甘草汁) 1~2되를 먹인다. -『본초강목』-

날고기[生肉]를 먹고 중독이 되었을 때는 지장(地漿)을 마시게 한다. - 황토(黃土) 땅을 파 구덩이를 만들어 그 속에 물을 부은 다음 저어서 흐리게 하였다가 조금 기다려 맑아진 물을 떠 마시는 것이다. 이것을 지장(地漿)이라 한다.『동의보감』-

저절로 죽은 새나 짐승의 고기를 먹고 중독이 되었을 때는 황백(黃柏) 가루 3전을 물에 타 먹이고 풀리지 않으면 다시 먹인다. 또는 인두구(人頭垢) 1전을 열탕(熱湯)에 타 먹인다. 또 흑두(黑豆)의 전즙(煎汁)이나, 남엽즙(藍葉汁)이나, 인분즙(人糞汁)을 먹이면 모두 좋다. -『동의보감』-

독화살[毒箭]을 맞고 죽은 새나 짐승의 고기를 먹고 중독되었을 때는 이골(狸骨· 너구리 뼈) 태운 재를 물에 타 먹이고 또는 흑두즙(黑豆汁)이나 남즙(藍汁)을 먹인다. -『동의보감』-

제금육독(諸禽肉毒)

거위·오리 고기를 먹고 중독이 되었을 때에는 나미감(糯米泔· 찹쌀뜨물)이나, 혹은 따뜻한 술을 마시게 한다. 또 출미(秫米· 수수쌀)를 물에 갈아 즙을 내어 1잔을 먹인다. -『동의보감』-

꿩고기[雉肉]를 먹고 중독되어 토하(吐下)할 때는 서각(犀角) 가루 1전을 물에 타 먹이거나, 물에 되게 갈아 즙을 내어 먹인다. -『동의보감』-

들새 고기[野鳥肉]를 먹고 중독이 되었을 때는 이골(狸骨) 태운 재를 물에 타서 먹인다. 또 흑두즙(黑豆汁)과 남즙(藍汁)을 먹게 한다. -『동의보감』-

제어독(諸魚毒)

물고기를 먹고 중독이 되었을 때는 동과즙(冬瓜汁)이 가장 효험이 있다. 또 진하게 달인 귤피즙(橘皮汁)을 먹인다. 또 해달피(海獺皮) - 바다 반달피. 수달피와 비슷하며 크기는 개만 한데 털은 물이 묻어도 젖지 않는다. 바다 속에서 산다. - 달인 즙을 마시게 하고, 또 교어피(鮫魚皮) - 사어피. 피상(皮上)에 진주(眞珠)의 무늬가 있으며, 감해목(堪楷木)으로 목적(木賊)과 같은데 바다 속에서 난다. - 태운 재를 물에 타 먹인다. -『동의보감』-

대두즙(大豆汁)이나 자소즙(紫蘇汁)을 먹인다. -『윤방』-

노어(鱸魚)를 먹고 중독이 되었을 때는 노근(蘆根) 달인즙 1~2되를 먹이되 생즙을 먹여도 좋다. -『동의보감』-

선어(鱔魚)나 자라[鱉]를 먹고 중독이 되었을 때는 메주 1홉을 새로 길어온 물 반 사발에 넣었다가 농즙(濃汁)을 한번에 먹이면 즉시 낫는다. -『동의보감』-

하돈(河豚) - 복 - 을 먹고 중독이 되었을 때, 모든 물고기 중에서 하돈이 가장 독하며 그 알은 더욱 독하여 중독된 자는 반드시 죽게 되는데 급히 노위근(蘆葦根 갈대뿌리)을 짓찧어 즙을 내서 마시게 하거나, 혹은 인분즙(人糞汁)이나 향유를 많이 먹여서 토하게 하면 즉시 낫는다. 또는 백반 가루를 백탕(白湯 맹물 끓인 것)에 타 먹이거나, 백편두(白扁豆) 가루를 물에 타 먹인다. 또 양제엽(羊蹄葉 소루장이 잎)을 짓찧어 즙을 내어 먹인다. -『동의보감』-

남즙(藍汁)을 먹이거나, 진피(榛皮 개암나무 껍질)를 달여 먹인다. 또 괴화(槐花) 가루 3전을 새로 길어온 물에 타 먹이거나 혹은 달여 먹인다. 또는 자하해(紫蝦醢 곤쟁이젓)나 혹은 생자하(生紫蝦) - 곤쟁이 - 를 먹인다. -『속방』-

해독(蟹毒)

게[蟹]가 서리를 맞지 않은 것은 독이 있다. 그에 중독된 자는 생우(生藕 연뿌리)의 즙이나 동과(冬瓜)를 달인 즙이나 마늘즙이 모두 좋다. 또 자소엽(紫蘇葉) 달인 즙을 먹인다. 또 흑두즙·시즙(豉汁)이 모두 독을 풀어 준다. -『동의보감』·『지봉유설』에 "중독되면 혹 죽기도 하는데 급히 동과(冬瓜)·자소(紫蘇)·대황(大黃)을 즙내어 먹여서 해독하면 즉시 낫는다." 하였다. -

생회(生膾)를 먹고 소화가 안 될 때

회(膾)를 먹고 나서 소화가 안 될 때는 생강즙 1되를 먹이면 즉시 소화가 된다. 또 먹은 지 오래도록 소화가 안 되어 적[癥]을 이루었을 때는 물속에 있는 돌멩이[石子] 수십 개를 달구어 5되의 물속에 넣기를 7차 하여 3~5차례를 뜨겁게 먹이면 하리(下利)와 함께 적[癥]이 나오게 된다. -『동의보감』 -

그 고기의 뇌수(腦髓)를 먹이면 즉시 소화된다. -『이아』 -

어육(魚肉)을 먹고 소화가 안 될 때

어육을 먹고 소화가 안 되어 적이 되어서 아플 때는 개똥 5되를 소존성(燒存性)되게 하여 가루를 만들어서 명주에 싸 5되의 술 속에 담근다. 이것을 하룻밤 재웠다가 맑아진 다음 채취하여 열 번에 나누어 먹이면 즉시 낫는다. -『동의보감』 -

무릇 어육을 과식하여 적체(積滯)되고 내려가지 않는 자에게는 그 고기의 뇌수(腦髓)를 먹이면 즉시 내려간다. -『이아』 -

어육(魚肉)과 채소(菜蔬)를 먹고 생긴 독

어육(魚肉)이나 채소(菜蔬)를 먹고 중독이 되었을 때는 고삼(苦蔘) 1냥을 썰어 고주(苦酒) - 초 - 1되에 달여 먹이면 토출되어 즉시 낫는다. -『동의보감』-

제채독(諸菜毒)

모든 채소를 먹고 중독이 되었을 때는 오계시(烏鷄屎 검은 닭의 똥)를 태워 연말(研末)하여 1전을 물에 타서 먹이고, 향유를 많이 먹게 하면 즉시 안정된다. 또 갈근(葛根)의 농전즙(濃煎汁)을 먹이는데, 생즙이 더욱 좋다. 또 감초탕(甘草湯)을 먹이고, 인유즙(人乳汁)이나 혹 소아뇨(小兒尿) 2되를 먹이면 즉시 낫는다. -『동의보감』-

버섯독[菌蕈毒]

버섯 중 밤에 광채가 있는 것, 삶아도 익지 않는 것, 삶아서 사람에게 비치어 그림자가 없는 것은 모두 독이 있는 것이다. 사람이 그것을 먹고 중독이 되었을 때는 급히 지장(地漿) - 주는 제수독(諸獸毒) 조에 보였다. - 을 마시게 한다. 또 인분즙(人糞汁)을 마시게 하거나, 마인(馬藺)의 뿌리와 잎을 짓찧어 즙을 내어 마시게 하고, 또는 인두구(人頭垢)를 물에 타 토할 때까지 마시게 한다. 또 육축(六畜) 및 거위·오리 등속을 잡아 뜨거운 피를 마시게 하거나, 기름에 달인 감초탕을 식혀서 먹이되, 향유(香油)를 많이 먹이는 것도 좋다. -『동의보감』-

박속[瓠瓤] 태운 재를 물에 타서 먹인다. -『윤방』-

버섯에 중독되어 토사(吐瀉)가 그치지 않을 때는 세다아(細茶芽) - 작설다(雀舌茶)이다. - 를 가루로 만들어 새로 길어온 물에 타 먹이면

신효(神效)하다. 또 하엽(荷葉)을 문드러지게 짓찧어 물에 타 먹인다. -『동의보감』-

단풍나무버섯[楓樹菌]은, 먹으면 사람이 웃음을 그치지 못하여 죽게 되는데, 지장을 먹이는 것이 가장 신기한 효과가 있고, 인분즙을 먹이는 것이 그다음으로 묘한 효과가 있다. 그 밖의 다른 약으로는 구제할 수 없다. -『동의보감』-

고호독(苦瓠毒)

고호(苦瓠)를 먹고 나서 토역과 하리(下利)가 그치지 않으면 죽게 되는데, 기장 짚[黍穰] 재를 즙내어 먹이면 풀린다. -『동의보감』-

피쌀[稷米]을 갈아 즙을 내어 마시게 하면 즉시 낫는다. -『본초강목』-

해채독(海菜毒)

무릇 바다 속에서 나는 나물을 많이 먹으면 사람에게 손해를 끼치게 된다. 만약 바다 나물을 먹고 나서 배가 아프고, 기가 발하여 흰 거품[白沫]을 토할 때에는 뜨거운 초(醋)를 마시게 하면 즉시 안정되는데 신기한 효과가 있다. -『동의보감』-

제과독(諸果毒)

모든 과실을 먹고 중독이 되었을 때에는 계피(桂皮)를 진하게 달여 먹이고 또 저골(猪骨' 돼지 뼈)을 태운 재 1전을 물에 타 먹인다. 또 과체(瓜蒂)를 가루 내어 1전을 물에 타 먹여 토하게 하면 즉시 낫는다. -『동의보감』-

은행을 먹고 중독이 되었을 때에는 향유(香油)를 많이 먹여 토하게 하

고 지장(地漿)·남즙(藍汁)·감초즙(甘草汁)을 먹인다. -『동의보감』-

잡과(雜苽)·과실[果子]을 많이 먹어 배가 부르고 기가 급박할 때는 계심(桂心)을 가루로 만들어 밥으로 녹두대(菉豆大)의 환을 만든 다음 물로 10알을 먹인다. 낫지 않으면 다시 먹인다. 또 계심가루 5전과 사향(麝香) 1전을 밥으로 녹두대의 환을 만들고, 백탕(白湯)으로 15알을 먹이면 즉시 효력을 본다. -『동의보감』-

오이의 독을 치료하려면 석수어(石首魚 조기)를 구워 먹이거나, 달여 즙을 먹이면 자연히 없어진다. -『동의보감』-

제약독(諸藥毒)

약을 한도에 지나치게 먹었거나, 혹 중독(中毒)이 되어 번민해서 죽게 될 때는 갈근(葛根)을 짓찧어 즙을 내서 먹이거나, 물에 달여 즙을 짜서 먹인다. 또 남엽(藍葉)이나 남실(藍實)을 짓찧어 즙을 내어 먹이거나 지장(地漿) - 주는 위 제수독(諸獸毒) 조에 보인다. - 을 먹이고 또 날계란의 노른자를 먹인다. 또 갱미(粳米) 가루를 물에 타서 먹이거나, 메주즙을 먹인다. -『동의보감』-

감초를 진하게 달여 먹이고, 제니(薺苨 모싯대, 또는 잔대)의 즙을 내어 먹인다. 또는 흑두(黑豆) 달인 즙을 먹이거나, 감초·흑두·제니를 함께 달여 먹이면 더욱 좋다. 또 부추즙을 먹인다. -『동의보감』-

진황토(眞黃土)를 달여 즙을 내어 따뜻하게 해서 먹인다. 또 육축(六畜) 및 거위·오리에게서 뜨거운 피를 받아 먹이면 즉시 낫는다. -『본초강목』-

파두독(巴豆毒)은 사람으로 하여금 크게 토사(吐瀉)케 하고, 번갈(煩渴)이 들며, 신열(身熱)이 나게 한다. 급히 황련(黃連)·황백(黃柏) 전탕(煎湯)을 식혀 먹이거나, 또는 창포(菖蒲)·갈근(葛根)을 짓찧어 즙을 내어 먹이고 다시 냉수에 수족을 담가준다. 이때 뜨거운 음식물은 금기이다. 또 남근(藍根)・사탕(砂糖)을 문드러지게 갈아서 물에 타 먹이거나 흑두(黑豆)를 달여 즙을 짜서 먹이며, 또는 한수석(寒水石)을 물에 갈아 먹인다. -『동의보감』-

오두(烏頭) - 천오(川烏)이다. -・천웅(天雄)・부자(附子)의 독(毒) - 오두(烏頭)・오훼(烏喙)・천웅(天雄)・부자(附子)・측자(側子)는 모두 같은 것이다. 형상이 오두와 같은 것을 오두라 하고, 두 가지[兩岐]가 난 것을 오훼라 하며, 가늘고 길어서 3~4치에 이르는 것을 천웅(天雄)이라 한다. 또 뿌리 곁에 장대[竿]처럼 흩어져 난 것을 부자(附子)라 하고, 그 곁에 난 것을 측자(側子)라 한다. - 에 중독된 자는 가슴이 번열하고 답답하며, 심하면 머리가 아프고 온몸이 다 검어져서, 반드시 죽게 된다. 감초・흑두를 진하게 달여 먹이면 입에 들어가는 즉시 안정된다. 또 녹두(綠豆)・흑두(黑豆) 달인 즙을 식혀서 먹이거나 건강(乾薑) 달인 즙을 식혀 먹인다. 또는 냉수(冷水)를 많이 먹여 크게 토사(吐瀉)시키면 즉시 낫는다. -『동의보감』-

초오독(草烏毒)은 사람을 마비(痲痺)시키며 어지럽고 답답하게 만든다. 감초・흑두를 진하게 달여 먹이거나 생강즙을 먹이는데 건강을 달인 즙도 좋다. 또는 동뇨(童尿)를 먹인다. -『동의보감』-

낭탕독(莨菪毒) - 초우엉씨 - 은 사람을 크게 번민케 하며 눈에서는 성화(星火)가 보이고, 귀신이 보여 미쳐 날뛴다. 물에 연(硏)한 녹두즙을 먹이거나, 감초・제니(薺苨)의 전즙(煎汁)을 먹인다. 또는 감초・흑두를 진하게 달여 먹이거나, 게즙[蟹汁]을 먹인다. -『동의보감』-

대극독(大戟毒) - 버들옻. 바로 택칠(澤漆)뿌리 - 은 사람으로 하여금 냉설(冷泄)을 금치 못하게 한다. 제니(薺苨)의 전즙(煎汁)을 먹이거나, 창포(菖蒲)를 짓찧어 즙을 내어 먹인다. -『동의보감』-

낭독독(狼毒毒) - 오독도기 - 은 행인을 갈아 물에 타서 즙을 짜 먹이거나, 남엽(藍葉)을 즙내어 먹인다. -『동의보감』-

여노독(藜蘆毒) - 박새 - 은 사람으로 하여금 토역(吐逆)을 그치지 못하게 한다. 총백(葱白) 전탕(煎湯)을 먹이거나 온탕(溫湯)을 먹인다.

또는 웅황(雄黃) 가루를 물에 타 먹이거나, 향유(香油)를 많이 먹인다. -『동의보감』-

척촉독(躑躅毒)은 사람을 황홀하게 만들고 토역이 나게 한다. 산치(山梔) 달인 즙을 먹이거나, 감초・흑두(黑豆)를 달여 먹인다. -『동의보감』-

향유를 많이 먹인다. -『속방』-

반하・남성의 독은 생강즙을 먹이거나 건강(乾薑) 달인 즙을 먹인다. -『동의보감』-

고련근독(苦楝根毒)은 사람으로 하여금 설사가 그치지 않게 한다. 냉죽(冷粥)을 먹이면 그친다. -『동의보감』-

행인독(杏仁毒)은 쌍인(雙仁)인 살구를 잘못 먹어 생긴 것인데, 반드시 죽는다. 남엽(藍葉)을 즙내어 먹이거나, 남실(藍實)을 물에 갈아 즙을 짜 먹인다. 또는 지장 2~3사발을 먹이거나, 향유를 많이 먹인다. -『동의보감』-

천초독(川椒毒)은 천초를 잘못 먹어, 그 기운이 사람의 인후(咽喉)를 찔러 기가 폐쇄되어 죽게 되는 것인데 대조(大棗) 3개를 먹이면 풀린다. 잘못 합구초(合口椒 입 다문 천초)를 먹어 기가 끊어지려 하고 몸이 차지며 저려올 때는 급히 우물물 1~2되를 먹이면 낫는다. 또 지장을 먹이거나, 흑두즙이나 인뇨(人尿)를 먹인다. -『동의보감』-

규채즙(葵菜汁 아옥즙)이나 장즙(醬汁 간장)을 먹인다. -『본초강목』-

반묘(斑猫)・원청독(芫青毒)은 사람으로 하여금 토역이 그치지 않게 한다. 급히 녹두, 혹은 흑두나 나미(糯米)를 물과 함께 갈아서 즙을 내어 먹인다. 또 남즙을 먹이거나, 저방(猪肪 돼지비계)을 먹인다. -『동의보감』-

애독(艾毒)은 애엽(艾葉)을 오래도록 복용해 생긴 독이다. 독이 발생하면 열기가 치솟으므로 미쳐서 날뛴다. 독기가 눈을 공격하여 창(瘡)이 생기고, 출혈(出血)될 때는 감초・흑두의 전탕을 식혀서 먹이고, 남

엽즙(藍葉汁)이나 녹두즙을 먹인다. -『동의보감』-

석약독(石藥毒)

사람이 석약(石藥)[54]을 먹고 중독이 되었을 때는 인삼(人蔘) 달인 즙을 먹이거나, 안방(雁肪 기러기 기름)을 먹이고, 또는 백압시(白鴨屎 흰 오리의 똥)를 가루로 만들어 물에 타 먹인다. -『동의보감』-

반석독(礬石毒)은 흑두(黑豆) 달인 즙을 먹인다. -『동의보감』-

웅황독(雄黃毒)은 방기(防己)를 달여 즙을 짜서 먹인다. -『동의보감』-

유황독(硫黃毒)은 사람의 가슴을 답답하게 만든다. 돼지나 양의 뜨거운 피를 먹이거나, 숙랭(宿冷)한 저육(猪肉) 및 압육(鴨肉)을 국 끓여 식혀서 먹인다. 또 흑석(黑錫)을 달여 즙을 짜 먹인다. -『동의보감』-

망사독(硇砂毒)은 생녹두(生綠豆)를 물에 갈아 즙을 짜서 1~2되를 먹인다. -『동의보감』-

비상독(砒礵毒)은 사람을 미칠 듯이 번조(煩燥)하게 하며 가슴과 배가 쥐어뜯듯이 아프게 한다. 또 얼굴과 입이 검푸르게 되며 사지(四肢)가 역랭(逆冷)하게 되어 잠깐 사이에 구제할 수 없게 된다. 급히 흑연(黑鉛) 4냥을 물 1사발에 갈아서 먹이면 즉시 풀린다. 만약 흑연이 없으면 청람즙(靑藍汁) 3사발을 먹이거나, 향유(香油) 1되를 먹인다. 또 인분즙(人糞汁)을 많이 먹이거나, 지장(地漿) 3사발에 연분(鉛粉)을 타서 자주 먹이며, 빨리 돼지·개·양·닭·오리를 잡아 뜨거운 피를 먹인다. 또 섣달[臘月]에 잡은 돼지 쓸개를 물에 타서 먹이면 즉시 풀린다. 볏짚 재를 물에 적셔 즙을 짜서 1사발을 냉복(冷服)시키면 독이 냉수를 따라 이하(利下 소변으로 나옴을 말함)된다. 또 냉수에 녹두를 갈아

---

54) 석약(石藥) : 광물을 원료(原料)로 하는 약재. 곧 광물질(鑛物質)의 약재로서, 유황(硫黃)·웅황(雄黃)·비상(砒霜) 등이 있다.

즙을 내어 먹이거나, 남근(藍根)·사탕(砂糖)을 문드러지게 갈아 물에 타 먹인다. -『동의보감』-

좋은 백랍(白蠟) 3~5전을 가늘게 갈아 냉수에 타 먹인다. -『윤방』-

금석약독(金石藥毒)

금석약에 중독된 자는 흑연(黑鉛) 1근을 누구솥 안[鍋內]에서 녹여 즙을 만들어 술 1되에 넣는다. 이와 같이 십여 차례 반복하여 술이 반 되가 될 때를 기다려 흑연을 버리고 한번에 먹인다. -『동의보감』-

흑두즙(黑豆汁)·남엽즙(藍葉汁)·수은즙(水銀汁)·백압시(白鴨屎)를 물에 적셔서 짠 즙이 좋다. -『속방』-

금은동철독(金銀銅鐵毒)

금·는·동·석의 독은 수은(水銀)을 먹이면 즉시 나온다. 또 오리피를 먹이거나, 백압시를 물에 적셔 즙을 짜 먹인다. 또는 생계란을 먹이거나, 흑두즙·남엽즙·수근즙(水芹汁 미나리즙)을 먹인다. -『동의보감』-

석호분독(錫胡粉毒)은 행인(杏仁)을 갈아 즙을 짜서 먹인다. -『동의보감』-

철독(鐵毒)은 자석(磁石)을 삶아 그 물을 먹인다. -『동의보감』-

수은독(水銀毒)은 살찐 돼지고기를 지져서 식혀 먹이거나, 돼지기름을 먹인다. -『동의보감』-

고독(蠱毒)[55]

무릇 고(蠱)가 있는 집은 문지방[門限]·대들보[屋樑]에 먼지가 없도록 깨끗이 하여 마음 들여 방지해야 한다. 고가 있는 마을에 가서 음식을 먹을 때 서각(犀角)으로 저어 보아 흰 거품[白沫]이 수직으로 일어나는 것이 있으면 바로 고이다. 고가(蠱家)에서 밥을 먹게 되면 첫 숟가락을 뜰 때에 남모르게 밥 한 덩이를 거두어 손에 쥐고 먹으면 해를 보지 않는다. 조금 있다가 손에 쥐고 있던 밥덩이를 남몰래 사람이 다니는 십자로(十字路)에 묻으면 즉시 고가 그 집에서 작뇨(作鬧)를 하게 되므로 고주(蠱主 고가(蠱家)의 주인)가 반드시 되돌아와서 구원을 요구하게 될 것이다. 혹 음식을 먹게 되면 주인에게 먼저 젓가락을 움직일 것을 양보하거나 혹은 명백하게 주가에게 물어보기를 '고가 있지나 않은가?' 하고, 젓가락으로 식탁을 친 다음에 먹으면 고가 해할 수 없다. -『동의보감』-

고에 중독된 자는 가슴과 배가 저며 내듯이 아프며, 무엇이 물어뜯는 듯하여 얼굴빛이 푸르고 누르며 혹 토혈도 하고 혹 하혈도 한다. 즉시 치료하지 않으면 오장(五臟)을 다 갉아 먹어 죽게 되는데, 죽은 뒤에는 병기(病氣)가 유주(流注)하다가 옆 사람에게 전염된다. -『동의보감』-

고(蠱)인지를 시험해 보는 법은, 병든 사람에게 아침에 일어나서 우물물을 떠다가 물속에 침을 뱉게 하여 그 침이 기둥[柱脚]처럼 곧게 내려가 잠기면 그게 바로 고이다. 그리고 뜨는 것은 고가 아니다. 검은 콩을 씹어 봐서 비리지 않다거나, 백반(白礬)을 씹어 봐서 맛이 달다고 하면 모두 고에 중독된 것이다. 또는 계란을 삶아 껍질을 버리고 낮에는 깨지지 않도록 입에 머금게 했다가, 밤에 토해 내어 상로(霜露) 속에 버

---

55) 고독(蠱毒) : 뱀·지네·두꺼비 등의 독기(毒氣)가 있는 음식을 먹어서 복통(腹痛)·가슴앓이·토혈(吐血)·하혈(下血)·얼굴이 푸르락누르락하는 증세(症勢)를 일으키는 것을 말한다.

렸다가 아침에 보아서 빛깔이 푸른 것이 바로 고이다. - 『동의보감』 -

고를 보내는 법은 이렇다. 패시피(敗豉皮)를 태워 가루를 만들어서 1전을 물에 타 병든 사람에게 먹인다. 조금 있다가 병인에게 스스로 고주(蠱主)의 성명(姓名)을 불러서 고를 거두어 가라고 명하게 하면 즉시 낫는다. 또 양하(蘘荷)의 잎을 따서 빽빽이 병든 사람이 누워 있는 자리 밑에 깔되 병든 사람이 알지 못하게 하고, 스스로 고주를 불러서 고를 거두어 가라고 명하게 하면 즉시 낫는다. - 『동의보감』 -

양하를 채취하여 짓찧어 즙을 내서 먹인다. - 『허방』·『주례(周禮)』에 "가초(嘉草)로 고독(蠱毒)을 제거한다." 하였는데, 가초는 바로 양하이다. -

고를 치료하는 법은 자금정(紫金錠) 반정(半錠)을, 중한 자는 1정(錠)을 박하탕(薄荷湯)에 타 먹인다. 또는 옥추단(玉樞丹)[56] 1정(錠)을 먹이면, 혹은 토하기도 하고, 혹은 이(利)하기도 하여 낫는다. 또 백반과 감초를 등분(等分)하여 가루를 만들어서 청수(淸水)에 타 먹이면, 흑연(黑涎 검은 침)을 토하기도 하고, 혹은 사하(瀉下)하기도 하여 즉시 안정된다. 또 감초탕(甘草湯)을 먹이거나, 승마(升麻) 1냥을 물에 달여 농즙(濃汁)을 먹인다. 또 마인근(馬藺根)을 가루로 만들어 1~2전을 물에 타서 먹이거나, 곡목(槲木)의 북쪽 응달의 흰 껍질[白皮]을 진하

56) 옥추단(玉樞丹) : 백전진풍(白癲疹風)을 치료한다. 이 옥추단(玉樞丹)은 양의대전방(瘍醫大全方)과 험방(驗方)이 있는데 여기서는 양의대전방을 소개하려 한다. 고삼(苦蔘)·당귀(當歸)·현삼(玄蔘)·형개(荊芥)·창출(蒼朮) 각 8냥, 강활(羌活)·오약(烏藥)·호마(胡麻)·고본(藁本)·창이자(蒼耳子)·천궁(川芎)·독활(獨活)·백지(白芷)·백질려(白蒺藜)·방풍(防風)·대풍육(大楓肉)·감초(甘草)·마황(麻黃)·홍화(紅花)·우방자(牛蒡子)·천마(天麻)·백강잠(白殭蠶)·하회(煆灰)한 유리(琉璃)·해풍등(海風藤)·박하(薄荷)·현호색(玄胡索)·추석(秋石)·하고초(夏枯草)·서각(犀角)·한련초(旱蓮草)·호골(虎骨)·혈갈(血竭)·시호(柴胡)·소목(蘇木)·선태(蟬蛻) 각 2냥, 우황(牛黃) 1전, 사향(麝香) 2냥 목향(木香)·침향(沈香)·단향(檀香)·유향(乳香)·몰약(沒藥)·선령비(仙靈脾) 각 1냥 5전, 상표소(桑螵蛸)·유인(蕤仁)·대황(大黃)·길경(桔梗)·패모(貝母)·오약(烏藥)·반하(半夏) 1냥. 이상의 약을 가루로 만들고 거친 약덩이[粗藥頭 : 가루로 만들고 남은 거친 것]를 달여 미호(米糊)를 쑤어서 오자대(梧子大)로 환(丸)을 만든다.

게 달여 1되를 빈속에 먹이면 즉시 고(蠱)를 다 토해 낸다. 또 마두령(馬兜鈴)의 뿌리를 가루로 만들어 1냥을 물에 달여 한 번 마시게 하여 고를 토해 내게 한다. 이때 쾌하지 못하면 다시 먹인다. 또 상육(商陸) 가루를 물에 타 먹이거나 속수자(續隨子)를 껍질을 제거하고 갈아 가루를 만들어서 물에 1전을 타 먹인다. 또 반묘(斑猫) 1매를 머리·다리·날개를 떼어버리고 갈아서 가루로 만들어 물에 타 먹이면 고를 즉시 사하시킬 수 있다. 또한 다리·날개를 떼어 내고 초한 반묘·대극(大戟)·동쪽으로 뻗친 도백피(桃白皮) 이 세 가지를 등분하여 가루로 만들어 냉수에 반전(半錢)을 타서 먹이면 그 독이 즉시 내려간다. 만약 독이 나오지 않을 때는 다시 한번 먹이면 신기한 효험을 본다. 이때 대극(大戟)만 단복(單服)해도 좋다. 또 잠퇴지(蠶退紙)를 다소에 구애받지 말고 마유(麻油)로 지연(紙撚 종이를 꼬아 만든 심지)을 만들어 소존성(燒存性)된 심지 가루로 만들어서 새로 떠온 물에 1전을 타 한 번에 먹이면 비록 얼굴이 파랗게 되어 맥이 끊어지고 의식을 잃고 구금(口噤)되어 토혈(吐血)하는 자라도 즉시 소생된다. 또 남엽즙(藍葉汁)을 먹이거나, 천근(茜根)을 진하게 달여 먹인다. 또는 양하(蘘荷)와 함께 달여 2되를 먹이면 즉시 낫는다. 또 길경(桔梗)을 짓찧어 즙을 먹이면 위중했던 자도 소생된다. 또 구인(蚯蚓) 14매를 초(醋) 1되에 담갔다가 구인이 죽은 뒤에 그 즙을 먹이면 토혈과 하혈을 통하여 문드러진 간 같은 악혈을 쏟게 되는데 이미 죽었던 자도 다시 살릴 수 있다.

또 오공(蜈蚣)을 구워 가루를 만들어서 물에 타서 먹여도 좋고, 여우의 오장[狐五臟] 및 창자에 오미(五味)[57]를 섞어 국을 끓여 먹이거나 구워 먹여도 좋다. 어떤 사람이 고를 앓다가 꿈에 여우를 잡아먹고 병이 저절로 나았다. 그런데 꿈을 깨고 보니 여우가 집에 들어왔으므로 잡아서 삶아 먹었는데 나았다고 한다. -『동의보감』-

57) 오미(五味) : 사람이 일상(日常) 섭취하는 다섯 가지의 맛. 즉 신맛, 단맛, 쓴맛, 매운맛, 짠맛을 말한다.

어느 사람이 해서(海西)에서 새우젓[蝦醢]을 사서 먹었는데 심한 복통(腹痛)을 앓게 되었다. 그러자 고에 중독이 되었음을 알아차리고 즉시 소주(燒酒)를 많이 마시고서 먹은 새우젓을 토해 냈는데, 물건이 이미 꾸물꾸물하였으며 물고기모양이 되었다고 한다. 그 병이 마침내 나았다. -『지봉유설』-

마독(馬毒)

마독창(馬毒瘡)에는 부인(婦人)의 월경(月經) 피를 창(瘡)에 바르고 이어 먹인다. 또 생률(生栗) 및 마치현(馬齒莧)을 짓찧어 붙이거나, 마치현 즙을 먹인다. 또 말똥즙을 먹이고 말 오줌으로 씻어준다. 또 찹쌀밥을 식혀 창 위에 붙여 주어도 즉시 낫는다. -『동의보감』-

마한(馬汗 말 땀)이 창에 들어가 독기(毒氣)의 공격을 받아 가슴이 답답하여 죽게 될 때는 속한(粟稈 서속 짚)을 태운 재를 진하게 물에 적셔 즙을 만든 다음 뜨겁게 달여 창을 담가주면 잠깐 사이에 흰 거품이 모두 나와 즉시 낫는다. 그 흰 거품은 바로 독기이다. 또한 마한의 독기가 인입(引入)되어서 홍선(紅線)과 같이 되었을 때는 먼저 침으로 창구(瘡口)를 찔러 피를 내고, 오매(烏梅)를 핵(核)과 같이 문드러지게 갈아서 초(醋)에 개어 바른다. 또 마치현을 즙내어 먹이거나, 생오두(生烏頭) 가루를 창 위에 붙이면 얼마 있다가 노란 물이 나오는데, 그 길로 편안해진다. 또 고(枯)한 백반(白礬)·초(炒)한 황단(黃丹)을 등분하여 창 위에 개어 붙인다. 또한 마한 및 마모(馬毛)가 창 속으로 들어가 종통(腫痛)이 있을 때는 냉수(冷水)에 창을 담게 하고 물을 자주 갈아주면서 좋은 술을 먹이면 즉시 낫는다. -『동의보감』-

죽은 소나 말을 다루다가[開剝] 중독이 되면 온몸에 자포(紫疱)가 생기고 문드러지면서 아프다고 소리 지른다. 이때에는 급히 자금정

(紫金錠)을 먹여서 토사(吐瀉)시키면 즉시 낫는다. -『동의보감』-

연기의 독

탄(炭)의 연기를 사람이 쐬면 머리가 아프며 구토(嘔吐)가 나는데, 이따금 죽기도 한다. 생나복(生蘿葍)을 짓찧어 즙을 내어 먹이면 즉시 풀린다. 그리고 생나복이 없을 때는 나복자(蘿葍子)를 물에 갈아서 그 즙을 짜 먹여도 풀린다. -『동의보감』-

끓는 물이나 불에 데었을 때

난창(爛瘡)이 되어 아플 때는 소똥[牛屎]을 개어 붙이거나, 초 찌꺼기[醋滓]를 붙인다. 또 장즙(醬汁)을 바르거나, 백밀(白蜜)을 바르면 통증이 가신다. 또 올챙이[蝌蚪]를 짓찧어 붙이거나 좋은 술로 씻고 소금을 붙인다. 또 치자(梔子) 가루를 계란 흰자[鷄子淸]에 개어 붙이거나, 대황(大黃) 가루를 꿀물에 개어 붙이며, 또 탄가루[炭末]를 향유(香油)에 개어 붙이면 모두 낫는다. -『동의보감』·『단계심법』-

무릇 화상(火傷)을 입었을 때에는 즉시 초수(醋水)를 발라주고 종이를 붙인 다음 연달아 초수를 발라 습하게 해주면, 비록 문드러졌더라도 통증이 가시며, 나은 다음에는 흉터가 없게 된다. 또 모단(毛段 융단)을 태워 가루로 만들어서 기름에 개어 붙이고, 금방 눈 오줌을 식혀서 먹인다. -『윤방』-

뜨거운 기름에 데었을 때

교맥(蕎麥 메밀) 가루를 초에 개어 붙이거나, 한수석(寒水石) 가루를

기름에 개어 바르면, 통증이 즉시 그친다. -『본초강목』-

쇠붙이[金]나 칼날[刃]에 다쳤을 때

금창상(金瘡傷)이 중하면 기절해서 의식을 잃게 된다. 사람의 뜨거운 오줌을 많이 먹이면 즉시 소생되는데, 아이의 오줌이면 더욱 좋다. 또 창상이 중하여 아프고 답답해서 죽게 된 때에는 소를 잡아 뱃속에 넣어두면 즉시 소생된다. - 아래 '총포나 화살에 다쳤을 때' 조에 자세히 보인다.『동의보감』-

금창에서 피가 그치지 않고 나올 때는 급히 석회 가루를 발라 싸매거나, 석회 가루를 계자백(鷄子白)에 개어 불에 태워 가루로 만들어 뿌려주면, 즉시 그친다. 또 양상진(梁上塵)을 채취하여 붙이거나, 사함초(蛇含草) - 뱀의 혀 - 를 짓찧어 붙이거나 벽전(壁錢 납거미)의 즙을 내어 상처에 붙여준다. -『동의보감』-

우방자(牛蒡子) 잎에 소금을 조금 넣어 짓찧어 붙이고, 남엽즙에 웅황(雄黃)・사향(麝香)을 조금씩 넣어 발라준다. -『경험방』-

실혈(失血)이 되면 당연히 목이 마르다. 그러나 모름지기 참게하고 기름진 음식을 주어 그 갈증을 그치게 해야 한다. -『동의보감』-

금창(金瘡)으로 창자가 끊어져 한 끝[一頭]만이 보이는 것은 이을 수 없지만 두 끝[兩頭]이 보이는 것은 속히 이어야 한다. 먼저 철루(鐵縷 철실)로 그 끊어진 창자를 잇고 빨리 닭볏을 찔러 피를 내어 발라준다. 그리고 외중피(外重皮)는 꿰매지 말고 약을 바르고, 이어 통리약(通利藥)을 먹여서 대소변이 비삽(秘澁 변비와 소변 불리)이 되지 않도록 해야 한다. 만일 창자가 기름덩이[脂膏]와 함께 나왔으면 손으로 그 기름덩이를 떼어버려도 해롭지 않다. 그것은 바로 쓸 데 없는 고기덩이이므로, 마음놓고 떼버린 다음 장을 밀어 넣고 처음에는 20여 일간 죽청(粥淸)을 먹이고, 백 일간 미죽(糜粥)을 먹이고 나서 밥을 먹도록 해

야 한다. -『동의보감』-

금창에 장출(腸出)되어 넣을 수 없는 것에는 소맥(小麥) 5되를 물 9되에 달여 4되가 되도록 해서 찌꺼기를 버리고 아주 냉하게 식힌 다음 사람이 머금고 창상(瘡上) 및 등에 뿜어 주면 점점 들어가는데, 이때 여러 사람들이 보지 못하게 해야 한다. 또 새로 떠온 물을 뿜어주어 몸이 움츠러지게 하면 창자가 저절로 들어가는데 모두 환자[病人]가 알지 못하게 하고서 해야 한다. -『동의보감』-

네 사람에게 환자가 누운 자리를 잡고 들어서 흔들게 하면 창자가 저절로 들어간다. -『고사촬요』-

건인시(乾人屎 마른 똥)로 창자에 비벼주면 창자가 저절로 들어간다. -『윤방』-

무릇 금창에는 진로(瞋怒 성을 냄) 및 크게 말하거나, 웃는 것은 금기해야 한다. 또 움직이는 것, 힘쓰는 것과 짠 것, 신 것, 뜨거운 술, 뜨거운 국을 금기해야 한다. 이들은 모두 창통(瘡痛)을 충발시키는 것이므로 심한 자는 즉시 죽게도 된다. -『동의보감』-

무릇 금창 및 절상(折傷)에는 냉수(冷水)를 먹여서는 안 된다. 피가 찬 기운을 만나면 응고되어 혈관에 들어가게 되므로 즉시 죽는다. -『동의보감』-

무릇 금창이나 추상(墜傷)·절상에는 반드시 어혈(瘀血)의 정체(停滯)가 있게 마련이니, 마땅히 먼저 어혈을 씻어내야 한다. 화예석(花蘂石) 4냥과 유황(硫黃) 1냥을 가루로 만들어 와관(瓦罐) 안에 넣고 소금으로 질게 개어 굳게 해서 볕에 말린다. 그다음 네모진 벽돌 위에 놓고 숯불로 사시(巳時)나 오시(午時)서부터 달구었다가 하룻밤을 지나서 식은 다음 꺼내서 곱게 갈아 상처(傷處)에 발라준다. 그러면 그 피가 화하여 황수(黃水)가 된다. 그리고 매번 동뇨(童尿) 1순갈을 술에 넣고 달여서 뜨거울 때 타서 먹이면 장부(臟腑)의 어혈(瘀血)이 변하여 황수(黃水)로 되어 혹은 토출(吐出)되기도 하고 혹은 하설(下泄)되기도

한다. -『동의보감』-

칼이나 도끼에 상했을 때는 상백피(桑白皮)를 벗겨 상처를 싸매 두되, 그 즙을 창 중(瘡中)에 넣어준다. 또 소목(蘇木) 가루를 붙여주되 잠견(蠶繭)으로 수일 동안 싸매두면 낫는다. 또 백면(白麪)을 붙이거나 남엽즙(藍葉汁)을 먹인다. -『윤방』-

총포나 화살에 다쳤을 때

전진(戰陣)에서 포(砲)나 화살에 상처를 입어 전신에 유혈(流血)이 낭자하며 고생하여 기절한 자는 소[牛] 한 마리를 할복(割腹)하여 그 사람을 뜨거운 핏속에 넣어 담가두면 즉시 살아난다. -『동의보감』-

화살촉[箭鏃]이 뼈에 들어가서 빼낼 수 없을 때는 강랑(蜣蜋) 온전한 것에 사향을 조금 넣고 가루로 만들어 붙여주면 즉시 나온다. 그리고 또 서뇌(鼠腦) 및 간(肝)을 바르거나, 누고(螻蛄)를 유황과 함께 갈아서 붙이면 저절로 나온다. -『동의보감』·『만병회춘』-

독화살[毒箭]에 상했을 때에는 저근(苧根 모시뿌리)을 짓찧어 붙이고, 밤낮으로 자주 갈아붙이며, 남엽즙을 먹인다. -『윤방』-

타박상(打撲傷)

타박상을 입어 어혈(瘀血)이 속에 있어서 번민하여 죽게 된 때는 포황(蒲黃) 3전을 뜨거운 술에 타 먹이거나, 백양수피(白楊樹皮)를 술에 담갔다가 그 술을 먹인다. 또 생마(生麻)의 뿌리와 잎을 짓찧어 즙을 내서 1되를 먹이는데, 생마가 없을 때에는 건마(乾麻)를 삶아 즙을 먹인다. 또 동뇨(童尿) 1~2되를 뜨거울 때 먹이면 즉시 소생된다. 또 개똥을 소존성(燒存性)하여 가루로 만들어서 뜨거운 술에 2숟갈을 타 먹이거나, 견담(犬膽 개 쓸개) 1매를 두 번에 나누어 뜨거운 술에 타 먹이면 악혈(惡血)이 모두 사하(瀉下)된다. -『동의보감』-

타박상을 입어 통증을 참을 수 없을 때에는 총백(葱白)을 당화(糖火 뜨거운 재)에 구워서 뜨거울 때에 쪼개면 그 속에 콧물 같은 물집이 있는데 그것을 빨리 상처에 붙인다. 열이 식으면 뜨거운 것으로 갈아붙이면 잠깐 사이에 통증이 멎게 된다. 또 계자를 생강과 섞은 다음 갈아서, 약간 볶아서 붙여도 신묘하다. -『동의보감』-

타압상(墮壓傷)

무릇 떨어지거나 물건에 눌리어 상처를 입고 죽은 자라도 가슴[心頭]이 따뜻하면 모두 구제할 수 있다. 급히 안호처(安好處)에 눕히고 소매로 그 입과 코 위를 1식경(食頃 밥 한 그릇 먹을 만한 시간)간 가려 두었다가 눈뜨기를 기다려서 먼저 뜨거운 소변을 먹이고 또 강즙(薑汁)과 향유(香油)를 섞어 먹이거나, 소합원(蘇合元) 3~5알을 따뜻한 술이나 동변(童便)에 타 먹이면 즉시 소생한다. -『동의보감』-

송연(松煙)에다 좋은 생주(生酒)를 넣어 먹인다. -『윤방』-

반하(半夏)나 혹은 조각자(早角刺) 가루를 코에 불어 넣어 재채기를 시키면 소생한다. -『동의보감』-

타압(墮壓)을 입거나, 주거(舟車)에 치이거나, 말에 밟히고 소에 받혀서 가슴과 배가 파함(破陷 배가 터지고 가슴이 꺼짐)되고, 사지(四肢)가 최절(摧切 부러짐)되어, 기민(氣悶 숨을 못 쉼)해서 죽으려 할 때는 오계(烏鷄 털이 온통 새까만 닭) 한 마리를 털과 함께 천 번 찧어서 초(醋) 1되로 갠다. 그다음 신포(新布)로 병처(病處)에 대고 약을 포(布) 위에 발라 붙였다가 마르면 다시 갈아붙인다. 이때 한전(寒戰)을 느끼면서 토하려고 해도 약을 버려서는 안 된다. 그러면 잠시 사이에 회복되는데 한 마리의 닭이면 신효(神效)를 거둔다. 또 까마귀나 우시우(右翅羽) 7매

(枚)를 불에 태워 그 재를 술에 타 먹이면 토혈(吐血)을 하면서 문득 낫는다. -『동의보감』-

타박상(打撲傷)으로 어혈(瘀血)이 들어서 아플 때는 수질(水蛭 거머리)을 잡아 초초(焦炒 타도록 볶음)하여 사향과 등분(等分)해서 가루로 만들어 1전을 뜨거운 술에 타 먹인다. 또 볏짚 태운 재를 새로 익은 조주(糟酒 거르지 않은 술)로 적시어 즙을 짜서 따뜻할 때 아픈 곳을 씻어주면 즉시 낫는다. -『동의보감』-

뼈가 부러지고 힘줄이 끊어졌을 때

절상(折傷)을 입어 힘줄이 끊어지고, 뼈가 부러졌을 때는 생지황을 즙내어 술에 타서 따뜻하게 데워 먹이고, 찌꺼기는 환부에 붙여준다. 또 생지황을 볶아서 상처에 싸매주되, 하루낮 하룻밤을 십여 차례 갈아 붙여주면 1개월이면 힘줄과 뼈가 연결된다. 또 해각수(蟹角髓 게 다리 속에 들어 있는 골, 즉 그 살) 및 각중황(殼中黃 게 껍데기 속에 들어 있는 노란 살)을 살짝 볶아 창 속에 넣고 싸매주면 즉시 힘줄과 뼈가 연결된다. 또 모서(牡鼠)를 생으로 짓찧어 붙였다가 3일에 한 번 갈아붙이거나, 와거자(萵苣子 상치씨)를 살짝 볶아 가루 내어 2~3전을 술에 타 먹이면 힘줄과 뼈를 접속(接續)시킬 수 있다. -『증류본초』-

골절(骨折)에는 자연동(自然銅)을 불에 달구어 7차를 초(醋)에 담갔다가 아주 가늘게 갈아서 수비(水飛)58)하여 당귀(當歸)·몰약(沒藥) 가루와 함께 각 반전(半錢)씩을 따뜻한 술에 타 먹인다. 이어 손으로 상처(傷處)를 문질러 약이 직접 뼈가 손상된 곳에 들어가게 한 다음 싸매 주면 신효하다. 이 약은, 처음 달군 것[新煆者]은 독(毒)이 있으니 만약 골절이 안 되고 쇄골(碎骨)이 안 된 데에는 사용해서는 안 된

---

58) 수비(水飛): 곡식 가루나 약 가루 및 그릇 만들기 위한 흙가루 등을 물에 넣고 휘저어서 물 위에 뜨는 잡물을 제거하는 것을 말한다.

다. -『단계심법』-

산치(山梔)를 생으로 가루를 만든 것 5푼과 비라면(飛羅麪) 3전을 강즙(薑汁)에 타서 환부에 발라주면 하룻밤 사이에 피육(皮肉)이 청흑(靑黑)으로 변하는데, 이것이 그 효험이다. -『윤방』-

뇌골(腦骨)이 깨졌을 때는 총백(葱白)을 꿀에 버무려 가늘게 갈아서 상처에 두껍게 붙여주면, 즉시 낫는다. 또 야합수(夜合樹 자귀나무 즉 합환(合歡)나무임) 껍질을 거친 것은 제거하고 썰어 흑색이 되도록 볶은 것 4냥과, 겨자씨를 볶아 갈은 가루 1냥을 매번 2전씩 뜨거운 술에 타서 징청(澄淸)시킨다. 이것을 잠자리에 들 때 마시게 하고, 찌꺼기를 상처에 붙여주면 신기한 효험이 있다. -『단계심법』-

도끼나 자귀에 찍혀 힘줄이 끊어졌을 때는 급히 선복화(旋覆花)뿌리를 캐어 짓찧어 즙을 내서 창중(瘡中)에 발라주고, 찌꺼기를 상처에 붙여주어 반달만 지나면 문득 이어진다. -『본초강목』-

수족(手足)이 부러졌을 때

수족에 절상(折傷)을 입어 뼈가 빠져서 통증이 참을 수 없을 때에는 급히 백반 가루 한 순갈을 끓는 물 한 사발에 타서 뜨거울 때에 거듭 상처를 씻어주면 통증이 그친다. 만약 밖으로 나왔으면 모름지기 안으로 잡아넣고 만약 안으로 나왔으면 밖으로 빼내는데, 뼈가 빠졌던 곳으로 들어갔는가를 보아서 파가루[葱頭粉]를 기와 위에 자색(紫色)이 되도록 볶아 뜨거운 술이나 초탕(醋湯)에 개어 고약을 만들어 두껍게 상처에 붙여준다. 그리고 뽕나무나 혹은 버드나무 조각을 대고 노끈으로 묶어 준다. 이때 때때로 그 묶어 놓은 조각을 풀고 구부려 보기도 하고, 곧게 펴 보기도 하여야 한다. 그렇게 하지 않으면 치유된 뒤에 구부릴 수도 뻗을 수도 없게 되어 고질(痼疾)이 된다. -『허방』-

손가락을 접속시키는 방법은 소목(蘇木)으로 가루를 만들어 잘라진

손가락 사이에 붙여서 접정(接定)시키고 밖에는 잠견(蠶繭)으로 싸매서 묶어준다. 이렇게 하여 수일이 지나면 전과 같이 된다. -『동의보감』-

질상(跌傷 달리다 넘어져 다침)으로 부으면서 참을 수 없이 아플 때는 치자(梔子)와 백면(白麪 메밀가루)을 가루로 만들어 물에 타 발라 주었다가 마른 다음 물로 씻어주면 즉시 효험을 본다. -『윤방』-

사지(四肢)의 마디가 빠졌을 때

사지의 마디가 빠지고 가죽만이 연결되어 들지도 움직일 수도 없는 것을 '근해(筋解)'라 한다. 황기(黃芪) 3냥을 술에 담가 하루를 재웠다가 건져 내어 배건(焙乾 불에 쬐어 말림)해서 가루로 만들어 매번 2전을 술로 먹인다. -『윤방』-

귀·코·혀가 잘렸을 때

찰락(擦落)[59]된 귀나 코를 치료할 때는 유발(油髮) 태운 잿가루를 사용한다. 급히 떨어진 귀나 코를 얹고 머리카락 태운 재를 찍어 발라준 다음 부드러운 비단으로 잡아매 주면 신효하다. -『동의보감』-

넘어져 혓바닥이 뚫리거나 끊어져서 피가 그치지 않고 나올 때는 미초(米醋)를 닭의 깃으로 찍어서 끊어진 곳을 쓸어 주면 그 피가 즉시 그친다. 그리고 이어 포황(蒲黃)·행인(杏仁)·붕사(硼砂) 조금씩을 꿀에 개어 먹이면 낫는다. -『동의보감』-

---

59) 찰락(擦落): 스치거나 문질러져서 코나 귀가 떨어져 나감을 말한다.

음낭(陰囊)이 터졌을 때

어느 사람이 말에서 떨어져 허리에 찼던 쇄시(鎖匙 자물쇠의 열쇠)에 상처를 입고 음낭이 터져서 두 알맹이가 빠져 나왔으나 매달려 끊어지지는 않았다. 그러나 아프기가 이만저만이 아니었다. 그런데 의원이 그 사람에게 천천히 당기어 올리게 하고는 벽전(壁錢 납거미)을 많이 잡아 짓찧어 상처에 붙여주었는데 날로 점점 안정되더니 음낭이 전과 같아졌다한다. -『동의보감』-

형장(刑杖)을 맞았을 때

장창(杖瘡)이 갑자기 마르면서 검게 패어 들어가는 것은 독기가 심장을 공격해서인데 황홀해지며 번민하고 구토하는 자는 죽는다.

무릇 장형(杖刑)이 끝나면 즉시 동변(童便)과 좋은 술 각 1종(鍾)을 합하여 따뜻하게 데워 먹이면 악혈의 심장 공격을 면하는 데 매우 묘효가 있다. 이어 총백(蔥白)을 문드러지게 짓찧은 다음 뜨겁게 볶아서 장처(杖處)에 붙였다가 식으면 갈아붙인다. 그렇게 하면 통증을 그치게 하고 어혈을 헤쳐 내는데 귀신같이 잘 듣는다. 또 두부(豆腐) 조각을 염수(鹽水)에 지져서 뜨겁게 하여 장 맞은 곳에 붙여 놓으면 그 기(氣)가 찌는 것과 같아 두부가 즉시 붉어진다. 두부가 붉어지면 다시 갈아 붙여 빛깔이 깨끗해질 때까지 해주는데 썩어 문드러진 상처에도 적합하다.

또 봉선화를 뿌리와 잎이 달린 채 문드러지게 짓찧어 붙였다가 마르면 다시 갈아 붙여주면 하룻밤 사이에 어혈이 흩어져서 즉시 낫는다. 또 통증이 심한 자에게는 뜨거운 술을 양대로 마시게 하고 침으로 찔러 악혈(惡血)을 빼낸 다음 대황(大黃)·황백(黃柏)을 가루로 만들어 생지황즙(生地黃汁)에 개어 붙인다. -『동의보감』-

대황 가루를 동변(童便)에 개어 자주 붙여준다. -『윤방』-

사람에게 물렸을 때

사람에게 물려 창(瘡)이 되었을 때에는 구판(龜板)이나, 별갑(鱉甲) 태운 재를 기름에 개어 붙인다. -『동의보감』-

곰이나 범에게 물렸을 때

곰이나 범의 발톱에 의하여 상처를 입었을 때는 생율(生栗)을 씹어서 붙인다. -『동의보감』-

곰에게 물린 사람에게는 갈근(葛根)을 달여 농즙(濃汁)을 내서 창(瘡)을 10번 씻어준다. 아울러 갈근을 짓찧어 가루를 만들어 갈근즙을 타서 하루에 다섯 차례씩 먹인다. -『동의보감』-

범에게 물려 상처를 입었을 때는 생갈즙(生葛汁)을 먹이고, 갈근즙으로 창상(瘡傷)을 씻어준다. 또 염교[薤]를 찧어 즙을 내서 하루에 3차례 1되씩 먹이고, 찌꺼기를 상처에 붙여준다. 또 청유(淸油) 1사발을 먹이거나 백반을 가루로 만들어 상처에 넣어준다. 또 술을 먹여 대취(大醉)하게 하여 토하도록 한다. 이때 호모(虎毛)가 나오면 좋다. 또 사탕을 물에 타 1~2사발을 먹이고 아울러 상처에 발라주거나, 또는 생계육(生鷄肉)을 먹이고, 또는 월경적의(月經赤衣 부녀자의 월경 피가 묻은 속곳)를 태워 재로 만들어서 술에 타 먹인다. -『동의보감』 한 처방(處方)에는 "월경의(月經衣)를 태워 재로 만들어서 방촌시(方寸匙)로 한 숟갈씩 하루에 세 차례 술로 먹인다." 하였다. -

월경의포(月經衣布)를 상처에 붙여주거나, 또는 백반 가루를 창 중(瘡中)에 넣고 싸매준다. -『윤방』-

소에게 받혀 창자가 나왔을 때

장(腸)이 나왔으나, 끊어지지 않은 자에게는 급히 청유(淸油)로 장을 씻고 손으로 밀어 넣은 다음 상백피(桑白皮)를 뾰족하게 하여 뱃가죽[肚皮]을 봉합한다. 봉합한 위에 혈갈(血竭) 가루나 혹은 백초상(百草霜) 가루를 발라준다. -『동의보감』-

항상 뜨거운 오줌으로 씻어주고, 혹은 구기근피(枸杞根皮) 전탕(煎湯)으로 씻어주면 특효가 있다. -『의학입문』-

말 · 당나귀 · 노새에게 물리거나 발굽에 채였을 때

말이나 혹은 당나귀에게 물린 사람은 자기를 문 말의 오줌을 받아 창(瘡)을 씻어주거나 똥을 발라준다. 또 똥즙을 먹이면 좋다. -『동의보감』-

말에 물리고 채인 데는 익모초(益母草)를 뜯어 문드러지게 짓찧어 초(醋)를 타서 볶아 붙이거나, 독과율자(獨顆栗子 회오리밤)를 씹어 붙이거나, 또 태워 재를 붙여주어도 특효가 있다. 또 계관(鷄冠)의 열혈(熱血)을 발라주거나, 쑥으로 상처를 뜸떠주거나, 또는 사람의 똥, 말 똥 태운 재를 가루로 만들어 붙여준다. -『동의보감』-

노새의 발굽에 채여 쓰러졌거나, 또 물린 상처가 곪아 터져서 냄새가 지독하고 파리와 구더기[蛆蠅]가 극성일 때는 선화산(蟬化散)을 먹인다.
- 처방은 아래의 '모든 상처에 파리와 구더기를 없애는 법' 조에 보인다. -

개에게 물렸을 때

봄과 여름 사이에는 개가 많이 미치는데, 꼬리를 아래로 축 늘어뜨리고 걷어 올리지 않으며, 입에서는 침을 흘리고, 혀가 검은 것은 바로 광견(狂犬)이다. 만약 그 개에게 물리면 거의가 죽게 된다. 물렸을 때는 급히 침으로 찔러 피를 빼낸 다음 뜨거운 소변으로 깨끗이 씻어 주고, 즉시 문 개를 잡아 뇌(腦)를 꺼내어 붙인다. 행인(杏仁)을 문드러지게 씹어 붙이고 비단으로 싸매주거나, 마인근(馬藺根) - 붓꽃 - 과 함께 가늘게 갈아 총탕(葱湯)으로 상처를 씻은 다음 발라 준다. 그리고 급히 반묘(班猫) 7개를 머리·날개·발을 떼어내고 가루로 만들어 따뜻한 술에 타 먹이면 그 독이 반드시 소변으로 나오게 되는데, 요강에 다 맑은 물을 붓고 환자에게 그 속에 소변을 보게 하여 반일(半日)을 두었다가 보면 탁기(濁氣)가 응결된다. 응결된 것이 개의 형상과 같으면 독(毒)이 이미 나온 것이나, 그런 것이 없더라도 모름지기 7번만 먹이면 효험을 본다. 만약 소변이 잘 나오지 않으면 익원산(益元散)[60]을 물에 타 먹인다. 또 다른 방법은 반묘(班猫)를 7일 내에 7개를 사용하고 7일이 넘어서는 매일 1개씩을 더하여, 10일에 10개 100일엔 100개를 날개와 발을 떼어 버리고 나미(糯米 찹쌀)와 함께 볶아서, 활석(滑石) 1냥 웅황(雄黃) 1전 사향 2푼 반과 가루로 만들어 따뜻한 술에 타서 먹인다. 만약 술을 먹지 못하는 자에게는 미음(米飮)에 타 먹이면 그 독기가 대소변을 따라 나오게 되어 즉시 낫는다. -『동의보감』-

환자의 정심(頂心 머리의 최상부)에 1개 - 어떤 사람 말에는 두세 개가 있다고도 한다. - 의 홍발(紅髮)이 있는데 즉시 뽑아버린 뒤에 약을 먹이면 쾌효(快效)를 본다.

또 늘 행인을 먹여서 그 독을 방지한다. 혹은 죽을 끓여 먹이기도 한다.

또 늘 부추를 먹이거나, 부추의 자연즙(自然汁)을 먹인다. 또 갈근즙(葛根汁)을 먹이거나 구인분(蚯蚓糞)으로 물린 곳에 붙여주어 개털이

---

60) 익원산(益元散) : 지갈(止渴)·제번(除煩) 등의 효과가 있다. 이백(膩白)하여 수비한 계부활석(桂府滑石) 6냥, 구(灸)한 감초(甘草) 6전, 생(生)한 감초 4전에 진사(辰砂) 3전을 더하여 가늘게 갈아서 매번 3전씩을 신급수(新汲水 : 새로 길어온 물)나 온주(溫酒)에 타 먹인다.『劉河間方』

나오면 신효하다. - 『동의보감』 -

교창(咬瘡)이 오래도록 낫지 않고 입으로는 거품을 토해 내며 소리지르면 개소리와 같은 것은 개독[犬毒]이 심장에 들어갔기 때문이다. 그럴 때는 섬여(蟾蜍 두꺼비)로 회(膾)를 쳐 수차 먹이되 환자에게 알게 해서는 안 된다. 또 섬여의 뒷다리를 문드러지게 짓찧어 술에 타 먹여도 좋다. 또 호두골(虎頭骨 범의 머리뼈)・호아(虎牙 범의 어금니)・호경골(虎脛骨 범의 정강이뼈)을 가루로 만들어 술에 2전을 타 먹인다. - 『동의보감』 -

호담(虎膽 범의 쓸개)을 물에 타 먹이거나 또 흑두(黑豆) 삶은 즙을 먹인다. - 『윤방』 -

치료법으로는 뜸뜨는 것만 한 것이 없다. 다만 물린 어금니 자국 위에다 하루 3장(壯)씩 떠서 120일에 이르러 중지하면 영원히 재발되지 않는다. - 『동의보감』 한 처방에는, "연달아 3개월간 떠서 완전히 합창되지 못하게 해야 한다." 하였다. -

금기법(禁忌法)은 미친개에게 물린 자는 평생토록 개고기와 누에 번데기[蠶蛹]를 먹지 말아야 한다. 만약 이 독기가 재발되면 구제할 수 없다. 그리고 3년 안에는 일체 독물을 먹지 말아야 하며 또 방사(房事)도 금지해야 한다. 따라서 음주를 금기해야 한다. - 『동의보감』 -

돼지에게 물렸을 때

옥루수(屋漏水 지붕이 새어 흘러내린 물)로 씻어주거나, 또 송진[松脂]으로 떡을 만들어 붙여둔다. - 『윤방』 -

고양이에게 물렸을 때

고양이에게 물렸을 때는 박하(薄荷) 잎을 따서 가늘게 씹어 붙이거나,

또 호골(虎骨)·호모(虎毛)를 태워 가루로 만들어서 발라준다. -『동의보감』-

쥐에게 물렸을 때

쥐에 물렸을 때는 고양이털을 태운 재에 사향을 조금 넣어 침을 뱉어 개어 붙인다. -『동의보감』-

고양이 똥을 발라준다. -『허방』-

생강으로 고양이 입을 문질러 침을 묻혀 발라준다. -『윤방』-

뱀에게 물렸을 때

뱀독을 치료하는 데는 웅황(雄黃)만 한 것이 없다. 웅황을 가루로 만들어 창구(瘡口)에 붙여주면 즉시 효력을 본다. 또 와거즙(萵苣汁)에 웅황가루를 개어 창구에 붙여주면 독물이 흘러나와 종통(腫痛)이 즉시 사라진다. 또 백반을 불에 녹여 그 즙을 뱀 물린 곳에 떨어뜨려 주면 즉시 낫는다. 만일 백반이 없으면 속히 애주(艾炷 쑥으로 만든 심지. 미립대(米粒大) 완두대(莞豆大)의 구분으로 만듦)를 만들어 5장을 뜨면 좋다. 또 사독(蛇毒)에 중독이 되어 눈이 어두워지고 구금(口噤)이 되면서 죽으려고 할 때에는 창이(瘡耳)의 연한 잎사귀를 한 움큼 따서 즙을 내어 따뜻한 술에 타 먹이고, 찌꺼기를 창상(瘡上)에 붙여준다. 또 백지(白芷) 가루를 맥문동탕(麥門冬湯)에 타 먹이고 찌꺼기를 상처에 붙여준다.

또 사석(蛇螫 뱀에 쏘인 것)의 독은 빨리 뜨거운 오줌으로 씻어서 피를 낸 다음에 침을 발라준다. 또 똥을 두껍게 붙이고 베로 싸매 주면 즉시 없어진다. 또 급히 좋은 초(醋) 두 사발을 먹여서 독기가 피를 따라 전신에 돌지 못하게 해야 하는데 청유(淸油 참기름)도 좋다. 무릇 사독(蛇

毒)에는 독두산(獨頭蒜 외톨마늘)이나, 소산(小蒜), 수료(水蓼), 고거(苦苣), 두엽(豆葉), 임엽(荏葉 들깨잎) 등을 즙내어 먹이고 찌꺼기를 붙여준다. 또 생하막(生蝦蟆)을 짓찧어 붙여주고 또는 생계란에 작은 구멍을 뚫어 물린 곳에 씌워주거나 또 우이중구(牛耳中垢 소 귓속의 때)나 저이중구(猪耳中垢 돼지귓속의 때)를 채취하여 붙여준다. -『동의보감』-

즉시 자기 귓속의 뇌자(腦子 귀에지)를 긁어내어 상처에 넣어준다. -『윤방』-

진말(眞末 밀가루)을 냉수(冷水)에 타 먹이거나 또는 물에 개어 떡을 만들어서 물린 곳 및 부기(浮氣)가 뻗어나간 곳에 붙여주면 즉시 사라지는 신효가 있다. -『지리산승방』-

신 음식물이나 매자(梅子 매실(梅實)을 말함)를 먹이지 말아야 하는데 만일 그런 것들을 먹이면 반드시 큰 통증이 온다. -『동의보감』-

뱀이 귀·코·잎에 들어가서 당겨도 나오지 않을 때는 급히 침(鍼)으로 뱀꼬리를 찢고 천초(川椒) - 또는 호초(胡椒)라고 한다. - 를 2~3개 넣고서 싸매 놓으면 즉시 나오며 쑥으로 뱀꼬리를 뜨면 즉시 나온다. 또 모저미(母猪尾 어미돼지 꼬리) 끝을 갈라 피를 내어 입속이나 콧구멍 속에 넣어도 나오는데 그다음에는 웅황(雄黃) 가루를 인삼탕(人蔘湯)에 타 먹이면 사독이 제거된다. -『동의보감』-

뱀이 몸을 칭칭 감고 풀지 않을 때는 열탕을 뿌리면 풀리는데 만약 열탕이 없을 때는 사람을 시켜 오줌을 누게 하면 즉시 풀린다. -『동의보감』-

독사(毒蛇)가 초목(草木)에 오줌을 싸놓은 것이 사람에게 묻게 되면 칼로 찌르는 것과 같은 종통(腫痛)이 오며 살이 문드러진다. 만약 그것이 수족에 묻으면 손가락 마디가 빠진다. 이때에는 비상(砒霜)을 갈아서 교청(膠淸 아교를 녹인 것)에 타 발라준다. -『동의보감』-

뱀가시[蛇骨]에 찔린 사람이 종통(腫痛)을 느낄 때는 죽은 쥐를 태워 가루로 만들어서 붙여준다. -『동의보감』-

대두엽(大豆葉 콩잎)을 짓찧어 붙여준다. -『윤방』-

지네에게 물렸을 때

지네에게 물린 데는 거미[蜘蛛] - 말거미 - 를 잡아 물린 곳에 놓아두면 스스로 독을 빨아먹는데 거미가 죽으면 즉시 물속에 넣어 살려내고 다시 산 놈을 사용하여 빨아내게 한다. 또 오계혈(烏鷄血 검은닭 피) 및 오계시(烏鷄屎) - 닭똥이 말랐으면 물에 개어 발라준다. - 를 발라준다. 또 독두산(獨頭蒜 홀 마늘)을 갈아서 바르거나, 와우(蝸牛) - 집진달팽이 - 를 즙내어 발라준다. -『동의보감』-

상백피(桑白皮)를 즙내어 발라주거나 지룡즙(地龍汁)을 발라준다. 또는 목미(木米 톱밥인 듯함)로 떡을 만들어 붙여준다. -『윤방』-

웅계관혈(雄鷄冠血 수탉 볏의 피)을 발라준다. -『윤방』-

거미에게 물렸을 때 말거미

거미에게 물린 사람이 배가 아이 밴 것처럼 불러지고 종창(腫瘡) 속에서 거미줄이 나오면 죽는 자가 흔히 있다. 그런 때는 오직 양유(羊乳)를 먹여야만 그 독기를 제어할 수 있다. 또 거미에게 물려서 온몸에 창(瘡)이 났을 때는 좋은 술을 먹여 대취(大醉)시키면 살 속에서 작은 쌀알 같은 벌레가 기어 나온다. 또 청총(靑葱)잎의 뾰족한 부분을 떼어버리고 구인(蚯蚓) 한 마리를 넣고 파잎 위를 꼭 묶어서 공기가 통하지 못하게 한 다음 물로 변화되기를 기다려서 물린 곳에 그 물을 떨어뜨려주면 즉시 낫는다. 또 남즙(藍汁) 1사발에 웅황(雄黃)·사향(麝香) 가루를 각 1전씩 넣어 잘 섞이게 하여 그 즙을 조금 먹이고 아울러 물린 곳에 떨어뜨려주면 종통(腫痛)되어 죽게 된 자라도 즉시 낫는다. 이때 남즙(藍汁)만 먹여도 좋다. 또 계관혈(鷄冠血)을 발라주거나 계란에 작은 구멍을 뚫어 물린 곳에 붙여주면 즉시 낫는다. -『동의보감』-

초(醋)에다 생철(生鐵 무쇠)을 갈아서 발라준다. -『경험방』-

벽경(壁鏡) - 벽전(壁錢)이라고도 한다. 납거미. - 에게 물려 중독된 사람은 반드시 죽게 된다. 이때에는 뽕나무 태운 재를 물에 적시어 농즙(濃汁)을 짜내서 백반(白礬) 가루를 타 발라준다. 또는 초(醋)에 웅황(雄黃)을 갈아 발라준다. -『동의보감』-

구수(蠷螋)에게 물렸을 때 팔각충(八角蟲)이라고도 하며 작은 오공(蜈蚣) 같은데 청흑(青黑) 색깔이며 다리가 길다. 그리마.

이 벌레는 벽 틈에 숨어서 산다. 그러다가 오줌으로 사람을 쏘면 사람은 온몸에 창(瘡)이 나게 되는데, 그 형태는 열비(熱疿 땀띠)와 같으나 그보다는 크다. 만약 허리를 겹으로 에워싸 퍼지면 치료할 수 없게 된다. 오계(烏鷄) 깃을 태워 그 재를 계자청(鷄子淸 계란 흰자)에 타 발라 주거나, 편두(扁豆)의 잎을 따서 비비어 붙여주면 즉시 낫는다. 또 염탕(鹽湯)으로 창상(瘡上)을 적시어주면 수일 만에 낫는다. 또 닭의 똥을 발라주어도 된다. -『동의보감』-

벌에 쏘였을 때

벌에 쏘인 데는 청호(靑蒿)를 씹어 붙여주거나 박하(薄荷)를 비비어 붙여준다. 또 생강줄기[薑莖]를 비벼서 문질러주거나 동아잎을 비벼서 붙여준다. -『동의보감』-

술찌게미나 장(醬)을 발라준다. -『증류본초』-

순주(醇酒 전내기술)를 발라주거나 박하(薄荷)를 짓찧어 붙여준다. -『윤방』-

잡충에게 물렸을 때

와우(蝸牛) - 집진달팽이 - 에게 물려 온몸에 독이 퍼진 자는 요자즙(蓼子汁)에 담가 주면 즉시 낫는다. -『동의보감』-

누고(螻蛄) - 땅강아지 - 에게 물린 사람은 석회(石灰)를 초(醋)에 개어 발라 준다. -『동의보감』-

천사(天蛇) - 바로 풀 사이에 있는 황화(黃花)인데 거미[蜘蛛]이다. - 독(毒)은, 사람이 천사에게 쏘이고 그대로 이슬이나 물에 젖게 되면 곧 병으로 되는데 나병[癩] 같으나, 나병은 아니다. 진피(榛皮)를 달여 즙을 먹이면 낫는다. -『동의보감』 어떤 처방에는 "한 말을 먹인다." 하였다. -

지렁이에게 물렸을 때는 닭똥을 발라주고 또는 급히 염탕(鹽湯)에 담가주고 씻어준다. -『윤방』-

다섯 가지 독충[五毒蟲]의 털에 쏘여서 붉어지며 통증이 그치지 않을 때는 마치현(馬齒莧)을 비벼 붙여준다. -『동의보감』-

모든 벌레에게 물린 상처에는 대지연(大紙撚)을 향유에 담가 불을 붙였다가 불을 끄고 그 연기를 쐬면 즉시 낫는다. 또 소계(小薊)나 혹은 남엽(藍葉)을 짓찧어 즙을 내어 먹이고 또는 짓찧어 붙여준다. -『동의보감』-

향유(香油)에 자소(紫蘇)를 담갔다가 발라준다. -『윤방』-

모든 상처에 파리와 구더기를 없애는 법

여름철에 모든 상처 난 곳이 궤란(潰爛)되어 파리와 구더기가 우글거리고 가까이 할 수 없을 정도로 냄새가 지독할 때에는 소존성(燒存性)한 사퇴(蛇退 뱀의 허물) 1냥, 선각(蟬殼)·청대(靑黛) 각 5전, 세신(細辛) 2전 반을 가루로 만들어 매번 3전씩 하루에 2번 술에 타 먹이는데, 약 이름은 '선화산(蟬化散)'이다. 선화산을 먹이면 구더기는 모두 물로 되어 나오고, 파리 역시 가까이 못한다. 또 한수석(寒水石)은 여름철의 모든 창(瘡)의 냄새와 궤란을 치료한다. -『동의보감』-

벌레가 귀나 코에 들어갔을 때

구즙(韭汁)이나 혹은 총즙(葱汁), 강즙(薑汁), 마유(麻油 삼씨로 짠 기름) 등을 귓구멍이나 콧속에 넣어주면 모두 나온다. -『증류본초』-

우유나 혹은 계관(鷄冠)의 열혈(熱血)을 대어 넣어주어도 나온다. -『단계심법』-

생강으로 고양이 코를 문지르면 고양이가 오줌을 저절로 싸는데, 그 오줌을 받아 벌레가 들어간 곳에 떨어뜨려 넣어주면 즉시 나온다. 또 도엽(桃葉)으로 베개를 만들어 베어도 나온다. 또 작은 동기(銅器 놋쇠그릇)를 귀나 코 가에 대고 쳐 소리를 내면 즉시 나온다. -『동의보감』-

거울이나 도기(陶器 질그릇)를 쳐서 소리를 내어도 나온다. -『윤방』-

지네가 귀에 들어갔을 때

지네가 귀에 들어갔을 때는 강즙(薑汁)·구즙(韭汁)·남즙(藍汁)을 귀에 부어넣으면 즉시 나온다. 혹은 저지(猪脂 돼지비계)나 우지(牛脂 소고기 기름)를 지져 냄새가 나게 하여 귓가에 놓아두어도 나온다. -『동의보감』-

유연(蚰蜒)이 귀에 들어갔을 때 작은 지네다

유연이 귀에 들어갔을 때는 우유를 떨어뜨려 넣어주면 즉시 나온다. 또 와우(蝸牛)의 즙이나 혹 소산즙(小蒜汁)을 부어넣으면 즉시 나온다. 또 지룡(地龍)을 파잎 속에 넣었다가 변하여 물이 된 것을 떨어뜨려

넣어주면 그 벌레도 즉시 변하여 물이 된다. -『동의보감』-

개미가 귀에 들어갔을 때

개미가 귀에 들어갔을 때는 초(醋)를 넣고 일어나 다니면 즉시 나온다. 또 천산갑(穿山甲) 태운 가루를 물에 타 넣어주거나 살진 기름덩이를 향기롭게 지지거나, 유전병(油煎餠)을 베고 누우면 즉시 나온다. -『고사촬요』-

손가락만큼의 저육(猪肉 돼지고기)을 향기롭게 지져 귓구멍 가에 놓아두면 즉시 나온다. 또 등심(燈心)을 기름에 담갔다가 낚아낸다. -『윤방』-

잘못하여 벌레를 삼켰을 때

잘못하여 지네를 삼켜 목구멍에 걸려서 매우 답답해할 때는 급히 생저혈(生猪血)을 먹이고 조금 있다가 청유(淸油)를 입 안에 부어주면 즉시 토출한다. 그리고 계속해서 웅황(雄黃) 가루를 물에 타 먹이면 그 독이 풀린다. -『동의보감』-

잘못하여 유연(蚰蜒)을 삼켰을 때는 우유 2되를 마시게 하면 저절로 삭아 내린다. -『허방』-

잘못하여 수질(水蛭) - 거머리 - 을 삼켰을 때는 논의 마른 작은 진흙덩이와 죽은 작은 물고기 3~4마리에 돼지비계를 녹인 것을 고루 섞고, 파두(巴豆) 10매를 껍질을 벗기고 문드러지게 갈아 진흙 안에 넣어 녹두(綠豆) 크기로 환(丸)을 만들어서 논의 냉수(冷水)로 10알을 먹이면 거머리가 다 사하(瀉下)되어 낫는다. 또 농다(濃茶)를 많이 먹이면 저절로 사하된다. 또 꿀을 먹이면 즉시 변하여 물로 된다. -『동의보감』-

잘못하여 물건을 삼켰을 때

잘못하여 낚싯바늘을 삼켰을 때는 낚싯줄이 연결된 것이라도 당기지 말고 급히 주당(珠璫)[61]이나 호박주(琥珀珠)·수정주(水晶珠)·의이자(薏苡子)를 낚싯바늘 있는 곳에 밀어 넣고 당기면 저절로 나온다. -『동의보감』 시장에 있는 화주(火珠)도 사용할 수 있다. 대개 그 낚시 끝이 구슬 구멍에 들어가서 걸리지 않는 것이다. -

잘못하여 침(鍼)을 삼켰을 때는 자석(磁石)을 대추씨 크기로 만들어 갈아서 광채가 나게 한 다음 구멍을 뚫고 실을 꿰서 머금게 하고 그 실을 살살 끌어내면 침이 저절로 나온다. 또 잠두(蠶豆) - 일방(一方)에는 완두(豌豆)로 되었다. - 를 삶아 익혀서 부추와 함께 먹이면 침이 채소와 함께 대변으로 따라 나온다. -『동의보감』 -

잘못하여 쇠못[鐵釘]이나 화살촉[箭鏃]을 삼켰을 때는 돼지고기나 양고기의 살지고 기름진 부분을 많이 먹이면 반드시 그 고기에 싸여 나오게 된다. 또 살진 돼지고기나 아욱[葵菜]을 먹이면 저절로 나온다. 또 완두(豌豆)를 삶아 익혀서 규채와 함께 먹이면 대변을 따라 나온다. -『동의보감』 -

잘못하여 비녀[釵]·가락지[環]·대나무 조각을 삼켰을 때는 해백폭(薤白瀑)을 누렇게 되도록 삶아 익혀서 자르지 말고 한 묶음을 먹이면 비녀[釵]가 즉시 따라 나온다. 또 엿[飴]·사탕[糖]을 두어 근 먹이면 비녀·가락지·대나무 조각이 싸여서 나온다. -『동의보감』 -

잘못하여 금·는(金銀)을 삼켰을 때는 수은(水銀) 반 냥을 먹인다. 금은 수은을 만나면 진흙같이 삭아 나온다. -『동의보감』 -

잘못하여 철물(鐵物)이나 동전(銅錢)을 삼켰을 때는 발제(葧薺) - 올메 또는 가차라기 올방개 또는 오천자(烏芊子)라 하는데 습지(濕地)에서 난다. - 를 실컷 먹이면 순식간에 저절로 소화되어 없어진다. -『동의보감』 -

---

61) 주당(珠璫): 갓을 장식(裝飾)하는 구슬을 말한다.

잘못하여 동전(銅錢)을 삼켰을 때는 견탄(堅炭 숯)을 가루로 만들어 미음(米飮)에 타 먹이면 대변을 따라 오매(烏梅) 같은 것이 사출(瀉出)된다. 또 축사(縮砂 사인(砂仁)이라고도 함)를 진하게 달여 먹이면 그 동전이 저절로 내려간다. 또 호도(胡桃)를 많이 먹이면 그 동전이 저절로 문드러지고 또 연밀(煉蜜 달인 꿀) 2되를 먹이면 즉시 나온다. -『동의보감』-

잘못하여 나무꼬챙이[木屑]를 삼켜 목구멍에 걸려서 죽게 되었을 때는 도끼 갈은 물을 먹여준다. -『윤방』-

어린아이가 돈을 삼켜 그 돈이 나오지 않을 때는 아욱[葵] 삶은 즙을 식혀서 먹이면 즉시 나오는데 뿌리·잎·씨도 같은 효과가 있다. -『동의보감』-

잘못하여 복숭아나 오얏을 삼켜 목에 걸려서 내려가지 않을 때는 구두(狗頭 개머리) 삶은 물로 머리 위를 문질러 주면 낫는다. -『동의보감』-

잘못하여 머리카락을 삼켜 목구멍에 달라붙어 나오지 않을 때는 헝클어진 머리카락 태운 재 1전을 물에 타 먹인다. 또 옛날 목유소(木油梳 나무로 만든 기름 낀 빗)를 가루 내어 술에 타 먹인다. -『동의보감』-

모든 뼈가 목구멍에 걸렸을 때

모든 뼈가 목구멍에 걸려서 내려가지 않을 때는 해백(薤白 염교 뿌리)을 씹어 부드럽게 해서 노끈으로 중간을 매어 삼켜서 뼈가 걸린 곳에 이르게 한 다음 끌어내면 걸린 뼈가 즉시 따라 나온다. 또 구백(韭白 부추 뿌리)을 위의 방법과 같이하여 다(茶)로 삼켰다가 끌어내도 나온다. 또 우근(牛筋 소 힘줄)이나 녹근(鹿筋 사슴 힘줄)을 두드려 부드럽게 해서 탄환(彈丸)같이 만들어 힘줄 한 끝을 붙잡고 삼켜 뼈 걸린 곳에 이르기를 기다렸다가 서서히 끌어내면 걸린 뼈가 힘줄에 붙어 즉시 나온다. 또 솜을 작은 덩이로 만들어서 꿀에 달여 위의 방법과 같이 하면 즉시 나온다. 또 궁현(弓弦 활시위)을 두드려 머리를 흐트러지게

하여 삼켰다가 끌어내도 나온다. -『동의보감』-

위령선(威靈仙)을 가루로 만들어 술로 먹인다. 또 좋은 초(醋)를 먹이면 오래 목구멍 속에 있던 것이라도 얼마 안 가서 소화된다. -『윤방』-

고기 뼈가 목에 걸려 있을 때는 봉선화자(鳳仙花子 봉선화씨) - 없으면 뿌리를 사용한다. - 를 물에 갈아 즙을 내어 숟가락으로 떠서 먹인다. 이때 이[齒]에 닿지 않게 먹여야 한다. 만약 이에 닿으면 손상이 있을 것을 경계해서이다. 또 어구조(魚狗鳥) - 쇠새. 작은 새이다. 비취같이 푸르며 물위에서 고기를 잡아먹고 산다. 그러므로 이름을 어구조(魚狗鳥)라 한다. - 태운 재를 물에 타 먹이거나, 훤초(萱草 원추리) 뿌리를 즙내어 먹인다. 또는 축사(縮砂)·감초(甘草)의 가루를 솜에 싸 먹이면 즉시 토출된다. 또 엿이나 사탕으로 계자황(鷄子黃 계란 노른자) 크기로 환(丸)을 지어 먹인다. 만약 그래도 내려가지 않으면 환을 크게 만들어서 씹어 먹게 한다.

즉어(鯽魚 붕어)·궐어(鱖魚 쏘가리)·여어(鱺魚 가물치)의 쓸개는 모두 걸린 뼈를 내려가게 하는데, 납월(臘月)에 잡은 것이면 더욱 좋다. 조자(皁子 상수리)만큼을 따뜻한 술에 타 먹여서 토하면 문득 나오게 되는데, 토하지 않으면 다시 따뜻한 술을 먹여 토하게 하면 묘효가 있다. 그래도 나오지 않을 때는 다시 먹인다. 또 잉어의 인피(鱗皮)를 태워 가루로 만들어서 물에 타 먹이면 즉시 나온다. -『동의보감』-

옥잠화(玉簪花)를 초(醋)에 달여 이[齒]에 닿지 않게 먹인다. -『윤방』-

대산(大蒜)으로 코를 막으면 즉시 나온다. 또 녹각(鹿角)을 머금어 침을 내어 넘기면 내려간다. -『윤방』-

동류수(東流水 동쪽으로 흐르는 물) 1잔을 떠놓고 동향(東向)하고 앉아서 손가락으로 물 위에 용(龍) 자를 쓴 다음 마신다. -『윤방』-

짐승 뼈[獸骨]가 목에 걸려 있을 때는 뽕나무 위에 있는 충설(蟲屑 벌레가 파내놓은 나무가루)을 초(醋)에 달여 씻어내면 저절로 내려간다. 또 개를 거꾸로 달아매고 고개를 들도록 하면 주둥이에서 침이 흘러나오는데, 그것을 서서히 받아 넘기면 그 뼈가 물이 되어버려 귀신같이 낫는다. 또 호골(虎骨)을 가루로 만들어 물에 타 먹이거나 달여서 즙을 먹인다. 이골(狸骨)도 좋다. 또 상아(象牙)를 물에 갈아 먹이면 즉시 내려간다. 또 닭다리 하나를 태워 그 재를 물에 타 먹인다. -『동의보감』-

닭 뼈가 목에 걸려 있을 때는 야저근(野苧根 돌모시 뿌리)을 깨끗이 씻어 진흙같이 짓찧어 앵두크기만큼을 닭고기 국에 타 먹이면 즉시 나온다. 또 백매육(白梅肉)을 두드려 큰 환을 만들어서 솜에 싸고, 실로 솜 속에 있는 약을 꿰어 잡아맨 다음 넘기되 실 끝을 갈라 손에 쥐고 있으면 한 번 구토에 즉시 나온다. -『동의보감』-

까끄라기나 가시가 목구멍에 박혀 있을 때

대나무 까끄라기가 목구멍에 박혀 있을 때는 누고(螻蛄) - 땅강아지 - 의 뇌(腦)를 삼키면 즉시 내려간다. 또 서뇌(鼠腦)를 걸린 위에 두텁게 바르면 즉시 나온다. 또 즉어(鯽魚) - 붕어 - 쓸개를 술에 타 먹이면 즉시 나온다. -『허방』-

궐어(鱖魚 쏘가리) 쓸개를 술에 타 먹이면 즉시 나온다. -『동의보감』-

벼나 보리의 까끄라기가 목구멍에 걸려 붓고 아플 때는 급히 거위 입 속의 침을 내어 먹이면 즉시 나온다. 또 지마(脂麻 검은 참깨)를 볶아 가루를 만들어 탕(湯)에 넣어 먹이면 특효가 있다. -『의학입문』-

모든 물건이 눈에 들어갔을 때

벼·보리의 까끄라기가 눈에 들어가서 나오지 않을 때는 백양하(白蘘荷) - 양하는 적(赤)·백(白) 두 종류가 있는데 백색(白色)의 것이 약이 된다. - 뿌리와 줄기를 즙내어 눈에 넣어주면 즉시 나온다. -『농사직설』-

벼·보리의 까끄라기가 눈에 들어갔을 때는 신포(新布 막 짜낸 베)로 눈 위를 덮고 제조(蠐螬) - 굼벵이 - 를 잡아 베[布] 위에 놓고 문지르

면 그 까끄라기가 베에 붙어 나오게 하는 데 좋다. -『동의보감』-

보리 까끄라기가 눈에 들어갔을 때는 보리를 삶아 즙을 짜서 씻어주면 즉시 나온다. -『동의보감』-

밤송이[栗殼] 달인 물로 자주 씻어준다. -『윤방』-

밤송이의 가시가 눈에 들어갔을 때는 제조를 즙내어 눈에 넣어주면 된다. -『윤방』-

모래·먼지[沙塵] 등이 눈에 들어가 붓고 아파서 눈을 뜨지 못할 때는 소 힘줄을 두드려 실같이 만들어서 동자[睛] 위에 붙이고, 가볍게 비벼주면 저절로 나온다. 또 좋은 먹을 진하게 갈아 동자 위에 떨어뜨려 주고 새 붓으로 쓸어내면 신묘하다. 또 강랑(蜣蜋) - 말똥구리 - 한 마리를 잡아 그 등을 손으로 쥐고 눈 위에 그림자를 내주면 들어갔던 모래와 먼지가 저절로 나온다. -『동의보감』-

의어(衣魚) - 빈대좀 - 를 유즙(乳汁)에 갈아서 눈에 넣어주면 즉시 나온다. -『증류본초』-

닭의 간의 피를 넣어준다. -『문견방』-

비사(飛絲)62)가 눈에 들어가서 붓고 아파 눈을 뜨지 못할 때는 좋은 먹[好墨]을 진하게 갈아 눈에 떨어뜨려 주고 잠시 감고 있으면 그 비사가 저절로 덩어리가 되어 동자 위에 붙어 있게 되는데, 솜으로 가볍게 끌어내면 즉시 낫는다. 또 인두구(人頭垢)를 눈에 떨어뜨려 넣거나, 사람의 손톱 위에서 가는 가루[細屑]를 긁어서 젓가락 끝에 침을 묻혀 그 가루를 찧어 눈에 넣으면, 그 비사가 저절로 모여지므로 빼내버리면 된다. 또 석창포(石菖蒲)를 짓찧어 왼쪽 눈이 아플 때는 오른쪽 코를 막고, 오른쪽 눈이 아플 때는 왼쪽 코를 막아주면 신효하다. -『동의보감』-

순무[菁菜]의 즙을 내어 넣어주거나, 또는 소금에 볶아서 가루로 만들어 넣어준다. -『윤방』-

---

62) 비사(飛絲) : 유사(遊絲)를 말하는 것으로 벌레들이 토해 낸 실[絲]이 공중(空中)에 날라 다니는 것을 말한다. 속설에 비사가 눈에 들어가면 눈이 상한다고 한다.

비사(飛絲)가 입에 들어갔을 때

비사(飛絲)가 입과 혀 사이에 들어갔을 때는 생소엽(生蘇葉)을 씹어서 백탕(白湯 맹물 끓인 것)으로 먹이면 즉시 효력이 있다. -『동의보감』-

숟갈[匙]이 입 안에 붙었을 때

숟갈[匙]이 입 안에 저절로 붙어 점점 끌려 들어가고 떨어지지 않는 것은 위열(胃熱) 때문이다. 그럴 때는 급히 삼리혈(三里穴)[63]에 침을 놓으면 즉시 떨어진다. -『임방』-

또 시두(匙頭 숟가락 끝)에 7장(壯)을 뜨면 즉시 떨어진다. -『전방』-

모든 물건이 살 속에 들어갔을 때

바늘[鍼]이 살에 들어가 나오지 않을 때는, 오아령(烏鴉翎 검은 갈까치의 깃) 3~5매를 태워 그 재를 초(醋)에 개어 붙이면 저절로 나온다. 또 쌍행인(雙杏仁 씨가 쌍으로 들어 있는 살구씨)을 문드러지게 짓찧어 차기름[車脂]에 개어 붙여주면 저절로 나온다. 또 누고(螻蛄) - 땅강아지 - 의 머리[腦]를 유황과 함께 갈아 붙여 싸매주면 저절로 나온다. 또 서뇌(鼠腦) 및 간을 발라주면 저절로 나오며, 자석(磁石)을 그 위에 붙여주어도 저절로 나온다. -『허방』-

철가시나 대나무 가시가 살 속에 들어가 나오지 않을 때는 서뇌(鼠腦)를 두텁게 발라주면 즉시 나온다. -『동의보감』-

대나무 가시가 살 속에 들어가 나오지 않을 때는 누고(螻蛄)를 갈아 붙여주면 신묘하고, 또 열옹(蠮螉 나나니벌) - 과내, 바로 과라(蜾蠃)인데

---

63) 삼리혈(三里穴) : 수양명 대장경(手陽明大腸經)에 소속된 경혈(經穴). 위치는 곡지혈(曲池穴)의 아래 2촌쯤을 누르면 근육이 일어나는데 그 예육(銳肉)의 끝에 있다.

흑색이며 허리가 가느다란 벌이다. - 을 생으로 갈아 붙여 주어도 묘효(妙效)가 있다. 또 제조(蠐螬 굼벵이)를 부수어 붙여 주면 즉시 나온다.

또 마른 양 똥을 태워 그 재를 저지(猪脂)에 개어 바르면 나오는 줄도 모르게 나온다. 또 오웅계(烏雄鷄 검은 수탉)를 생으로 짓찧어 붙여 주면 즉시 나오고, 또 인두구(人頭垢) - 백치상(百齒霜)이라 하는데 머리빗[梳]에 끼어 있는 것이 이것이다. - 를 발라준다. 또 밤 껍질을 생으로 씹어 붙이거나, 우슬(牛膝) 뿌리를 문드러지게 짓찧어 발라주면 모두 즉시 나온다. -『동의보감』-

포공영(蒲公英 민들레)의 백즙(白汁)을 내어 많이 발라주거나 또는 저절로 흐른 송진[松脂]을 가루로 만들어 싸매주면 저절로 나온다. -『허방』-

어골(魚骨)이 살 속으로 들어가서 나오지 않을 때는 오수유(吳茱萸)를 씹어 붙여주면 고기 뼈가 문드러져서 나온다. 또 상아(象牙) 가루를 두텁게 붙여주면 저절로 부드럽게 되어 나오고, 또 어구조(魚狗鳥) - 쇠새, 주는 '모든 뼈가 목구멍에 걸렸을 때' 조에 보인다. - 를 태워 가루로 만들어서 물에 타 한번에 먹이거나, 해달(海獺 바다 수달) 자즙(煮汁)을 먹인다. -『동의보감』-

백매육(白梅肉)을 문드러지게 갈아붙이거나, 어표(魚鰾 물고기 부레)를 빙 둘러 붙이고 살갗을 난자(亂刺)하면 즉시 나온다. -『증류본초』-

물고기 뼈가 위장 속에 있을 때

고기 뼈가 위장 속에 들어 있으면서 찌르고 아플 때는 오수유(吳茱萸) 전즙(煎汁)을 1잔 먹이면 그 뼈가 부드럽게 되어 나온다. -『동의보감』-

태루(胎漏)와 태동(胎動)[64]

태루(胎漏)와 태동(胎動) 증세에는 모두 하혈(下血)이 있다. 그런데 태동 증세에는 복통(腹痛)이 있고 태루(胎漏) 증세에는 복통이 없는 것이 다른 점이다. -『의학입문』, 『회춘(回春 만병 회춘)』에는 "태루(胎漏) 증세에도 복통(腹痛)이 따른다"는 말이 있다. -

태루라는 것은 서서히 하수(下水 하혈(下血)을 가리킴)됨을 가리키는데 만약 갑자기 1두 남짓의 피를 쏟게 되면 그 태는 반드시 떨어지게 된다. -『동의보감』-

태루 증세로 복통이 올 때는 교애사물탕(膠艾四物湯)인 숙지황(熟地黃)·당귀(當歸)·천궁(川芎)·백작약(白芍藥)·아교주(阿膠珠)·조금(條芩)·백출(白朮)·축사(縮砂)·애엽(艾葉)·초(炒)한 향부자(香附子) 각각 1전에 나미(糯米) 1촬(撮)을 넣어 물에 달여 빈속[空心]에 먹인다. -『만병회춘』-

태동 증세로 복통이 올 때는 불수산(佛手散)인 당귀(當歸) 6전, 천궁(川芎) 4전을 물에 달이되 거의 달여질 때에 술을 조금 넣고 다시 달여 따뜻할 때 먹인다. -『동의보감』-

또 한 처방에는, 태동이 1개월이 되었으면 오자계(烏雌鷄)를 사용하고, 3개월이 되었으면 적웅계(赤雄鷄)를 사용하여, 10개월이 되었을 때는 돼지를 사용하고 허리로 올라온 지 달포가 되었으면 잉어[鯉魚] 자즙(煮汁)을 사용하여 약에 넣어서 달여 먹이면 신효하다. -『동의보감』-

태동이 되어 허리가 아프며 혹은 하혈(下血)이 있을 때는 총백(蔥白)을 진하게 달여 그 즙을 먹이면 안태(安胎)되며, 만약 태가 죽었으면 즉시 나온다. -『동의보감』-

---

64) 태루(胎漏)와 태동(胎動) : 부인(婦人)이 임신(妊娠) 중에 자궁(子宮)에서 피가 나오는 병을 태루(胎漏)라 하는데 태아(胎兒)가 놀라 움직여서 배와 허리가 아프고 낙태(落胎)될 염려가 있는 병이다. 태동(胎動)이라고도 한다.

태루나 태동을 물론하고 급히 해송자(海松子) - 잣 - 죽을 사용하면 아주 효력이 있다. 홍유귀(洪有龜)가 여러 번 시험하여 본 결과 자주 효험을 보았다고 한다. -『문견방』-

자현(子懸)의 증상으로 혼질(昏窒)되었을 때는 총백(蔥白)을 달여 먹이면 즉시 나으며, 자소엽(紫蘇葉)을 달여 먹여도 효과적이다. -『문견방』-

난산(難産)

잉부(孕婦)가 정상으로 움직이지 않고 통증을 참고서 몸을 굽혀 옆으로 누워 있기 때문에 아이가 뱃속에서 회전하고 움직일 수 없어 횡산(橫産)이나 역산(逆産)이 있게 되는데 심하면 아이가 뱃속에서 죽는 경우도 있으니 조심할 일이다. -『동의보감』-

임산기(臨産期)에는 죽반(粥飯)을 먹이고 사람을 시켜 지팡이를 짚고 천천히 거닐거나, 만약 그렇게 할 수 없으면 물건을 의지하고 서 있게 하였다가 진통(陣痛)이 잦아서 산후(産候)가 온 다음에 좌초(坐初)[65]케 한다. 그리고 그대로 태아가 산문(産門)에 가까워 오기를 기다렸다가 한껏 힘을 주게 하면 자연히 이산(易産)된다. -『동의보감』-

임산(臨産) 때에 잉부(孕婦)가 피곤하여 오래도록 의자나 요에 앉아서 태아가 생로(生路 문을 잡음)에 다다랐어도 하생(下生)하지 못할 때는 높은 곳에 수건(手巾)을 달아매고 산부(産婦)에게 붙들고 끌면서 가볍게 다리를 구부리게 하면 태아가 즉시 순생(順生)된다. -『동의보감』-

난산(難産)이 오래되어 장수(漿水)가 많이 나와서 포(胞 태아를 감쌌던 포막과 태)가 건조하여 태아가 나올 수 없을 때는 황촉규자(黃蜀葵子 노란 촉규화 씨)를 갈아 가루로 만들어서 2전을 술에 타 걸러 찌꺼기를

65) 좌초(坐草) : 아이를 낳으려고 볏짚을 깐 데에 앉는 것을 말한다. 전에는 아기를 낳을 때에 산모(産母)가 볏짚을 깔고 그 위에서 해산하였다.

제거하고 따뜻하게 해서 먹이는데, 어떤 처방에는 촉규화(蜀葵花)를 가루로 만들어 뜨거운 술에 1전을 타서 먹이면 즉시 효력이 있다고도 한다. 또 향유(香油)·청밀(淸蜜)·동뇨(童尿) 각각 반 잔을 뭉근한 불에 달여 두어 번 끓여 활석(滑石) 가루 1냥을 타 먹이면 즉시 출산되며, 익모초고(益母草膏)를 타서 먹이면 더욱 묘효가 있다. -『동의보감』-

익모초고(益母草膏)는 중오일(重午日 오월 오일 단오일(端午日)을 말함)에 철기(鐵器)를 쓰지 말고 채취(採取)해서 깨끗이 씻어 짓찧어 즙을 낸 다음 은석기(銀石器 은그릇이나 돌그릇)에 달여 고약을 만든 것인데, 최산(催産)에 신효(神效)하다. 익모초를 뿌리와 잎이 달린 채로 갈아 술에 넣어 먹이거나, 또 토두골(兎頭骨 토끼머리뼈)을 가죽과 털째 태워 그 재를 가루로 만들어서 환(丸)을 만들어 술로 먹인다. -『윤방』-

임산기(臨産期)에 교골(交骨 여자 음부(陰部)의 좌우에 있는 뼈)이 열리지 않아, 여러 날 되어서 죽게 되었을 때는 마땅히 가미궁귀탕(加味芎歸湯)을 사용해야 한다. 즉 귀각(龜殼) 1개(箇), 남녀(男女 남매)를 낳은 부인(婦人)의 머리카락 1악(握)을 소존성(燒存性)하여, 당귀(當歸)·천궁(川芎) 각각 1냥과 가루를 만들어서 매번 2전씩 물에 달여 먹이면 얼마 있다 생태(生胎)나 사태(死胎)나 모두 나온다. -『동의보감』-

애산(礙産)이란 태아의 머리가 비록 산문(産門)에 바로 서서 이미 그 정수리가 드러났지만 산하되지 않는 것을 말하는데, 이것은 태아가 돌 때에 제대(臍帶)가 태아의 어깨에 걸림으로 인하여 낳을 수 없게 된 것이다. 그럴 때에는 산모(産母)를 반듯이 눕히고, 해산을 거두는 사람[收生之人]이 가볍게 태아를 위에 가깝도록 밀고 서서히 손을 넣어 중지(中指)로 태아의 어깨를 찾아 제대를 벗겨놓은 다음, 태아의 몸이 바로 되기를 기다려서 한껏 힘주게 하면 즉시 산출된다. -『동의보감』-

반장산(盤腸産)이란 아이를 낳을 때에 장(腸)이 먼저 나오고 태아가 즉시 따라 나오는 것을 말한다. 치료법은 정상(頂上 머리의 최상부)에 여성고(如聖膏)인 껍질을 벗긴 비마자(萆麻子 아주까리) 1냥, 웅황(雄

黃) 2전을 함께 갈아 만든 고약을 붙여주면 자연히 수축(收縮)되는데, 수축되면 즉시 붙인 고약을 물로 씻어 버린다. 만약 장두(腸頭)가 바람에 말라서 수축되어 들어갈 수 없으면 따뜻한 술로 창자를 적셔주고 산모를 반듯이 눕히고는 태연한 말로 위안을 시켜준다. 그리고 좋은 초(醋) 반 잔에 새로 길어온 물[新汲水] 7푼을 타서 갑자기 그 낯에 뿜어주면 들어간다. 매양 한 번 뿜으면 한 번 수축되고 세 번 뿜으면 세 번 수축되어 장(腸)이 이미 다 수축되어 들어가게 된다. 또 칼 갈은 물[磨刀水]을 약간 데워 장을 적셔주고 좋은 자석(磁石)을 달여 그 탕(湯) 1잔을 먹이면 수축해 들어간다. - 『동의보감』 -

토두골(兎頭骨)을 털과 가죽째 태워 그 재를 가루로 만들어 환(丸)을 지어서 술로 먹인다. - 『윤방』 -

횡산(橫産)이란 손이 먼저 나오는 것을 말하며 역산(逆産)이란 발이 먼저 나오는 것을 말한다. 편산(偏産)이란 태아의 머리가 치우치게 한 편 쪽에 떠받쳐 있어서 정정(正頂)이 드러나지 않고 이마만 드러나는 것을 말한다.

손이나 팔뚝이 먼저 드러난 것이나 머리가 한쪽 편에 치우쳐 있어 액각(額角)만 드러난 것은 마땅히 산모를 편안한 자세로 반듯이 눕게 하고 해산(解産)을 거두는 사람이 서서히 태아를 위에 가까이 밀어놓고 손으로 바로잡아 태아의 몸과 머리가 똑바로 문잡기를 기다렸다가 순순히 손을 뺀 다음 최생약(催生藥)을 먹여 상초(上草)[66]하게 하면 자연히 이산(易産)한다. - 『동의보감』 -

수족(手足)이 먼저 드러난 자는 세침(細針)을 사용하여, 아이의 수심(手心)이나 족심(足心)을 1~2푼 깊이로 3~4차 찌르고 소금을 그 위에 발라 문질러주고서 가볍게 밀어 넣으면 아이가 통증을 느껴 놀라서 움츠리게 되므로 즉시 순산(順産)하게 된다. 또 아이의 다리가 먼저 나왔으

66) 상초(上草) : 좌초(坐草)와 같음.

면 급히 소금을 아이의 발바닥 가운데[脚心] - 어떤 처방에는 족저(足底)라 했다. - 에 발라주고는 인하여 급히 긁어주고 아울러 소금으로 산모(産母)의 배 위를 문질러주면 자연히 바로 나오게 된다. -『동의보감』-

가운데 손가락으로 솥 밑의 그을음을 채취하여 아이의 발바닥에 교획(交劃)해 주면 즉시 순산된다. -『윤방』-

횡역산(橫逆産) 및 태아가 뱃속에서 죽어서 난산(難産)으로 위급할 때에는 당귀(當歸)·천궁(川芎) 각 5전, 익모초(益母草) 3전을 술 1잔으로 먼저 달여 술이 마르려고 할 때 물 1잔을 붓고 다시 반쯤 되도록 달여서 따뜻하게 먹이되 세 차례 연달아 먹이면 문득 출산이 되는 묘효가 있다. -『증류본초』-

익모초를 진하게 달여 먹이거나 혹은 즙을 내어 한번에 먹이면 즉시 효력이 있다. -『증류본초』-

익모초고(益母草膏)는 더욱 신묘하다. - 처방(處方)은 위의 『동의보감』에 보인다. -

애엽(艾葉) 반근을 청주(淸酒) 4되에 1되가 되도록 달여 먹인다. -『윤방』-

또 한 방법은 사람에게 길가에 버려진 초혜(草鞋 짚신)한 짝을 찾아서 신코를 잘라오되 소이(小耳 짚신의 코 쪽으로 양쪽에 뚫어진 부분)의 노끈이 달리도록 잘라오게 하여 태워 그 재를 따뜻한 술에 타 먹이면 효험이 있는데, 왼쪽 신을 얻은 자는 아들을 낳고 오른쪽 신을 얻은 자는 딸을 낳으며, 엎어진 신을 얻은 자는 아이가 죽고, 옆으로 누운 신을 얻는 자는 경기(驚氣)가 있게 된다. -『동의보감』-

사태(死胎)를 진단하는 법은, 잉부(孕婦)가 복통을 느끼나 태아가 움직이지 않는 산모의 낯을 손으로 만져보는 것인데, 얼굴이 냉(冷)한 자는 태아가 죽게 되고 얼굴이 따뜻한 자는 태아가 살게 된다. -『동의보감』-

태아가 죽으면 산모의 얼굴이 푸르고 입술과 혀가 푸르며 손톱이 푸르면서 - 어떤 처방에는 손톱이 푸르고 검다 하였다. - 입에서는 지

독한 냄새가 나고 심복(心腹)이 창민(脹悶)해진다. -『동의보감』-

잉부의 혀가 검은 자는 태아가 벌써 죽어 있다는 증거인데 그것은 전혀 혀로 징험을 삼는 것이다. 불수산(佛手散)으로 구제한다. - 처방은 위 태동(胎動) 조에 보인다. - 만약 불수산에 익모초 3전을 가미하면 더욱 묘효가 있다. 이 약을 먹이고 살펴보면 태아가 죽지 않았으면 복통(腹痛)이 그치며 만약 태아가 죽었으면 즉시 아래로 쏟게 되어 신효하다. -『동의보감』-

죽은 태아가 척주 위에 붙어서 나오지 않아 기(氣)가 끊어져 죽게 될 때는 저지(猪脂) 백밀(白蜜) 각 1되와 순주(醇酒) 2되를 합하여 2되가 되도록 달여서 두 번에 나누어 따뜻하게 먹이면 즉시 쏟는다. -『동의보감』-

태아가 복중(腹中)에서 죽어서 그 산모(産母)가 기(氣)가 끊어지게 될 때는 복룡간(伏龍肝) 가루 3전을 물에 타 먹이면 그 흙이 아이의 머리에 이어져 나오는데 지극히 묘하다.

또 녹각설(鹿角屑) 방촌시(方寸匙)[67]로 2~3순갈을 총시(葱豉 총백과 메주)를 달인 탕에 타서 먹이면 즉시 출산(出産)된다. -『윤방』-

재앙을 물리치는 방법은 산모가 늘 입던 옷으로 부엌과 아궁이에 씌워 놓으면 이생(易生)하는데 산모에게 알리지 말아야 한다. 또 해마(海馬) - 남해(南海)에서 생산되며 크고 작은 것이 수궁(守宮)[68]과 같고 머리는 말과 같고 몸은 새우와 같이 사등이며 빛깔은 황갈색인데 대개 새우[鰕]의 종류이다. 자웅(雌雄)을 한 대(對)로 삼는다. - 나, 혹은 석연자(石燕子) - 당약(唐藥)으로, 형상이 연합(蜎蛤)과 같은데 응결되어 강하기가 돌과 같다. - 나, 혹은 비생피(飛生皮) - 나는 다람쥐. 바로 오서(鼯鼠)이다. 산중(山中)에 있으며 형상이 편복(蝙蝠)[69]과 같고 크기는 구작(鳩鵲)과 같은데 어두운 밤에

67) 방촌시(方寸匙) : 정방(正方) 1촌의 시(匕)를 만들어 약말(藥末)을 헤아리는 데 사용하는 것이다.

68) 수궁(守宮) : 파충류(爬虫類)에 속하는 도마뱀과 비슷한 동물이다. 도마뱀붙이로 갈호(蝎虎)·언정(蝘蜓) 등이다.

69) 편복(蝙蝠) : 박쥐 익수류(翼手類)의 관박쥐과·귀박쥐과·박쥐과 등에 속하

날아다니기 때문에 잡기가 어렵다. - 를 가져다가 산모에게 주어 두 손으로 꽉 잡게 하면 즉시 산출한다. 또한 임산(臨産)할 때에 적마피(赤馬皮)를 깔고서 산모를 그 위에 앉아 있게 하면 이산하게 된다. -『동의보감』-

침구법(鍼灸法)은, 급히 오른쪽 다리의 새끼발가락 끝에 3장(壯)을 뜸뜨고, 또 합곡혈(合谷穴)[70] · 삼음교혈(三陰交穴)[71]에 침을 놓으면 또한 효력이 있다. -『침구경험방』-

포의(胞衣)가 나오지 않을 때

마땅히 급히 제대(臍帶)를 잘라야 한다. 자를 때는 작은 물건으로 제대를 단단히 동여맨 다음에 절단해야지 그렇지 않으면 포의가 올라가 심장을 덮치게 되어 죽게 된다. 제대만 동여매 놓으면 비록 여러 날 머물러 있어도 사람을 해하지 못한다. 다만 산모(産母)의 마음을 안심시키고 힘써 죽(粥)을 주워 먹게 하면 끝내는 저절로 나오게 된다. 그러니 절대로 수법(手法)을 마구 써서 더듬어 찾아서는 안 된다. 잘못하면 죽게 되거나 아니면 종신(終身)의 해(害)를 받게 된다. -『동의보감』-

치료법(治療法)은 저지(猪脂) · 백밀(白蜜) · 향유(香油) 각 반 잔(半盞)을 불에 용화(熔化)해서 따뜻할 때 두 번에 나누어 먹이면 문득 나온다. 저지(猪脂)만을 많이 먹여도 좋다. -『동의보감』-

익모초고(益母草膏)도 묘효가 있다. - 처방(處方)은 위에서 보였다. - 사퇴(蛇退 뱀의 허물) 온전한 것 1조, 선퇴(蟬退 매미의 허물) 14개, 남

는 짐승의 총칭. 귀박쥐·애기박쥐·조봉성박쥐·집박쥐·참관박쥐·털보박쥐 등이 있다. 복익(伏翼)·비서(飛鼠)·선서(仙鼠)·천서(天鼠) 등으로도 칭한다.

70) 합곡혈(合谷穴) : 수양명 대장경(手陽明大腸經)에 소속된 경혈(經穴). 위치는 수대지(手大指)와 차지(次指)의 기골(崎骨) 사이 함중(陷中)에 있다.

71) 삼음교혈(三陰交穴) : 족태음 비경(足太陰脾經)에 소속된 경혈(經穴). 위치는 내과(內踝)의 위로 3촌 지점 뼈 아래 함중(陷中)에 있다. 족태음(足太陰)·소음(少陰)·궐음(厥陰)의 회(會)이다.

자(男子) 머리카락 계란 크기만큼을 아울러 태워 가루를 만들어서 2첩에 나누어 술에 타 먹이면 즉시 나온다. 또 동뇨(童尿) 1되, 계란(鷄卵) 3개, 강즙(薑汁)·총백즙(葱白汁) 각 1홉을 함께 고루 섞어 따뜻하게 먹인다. -『허방』-

동규자(冬葵子) 3~5홉을 진하게 달여 한번에 먹이면 즉시 나오는데 효력이 없으면 다시 먹인다. -『이의방』-

토두골(兎頭骨)을 털과 가죽째 태워 그 재를 가루로 만들어 환(丸)을 지어서 술로 먹이거나, 또 대두(大豆) 반 되를 순주(醇酒)와 달여 반이 되게 하여 세 차례로 나누어 먹이거나, 또는 복룡간(伏龍肝)을 초(醋)에 개어 제중(臍中)에 넣어주고 감초탕(甘草湯)을 먹이면 신효하다. -『윤방』-

산후(産後)의 모든 병

산후(産後)에 어혈(瘀血)이 가슴으로 상충(上衝)하여 붓고 아파서 죽으려고 할 때는 토두골을 털과 가죽째 태워 그 재를 가루로 만들어 환(丸)을 지어서 술로 먹인다. -『윤방』-

산후에 복통이 올 때는 호한하토(戶限下土 문지방 아래 흙) 가루 1전을 술에 타 뜨겁게 하여 먹이거나, 또는 백정향(白丁香) 가루 방촌시(方寸匙)를 따뜻한 술에 먹인다. -『윤방』-

황랍(黃蠟) 1전을 좋은 술잔에 달여 먹인다. -『문견방』-

산후(産後)에 장열(壯熱)되며 두통이 오고 볼이 붉고 입술이 타며 입이 마르고 번조(煩燥)하며 혼민(昏悶)할 때는 송황탕(松黃湯)인 송화(松花)·포황(蒲黃)·천궁(川芎)·당귀(當歸)·석고(石膏) 각 등분(等分)에 홍화(紅花) 조금을 넣고 물에 달여 조금씩 마시게 한다. -『윤방』-

산후에 발열(發熱)할 때에는 문어(文魚)를 가루로 만들어 콩잎국[藿羹]에 타서 먹인다. -『문견방』-

산후에 음식을 먹지 못하고 번만(煩滿)을 느낄 때는 소두(小豆) 3~7개를 태워 가루로 만들어 체[篩]에 쳐서 냉수(冷水)에 타 돈복(頓服)시킨다. -『윤방』-

산후에 음통(陰通)이 있을 때는 사상자(蛇床子)를 베[布]에 싸 쪄서 눌러준다. -『윤방』-

젖이 나오지 않을 때는 죽은 쥐 한 마리를 소존성(燒存性)하여 갈아서 술에 방촌시 한 술을 타서 먹이되 병자(病者)가 알지 못하게 해야 한다. -『윤방』-

유종(乳腫)이 초열(初熱)일 때는 교맥(蕎麥 메밀) 가루를 물에 개어 종기의 주위에 빙 둘러 바르고, 마르면 다시 그 안에 발라 점점 안쪽으로 들어가면서 종처(腫處)에까지 이르게 한다. -『윤방』-

유종(乳腫)으로 한열(寒熱)이 더할 때는 맥아(麥芽) 3~4냥을 볶아 숙수(熟水)에 달여 먹인다. -『윤방』-

유종이 멍울이 박히면서[堅硬] 신열(身熱)이 나며 아파 음식을 먹지 못 할 때는 화피(樺皮 벗나무 껍질)를 가루로 만들어 1전을 술로 먹이는데 즉시 졸음이 오면 낫는다. -『윤방』-

유종이 곪아터져 오래도록 완합(完合)되지 않고 누창(瘻瘡)을 이루면서 문드러질 때는 오계(烏鷄)를 잡아 생(生)으로 갈아 그 가슴으로 난창(爛瘡)된 곳에 덮어 놓으면 비록 성충(成蟲)이 되었더라도 충(蟲)이 다 계육(鷄肉)으로 나오게 되므로 세 마리의 닭만으로도 낫는다. -『윤방』-

음병(陰病)

음호(陰戶 여자의 음문 질)가 정출(挺出 쑥 솟아나옴)되었으나 빠지지는 않았을 때는 백반(白礬) 태운 재 1전을 빈속에 따뜻한 술로 먹이고, 사상자(蛇床子)를 베[布]에 싸 뜨겁게 쪄서 눌러준다. -『윤방』-

음호가 아플 때는, 오적골(烏賊骨)을 태워 가루로 만들어서 방촌시의

분량을 하루에 세 번씩 술로 먹인다. - 『윤방』 -

음(陰 여자의 음문)이 냉통(冷痛)할 때는, 정향(丁香)이 덩어리가 큰 것을 '자(雌)'라 하는데, 그것을 가루로 만들어 사대(紗帒)에 봉(封)해서 음중(陰中)에 넣어주면 통증이 즉시 가신다. - 『윤방』 -

음중에 창(瘡)이 나서 벌레가 물은 것 같을 때는, 복숭아 나뭇잎을 생으로 짓찧어 면(綿)에 싸서 음 속에 넣어주되 하루에 3~4차례 갈아주거나 또는 호마(胡麻)를 생으로 씹어 발라준다. - 『윤방』 -

음이 가려울 때[陰痒]는, 소소(小蘇) - 참새 똥 - 를 물에 달여 뜨거울 때 하루에 세 번씩 씻어준다. 소산(小蒜)도 좋다. 또 계간(鷄肝)을 뜨거울 때 음중(陰中)에 넣어주면 벌레가 모두 나오며 우간(牛肝 소의 간) 3촌(寸)을 채취하여 음중에 반나절만 넣어주면 벌레가 모두 간 속으로 들어가게 된다. 저간(猪肝 돼지의 간)도 좋다. - 『윤방』 -

혈붕(血崩)과 대하증(帶下症)

혈붕(血崩)에는 지유탕(地楡湯) 1홉을 먹인다. - 『윤방』 -

대하(帶下)에는 도인(桃仁)을 껍질·끝·쌍인(雙仁)을 제거하고 가늘게 갈아 좋은 술 한 병에 타서 주량에 따라 먹게 한다. - 『윤방』 -

갓 난 소아(小兒)의 급병

소아가 초생되어 기가 끊어지려 하며 울지 못하는 것은 반드시 난산(難産)의 영향이거나 모한(冒寒 감기가 듦)의 소치(所致)이다. 그럴 때는 급히 솜[綿絮]에 싸서 품속에 두고 제대(臍帶)를 자르지 말아야 한다. 그리고 포의(胞衣)를 화롯불[爐火] 속에 넣어 태우고 나서 이어 대지연(大紙撚)을 만들어서 기름에 적셔 불을 붙여서 제대 아래를 훈(熏)하여 화기(火氣)가 뱃속으로 들어가게 하고, 다시 뜨거운 초탕(醋湯)으로 제대를 씻어준다. 그렇게 해서 기(氣)가 돌아와 울음이 평상적이 되어야 제대를 자를 수 있다. -『동의보감』-

초생아(初生兒)가 낯이 푸르고 몸이 냉하며 구금(口噤 입을 꽉 다문 것)이 되었으면 곧 태한(胎寒) 증세인데, 백강잠산(白殭蠶散)을 써서 급히 구제해야 한다. 백강잠(白殭蠶)·목향(木香)·육계(肉桂)·진피(陳皮)·빈랑(檳榔)·구(灸)한 감초(甘草) 각 5푼, 이상의 약을 조제하여 물에 달여 즙을 짜서 솜을 담갔다가 아이의 입 안에 넣어준다. -『동의보감』-

낳자마자 죽은 초생아는 급히 아이의 입 안을 보면 현옹(懸癰)[72]의 전악(前齶) 위에 석류자(石榴子)와 같은 물집이 있는 것을 볼 수 있는데, 그것을 손가락으로 적파(摘破)하여 피를 내주고 비단으로 씻어낸 후 머리카락 태운 재를 발라주어야 한다. 만약 악혈(惡血)이 아이의 입 속으로 들어가면 즉시 죽게 된다. -『동의보감』

초생아가 갑자기 촬구(撮口)하고 젖을 먹지 못하는 것을 마아(馬牙) - 세속에서는 치분(齒糞)이라 한다. - 라고 하는데 아이의 치은(齒齦)의 가를 보면 좁쌀 모양 같은 작은 물집이 있다. 그것을 급히 침으로 따서 피를 내고, 박하즙(薄荷汁)으로 먹을 갈아서 산모(産母)의 머리카락을 조금 잘라 그것으로 손가락을 싸매고 먹물을 찍어 입 안에 두루 문질러 주고는 한동안 젖을 먹이지 않으면 즉시 낫는다. 그러나 그것을 치료하지 않으면 백에 하나도 살릴 수 없다. 또는 침이나 손톱으로 긁어 터지고 생밀(生蜜)을 발라주어도 효력이 있다. -『동의보감』-

초생아가 촬구(撮口)로 젖을 먹지 못할 때는 우황(牛黃) 2푼 반을 죽력(竹瀝)에 타서 입 안에 넣어 주면 묘효가 있다. 또 적족오공(赤足蜈蚣) 1조(條)를 두족(頭足)을 제거하고 구초(灸焦)해서 분(粉)과 같이 갈아서 매번 5푼씩을 저유즙(猪乳汁) 2홉에 타서 고루 섞어 나누어서

72) 현옹(懸癰) : 목젖. 목구멍 위에서 젖꼭지 비슷하게 아래로 내민 둥그스름한 살. 현옹수(懸癰垂).

입 안에 먹여준다. -『동의보감』-

촬구(撮口)는 초생(初生)한 지 1납(臘) - 납(臘)은 3일이다. - 안에 있는 위독한 질병이다. 아이가 기촉(氣促)[73]되고 입을 주머니처럼 오므리고 젖을 먹지 못하여 낯과 눈이 누르고 붉으며 울어도 소리가 나오지 않으며 혀가 굳어지고 입술이 푸르게 된다. 백강잠(白殭蠶) 2개를 조금 볶아 가루로 만들어서 꿀에 개어 입술에 붙여 주면 즉시 낫는다. -『동의보감』-

구금(口噤)이 되었을 때는 남성(南星) 가루 전과 뇌자(腦子) 조금을 갈아 섞어서 강즙(薑汁)에 타서 손가락으로 찍어 아이의 아은(牙齦 잇몸) 가에 발라주면 입이 즉시 열린다. -『동의보감』-

초생아가 입 안에 백설(白屑)이 끼어 혀 위에 가득해서 젖을 빨지 못하는 것을 '아구(鵝口)'라 한다. 이럴 때는 급히 난발(亂髮)을 손가락 끝에 감아 박하즙이나 정화수(井華水)[74]를 찍어서 깨끗이 씻어주어야 하는데, 만약 백설이 벗어지지 않으면 웅황(雄黃) 3전, 붕사(鵬砂) 2전, 감초(甘草) 1전, 용뇌(龍腦) 2푼 반을 가루로 만들어 꿀물에 개어 발라주거나 마른 가루로 뿌려주면 묘효가 있다. 또 서부충(鼠婦蟲 쥐며느리)의 즙을 내어 발라주거나, 또는 백양수(白楊樹) 가지를 태워 역(瀝 생나무를 태워서 내는 나무의 진물)을 내서 발라준다. -『동의보감』-

초생아가 온몸에 가죽이 없고 붉은 살뿐일 때는 백조미(白早米) 가루를 발라주되 가죽이 생기는 것을 보아서 곧 중지한다. -『동의보감』

초생아가 온몸에 어포(魚泡) 같기도 하고 수정(水晶) 같기도 한 것이 생기며 터지면 물이 흐르는 데는 밀타승(密陁僧)을 가루로 만들어 발라주고 이어 소합향원(蘇合香元)을 먹인다. -『동의보감』-

초생아가 온몸에 단독(丹毒)이 발생하여 적종(赤腫)이 되면서 퍼져

73) 기촉(氣促) : 숨이 가빠 헐떡거리는 증세이다.
74) 정화수(精華水) : 이른 새벽에 길은 우물물로서, 정성을 들이는 일이나 약 달이는 물로 쓰인다.

가는 것을 '적유(赤遊)'라 하는데, 바로 태독(胎毒)이다. 복중(腹中)으로 들어가고 신장(腎臟)으로 들어가면 반드시 죽게 된다. 마땅히 세침(細鍼)이나 사침(砂鍼)으로 붉게 무리진 곳[赤暈]마다 빙 둘러 찔러서 악혈(惡血)을 빼내고, 이어 파초즙(芭蕉汁)·제조즙(蠐螬汁)을 발라주거나, 또는 적소두(赤小豆) 가루를 계자백(鷄子白 계란 흰자)에 타서 발라주거나, 개골창 속의 소하(小鰕 새우)를 잡아 문드러지게 짓찧어 붙여준다. -『동의보감』-

교맥면(蕎麥麪 메밀가루)을 초(醋)에 개어 붙이거나 또는 복룡간(伏龍肝) 가루를 계자백(鷄子白)에 개어 붙여주되 마르면 갈아 붙여준다. -『윤방』-

단독에는 비마자(萆麻子 아주까리) 5개를 껍질을 제거하여 짓찧어서 메밀가루 1시(匙)를 넣어 물에 개어 붙여주면 매우 효력이 있다. -『윤방』-

초생아가 코가 막혀 통하지 않아서 젖을 넘기지 못할 때는 저아(豬牙)·조각자(皂角刺)·초오(草烏) 각 등분(等分)을 가루로 만들어 총연(葱涎 파 진)에 개어 고약을 만들어서 신문(顖門)[75] 위에 붙여준다. 또 천남성(天南星)을 가루로 만들어 강즙(薑汁)에 개어 신문 위에 붙여준다. -『동의보감』-

초생아가 곡도(穀道)에 구멍이 없어 대변(大便)을 볼 수 없을 때는 급히 금비녀나 옥비녀의 끝으로 적당한 곳을 보아 찔러 뚫어서 구멍을 내고 소합향원(蘇合香元) 조금으로 정(鋌)을 만들어 구멍 속에 넣어두거나, 혹은 유지(油紙)를 비비어 넣어두어 다시 막히지 않게 하여야 한다. -『동의보감』-

초생아가 구토를 일으키며 젖을 먹지 못하는 것은 더러운 물질이 입으로 들어가서 그런 것이다. 황련(黃連)·기각(枳殼)·적복령(赤茯苓)

---

75) 신문(顖門) : 신문(囟門)을 가리킨다. 신문은 바로 숫구멍을 말하며, 갓난아이의 정수리가 아직 굳지 아니하여 숨쉴 때마다 발딱발딱 뛰는 곳이다. 숨구멍.

을 등분하여 가루로 만들어 오자대(梧子大)로 밀환(蜜丸)해서 유즙(乳汁)에 한 알을 개어 입 안에 먹여준다. 또 모과[木瓜]·생강(生薑) 전탕을 입 안에 먹여주어도 좋다. -『동의보감』-

초생아가 대소변(大小便)이 불통되어 배가 불어나고 기(氣)가 끊어지게 될 때에는 급히 부인(婦人)을 시켜 따뜻한 물로 입을 씻어낸 다음 아이의 전후심(前後心 앞가슴과 등)에 흡잡(吸咂 인공호흡)을 해주고 아울러 제하(臍下)와 수족심(手足心) 모두 7처(七處)를 1처에 3~5차씩 빨아주고 입을 씻어 내주며, 또 빨아주어 홍적색(紅赤色)이 될 때까지 해주면 잠깐사이에 저절로 통리(通利)된다. 그렇게 하지 않으면 죽게 된다. 또 총백즙(蔥白汁)·유즙(乳汁)을 각 등분하여 고루 섞어 아이의 입 안에 발라주어 젖과 함께 빨아먹게 하면 즉시 통리된다. -『동의보감』-

초생아가 소변(小便)이 나오지 않을 때는 급히 생지황(生地黃) 두어 뿌리를 꿀 조금과 함께 갈아 음경(陰莖) 위에 고루 발라주고 밀퇴지(蜜退紙) 태운 재에 주사(朱砂)·용뇌(龍腦)·사향(麝香) 각각 조금씩을 넣어 맥문동(麥門冬)·등심(燈心)의 전탕에 타서 입 안에 먹여주면 즉시 통리(通利)된다. -『동의보감』-

초생아가 대변(大便)이 나오지 않을 때는 먼저 빳빳한 총첨(蔥尖 파잎)을 항문(肛門) 안에 박아준다. 그래도 나오지 않으면 주사환(朱砂丸)을 쓴다. 수비한 주사(朱砂)·포(炮)한 남성(南星)·파두상(芭豆霜) 각 등분, 이상의 약을 가루로 만들어 서미대(黍米大 기장쌀의 크기)로 호환(糊丸 풀로 만든 환약)하여 박하(薄荷) 전탕으로 2알을 먹이면 즉시 통리(通利)된다. -『동의보감』-

초생아가 외신(外腎)이 줄어들었을 때는 유황(流黃)·오수유(吳茱萸) 각 5전을 가루로 만들어 대산즙(大蒜汁)에 개어 제복상(臍腹上)에 붙여주고, 이어 사상자(蛇床子)를 태워 그 연기로 조금 훈(薰)을 해주면 묘효하다. -『동의보감』-

초생아가 배꼽이 떨어진 뒤에 풍습(風濕 바람과 습기)에 침범되었거나, 오줌에 젖은 포대기[綳裙] 때문에 제풍(臍風)을 일으키어 얼굴이 붉어지며 헐떡거리고 울음소리가 나오지 않으며, 배꼽이 부어오르고[腫突] 배가 불러오며[脹滿] 젖을 먹지 못하고, 심하면 발축(發搐)과 구금(口噤)이 되는데, 이때는 마땅히 조기익황탕(調氣益黃湯)인 금두적족오공(金頭赤足蜈蚣) 1조, 주침(酒浸) 구갈초(灸蝎梢) 4개, 백강잠(白殭蠶) 7개, 초구맥(炒瞿麥) 5푼을 써야 한다. 위약을 가루로 만들어 매번 1자(一字)를 아령관(鵝翎管)으로 코에 불어 넣는다. 그리하여 재채기를 하면서 울면 치료할 수 있다. 이어 박하(薄荷) 전탕에 1자를 타 먹인다. 심한 자에게는 금오산(金烏散)을 쓴다. 금두적각오공(金頭赤脚蜈蚣) 반조를 주침하여 구천오첨(灸川烏尖) 3개월 생사향(生麝香) 조금을 가루로 만들어서 매번 반자(半字) - 1푼 2리 반 - 를 금은기(金銀器 금 그릇이나 은그릇) - 틀린 듯하다. - 전탕(煎湯)에 타서 먹인다. 또 선풍산(宣風散)을 쓴다. 온전한 전갈(全蝎) 21개를 주구(酒灸)하여 가루를 만들어서 사향(麝香) 가루 1자(字)를 넣어 고루 섞이게 해서 매번 반 자(半字)씩을 금 은기 전탕에 타 먹인다. -『동의보감』-

당귀(當歸) 가루를 창처(瘡處)에 붙여준다. -『윤방』-

소아(小兒)가 객오(客悟)로 중악(中惡)을 일으킬 때

객오(客悟)란 갑자기 물건이 있거나, 모르는 사람과 접촉을 하거나, 신묘(神廟)나 불사(佛寺)를 들렀다가 귀기(鬼氣)와 서로 거슬러 일어나는 증상을 말한다. 이 증상은 입으로 청 · 황 · 백의 거품을 토하며, 혹은 설사[下水]를 하되 곡기가 적게 섞이고 얼굴이 오색(五色)으로 변하면서 배가 아파 반측(反側)하는 것이 경간(驚癎)과 비슷하나, 다만 눈이 상찬(上竄)되지 않는다. 그 입 안의 현옹(懸壅) 좌우에 만약 소소한 종핵(種核)이 있으면 즉시 죽침(竹鍼)으로 찌르거나, 손톱으로 따서 터치고 나서 급히 초탄(醋炭)을 만들어 조각자(皁角刺)와 태워 연기로 훈(熏)하고 즉시 소합향원(蘇合香元)을 강탕(薑湯)에 개어 자주 먹인 다음에 웅사산(雄麝散)을 먹인다. 웅황(雄黃) 1전 유향(乳香) 5푼 사향(麝香) 1자(字)를 가루로 만들어 매번 1자를 웅계관(雄雞冠) 피에 타서 먹이고, 이어 모의(母衣)로 아이의 몸을 덮어주면 즉시 낫는다. 그리고 황토산(黃土散)을 겸용(兼用)한다. 조심황토(竈心黃土 아궁이 바닥의 황토)·구인분(蚯蚓糞) 등분을 가늘게 갈아 물에 개서 아이의 머리 위와 오심(五心 수족(手足)의 가운데 부분)에 발라준다. 또 메주[豉] 3홉을 물에 적시어 짓찧어 계자대(鷄子大)로 환(丸)을 만들어 아이의 신문(囟門) 위와 족심(足心)에 각각 5~6차례 문질러 주고 배꼽[臍心]과 제상하(臍上下)를 얼마간 문질러 주면 속에 자연히 털이 있게 되는데 그렇게 되면 길 위에 버린다. 중악(中惡)이란 그 증상이 갑자기 심복(心腹)이 자통(刺痛)하며 민란(悶亂)되어 죽으려고 하는 것을 말한다. 인중(人中)이 청흑색(靑黑色)일 때는 즉시 소합향원(蘇合香元)을 먹인다. 그래도 깨어나지 않으면 조각자(皂角刺) 가루를 코에 불어 넣는다. 또 침[唾]으로 사향 1전을 개어 거듭 갈아서 초(醋) 1홉에 타 먹이면 즉시 낫는다. -『동의보감』-

말의 한기(汗氣 땀내)에 중독이 되었거나 말울음에 놀랐을 때는 마미(馬尾)를 잘라 태워서 그 연기로 아이의 낯에 훈(熏)하되 나을 때까지 계속 해 준다. -『동의보감』-

경풍(驚風)

초생아가 경풍(驚風)이 발생한 것은 곧 태경(胎驚)이다. 주사(朱砂)·웅황(雄黃)을 등분하여 가루로 만들어서 조금을 저유즙(猪乳汁)에 개어 입 안에 발라주면 즉시 낫는다. 사향을 조금 넣으면 더욱 신묘한 효과가 있다. -『동의보감』-

소아급경(小兒急驚)은 풍열(風熱)로 인하여 발생하거나, 대성(大

聲)・대경(大驚)을 듣고 발생하는 것이다. 침을 흘리며 힘줄이 땅기고 찬시(竄視)하며 몸이 뒤틀린다. 신체(身體)와 입 안의 기운이 모두 뜨겁다. 증상이 발생할 때는 대단히 맹렬하다가 시간이 지나고 나면 전과 같이 깨어난다. 우황(牛黃)을 대두(大豆)만큼 죽력(竹瀝)에 타 먹인다. 또 저유즙(猪乳汁)을 먹이되 진사(辰砂)・우황(牛黃) 각각 조금씩을 타면 더욱 묘효가 있다. 또 천장수(天漿水) - 쐐기집 - 를 즙내어 먹이거나, 또는 이즙(梨汁)을 죽력에 타먹이되 청심원(淸心元) 조금을 타 먹이면 묘효가 있다. -『허방』-

만경(慢驚)은 큰 병을 앓고 난 뒤에 토사(吐瀉)를 오래해서 중기(中氣 비장과 위장의 기운)가 크게 허약해졌거나, 지나치게 한량약(寒涼藥)을 먹여서 일어나는 것이다. 혼신(渾身)과 사지(四肢)가 냉하고 구비(口鼻)의 기(氣)도 차며 혼수(昏睡) 상태로 정목(睛目 눈동자)이 드러나 위를 보며 수족(手足)이 계종(瘈瘲 경기(驚氣)로 수족이 틀림)될 때에는, 대천남성(大天南星) 1개를 포(炮)하여 찧어 식혀서 세말(細末)하여 생강(生薑)・방풍(防風)의 전탕에 반 전을 타 먹인다. 또 천장자(天漿子)・백강잠(白殭蠶)・전갈(全蝎) 각 3개를 모두 미초(微炒)하여 세말(細末)해서 매번 2푼 반을 하루에 세 번씩 박하탕(薄荷湯)에 타 먹인다. 또 정향(丁香) 1입(粒), 전갈 1개, 주사(朱砂) 2푼 반을 함께 가루로 만들어 남자는 남자의 왼손 중지(中指)의 피를 사용하고, 여자는 여자의 오른손 중지의 피를 사용하여 약 가루를 적시어 입술 위를 문질러주면 즉시 낫는다. -『동의보감』-

또 한 방법은, 웅황(雄黃)・몰향(沒香 밀향(蜜香)) 각 1전, 유향(乳香) 5푼, 사향(麝香) 2푼 반을 가루로 만들어 조금을 코에 불어넣어서 눈물과 콧물이 함께 나오는 자는 치료할 수 있다. -『동의보감』-

또 반하(半夏) 가루와 조각자(皂角刺) 가루 각각 조금을 코에 불어넣어서 재채기가 있으면 치료할 수 있고 만약 재채기가 없으면 치료할 수 없다. -『동의보감』・『허방』-

120종의 경간(驚癎)에는, 사탈(蛇脫)을 태워 재를 먹이거나 계관혈(鷄冠血) 조금을 입 안에 떨어뜨려주거나, 또는 무가산(無價散)[76]을 쓴다. - 『윤방』 -

경간(驚癎)·객오(客悟)에는, 호담(虎膽)을 물에 갈아 먹이고 선퇴(蟬退)를 물에 개서 종이에 발라 가슴 위에 붙여준다. - 『윤방』 -

구법(灸法)은, 만경(慢驚)으로 모든 약이 효력이 없을 때는 먼저 대충맥(大沖脈)을 진찰하여 만약 맥이 있으면 백회혈(百會穴)에 3장(壯)을 뜬다. 또 양쪽 유두육(乳頭肉) 위에 남좌(男左)·여우(女右)로 3장을 뜨고 차례로 발제상(髮際上) 오푼(五分)과 미심(眉心 두 눈썹 사이)·신회(囟會)[77]에 각 3장을 뜬다. - 『침구편』 장수(壯數)는 경중(輕重)에 따라 7장을 뜨고 효력이 없으면 또 뜬다. -

토사(吐瀉)

수설(水泄)이 그치지 않을 때는 오배자(五倍子)를 가루로 만들어서 진초(陳醋 묵은 초)에 타 약간 볶아[稀熬] 고약을 만들어서 제상(臍上)에 붙여 준다. - 『윤방』 -

토사가 오래도록 그치지 않아서 진액(津液)이 고갈(枯渴)되어 번갈증(煩渴症)으로 여전히 물을 찾으며 만경(慢驚)이 되려고 하는 자에게는 마땅히 전씨백출산(錢氏白朮散)을 써야 한다. 갈근(葛根) 2전, 인삼(人蔘)·백출(白朮)·백복령(白茯苓)·목향(木香)·곽향(藿香)·감초(甘草) 각 1전을 추말(麤末)하여 매번 2전을 물에 달여 먹이되, 설사(泄瀉)에는 산약(山藥)·백편두(白扁豆)·육두구(肉豆寇)를 가미한다.

---

76) 무가산(無價散): 진사(辰砂) 2전 5푼, 경분(輕粉) 5전 감수(甘遂: 면(麵)에 싸서 삶아 배건(焙乾)한 것) 1전 5푼을 연(硏)하여 세말(細末)해서 매번 1자(字: 1푼 반)씩 먹는다.

77) 신회(囟會): 신회혈(囟會穴). 독맥경(督脈經)에 소속된 기경(奇經)이다. 위치는 상성혈(上星穴) 뒤의 1촌 함중(陷中)에 있다.

그리고 이미 만경(慢驚)이 되었을 때에는 천마(天麻)·세신(細辛)·전갈(全蝎)·백부자(白附子)를 가미하여 음양증(陰陽症)을 따질 것 없이 많이 달여서 실컷 먹인다. -『동의보감』-

감창(疳瘡)

구창(口瘡)이 미란(糜爛 썩어 문드러짐)되었을 때는 오배자(五倍子)를 세말(細末)하여 발라준다. -『윤방』-

주마감(走馬疳)으로 치근(齒根)이 궤란(潰爛)되어 이[齒]가 검게 되면서 빠지고 신문에 구멍이 생기는 것을 '주마감(走馬疳)'이라 한다. 그럴 때는 마땅히 유향환(乳香丸)·입효산(立效散)·동청산(銅靑散)·요백산(尿白散)을 써야 한다. 유향환의 처방은 유향(乳香)·경분(輕粉)·비상(砒霜) 각 5푼에 사향(麝香) 조금을 가늘게 갈아, 부추잎 크기의 박지(薄紙)로 안과(按過 약 가루를 쓸어 모음을 말함)해서 종이를 비벼 소황미(小黃米) 크기로 섞어 환(丸)을 지어 잠자리에 그 환약으로 환처(患處)를 메워주고 아침에 이르면 낫는다. 장(醬)·소금[鹽]·초(醋)를 먹어서는 안 된다.

입효산(立效散)의 처방은, 청대(靑黛)·황백(黃柏)·백반고(白礬枯)·오배자(五倍子) 각 1전을 가루로 만들어 먼저 미감(米泔 쌀 씻은 뜨물)으로 입을 씻어내고 발라준다.

동청산(銅靑散)의 처방은, 백지(白芷) 5전, 동록(銅錄) 2전 반, 마아초(馬牙硝) 1전, 사향(麝香) 1자(字)를 가루로 만들어 마른 가루로 발라준다. 요백산(尿白散)의 처방은, 화하(火煆)한 인중백(人中白)·백반고(白礬枯)·소존성한 백매육(白梅肉) 각 2전을 가루로 만들어 먼저 부추뿌리와 묵은 쑥을 농전(濃煎)한 즙을 계령(鷄翎)으로 찍어서 썩은 살을 닦아내고 선혈(鮮血)을 씻어낸 뒤에 하루에 2~3차례로 약을 붙여준다. -『동의보감』-

장육(獐肉 노루고기)을 먹이고 붙여준다. -『윤방』-

창질(瘡疾)

온몸에 창(瘡)이 나서 궤란(潰爛)되었을 때는 반천하수(半天河水)를 미온(微溫)해서 자주 씻어준다. -『윤방』-

악창(惡瘡)에는 죽엽(竹葉)을 태워 계자황(鷄子黃 계란노른자)에 개어 붙여주거나, 또는 강랑(蜣蜋)을 찧어 즙을 짜서 발라준다. -『윤방』-

월식창(月蝕瘡)으로 궤란이 되었을 때는 토끼 똥을 하막(蝦蟆 두꺼비의 종류)의 뱃속에 넣어 태운 재를 붙여준다. -『윤방』-

두창(頭瘡) 및 신문(囟門)이 봉합(封合)되지 않았을 때는 구갑(龜甲) 태운 재를 붙여준다. -『윤방』-

외신(外腎)이 종대(腫大)할 때는 모려(牡蠣)를 가루로 만들어 계자청(鷄子淸)에 개어 붙여주면 즉시 사라진다. -『윤방』-

징벽(癥癖)[78]

삼릉(三稜) 가루를 아이의 대소(大小)를 헤아려 젖에 개어 먹이거나, 또는 대추육[大棗肉]을 문드러지게 갈아 젖에 개어 아이에게 주어서 먹게 한다. 또는 노서육(老鼠肉) 삶은 물을 쌀에 부어 죽을 쑤어서 아이에게 주어 먹게 한다. -『윤방』-

충통(蟲痛)

관중(貫衆)·적소두(赤小豆)를 물에 달여 빈속에 먹인다. -『윤방』-

---

78) 징벽(癥癖): 먹은 것이 내려가지 않고 체해서 적(積)으로 속에 뭉쳐 있는 것. 어른에게는 속병이라고 한다.

두창 경험방(痘瘡經驗方) 박진희(朴震禧)가 지은 것이다

두창(痘瘡)에는 풍한(風寒)을 조심하여 피해야 하고 생랭(生冷)한 물건을 일체 금지해야 하는데 이 경계(警戒)는 끝까지 지켜야 마땅하다. 그리고 일체 향취(香臭)나 악취(惡臭)를 금해야 하는데, 무릇 태우고 지지고 기름으로 볶는 연기와 냄새나, 등촉(燈燭)을 끈 냄새나, 사람의 머리카락·짐승의 털·새의 깃을 태우는 냄새나, 오물[糞穢]을 치거나 도랑[溝渠]을 치울 때 나는 악취(惡臭) 등을 들 수 있다. 또 방중(房中)에서는 음욕(淫慾)과 소두(梳頭 머리 빗는 것)를 금기하고, 무격(巫覡 박수와 무당)과 승니(僧尼 남중과 여중)와 외인(外人)을 일체 출입시키지 말아야 한다. 그리고 안팎의 안정(安靜)이 중요하다. 금(禁)해야 할 식물(食物)은 생리(生梨)·홍시(紅柹)·서과(西苽 수박)·대추[大棗]·건시(乾柹)·수감자(水柑子)·귤(橘)·유자(柚子)·납설수(臘雪水) 쇄빙(碎氷)과 일체의 신 것, 짠 것, 찬 것, 냉한 것 등의 물건이다. 무릇 두창(痘瘡)은 열이 성하기 때문에 저절로 어육(魚肉)은 생각나지 않는데 무당[巫]들은 '승신(僧神)'이라 하므로 온 집안이 소찬(素饌)만을 먹는다. 그리하여 심한 자들은 병 앓는 아이가 제아무리 어육(魚肉)을 찾더라도 무당이 말하기를,

"신(神)이 고의로 희롱하고자 해서이다."

하므로 두려워서 감히 어육을 먹이지 못한다. 그리하여 기혈(氣血)이 더욱 허탈(虛脫)해지고 변증(變症)이 잡출(雜出)해서 구제하기 어려운 지경에 이르게 되니 두가(痘家 두창의 환자가 있는 집)에서는 마땅히 깊이 경계할 일이다.

초열(初熱)이 있은 지 3일 만에 처음으로 아픔을 깨닫게 되면 상한(傷寒)이거나 두질(痘疾)이거나를 막론하고 급히 승마갈근탕(升麻葛根湯)을 사용한다. 갈근(葛根) 2전, 백작약(白芍藥)·승마(升麻)·감초

(甘草) 각 1전에 형개수(荊芥穗)·초(炒)한 서점자(鼠粘子)·연(硏)한 산사육(山査肉) 각 7푼을 가입(加入)한다. 소아(小兒)가 약을 잘 먹지 않을 때는 금은화(金銀花)나 인동다(忍冬茶)를 써서 발한(發汗)하는 것으로 한도를 삼기도 하나, 그러나 탕약(湯藥)만은 못하다. 이때(초열(初熱) 3일을 말함)에 혹은 경축(驚搐 경기를 일으키며 사지가 뒤틀림)이 발생하고 질색(窒塞 숨이 막힘)되며 목찬(目竄 눈을 굴리지 않고 위로 봄)하거든 절대로 붙잡지 말고 축익(搐搦)된 대로 놓아두고 급히 우황포룡환(牛黃抱龍丸)이나 혹은 포룡환(抱龍丸)을 감초(甘草)·박하(薄荷)를 등분하여 달인 물로 개어 먹인다. 사청환(瀉青丸)도 묘효가 있다.

혹 토(吐)하고 사(瀉)하다가 토사(吐瀉)가 아울러 일어나면 이때부터 두진(痘疹)이 나기에 이른 것이니, 종일토록 증세가 심하더라도 모두 해롭지 않다.

이때에 만약 허리가 아프면 반드시 흑함(黑陷)[79]이 되려는 징조이니 급히 신해탕(神解湯)을 써야 한다. 시호(柴胡) 1전 반, 건갈(乾葛)·방풍(防風) 각 1전, 마황(麻黃)·승마(升麻)·백복령(白茯苓) 각 8푼, 감초(甘草) 5푼을 달여 먹이고 나서 따뜻하게 덮어주어 땀을 내야 하는데, 땀이 나지 않으면 다시 먹여서 요통이 그칠 때까지 한다. 만약 약이 없으면 땀만 많이 내도 좋다. 음식을 먹는 자는 흑함을 면(免)할 수 있다.

이때에 만약 갈증(渴症)이 생기면 절대로 냉수(冷水)를 주지 말고 금은화다(金銀花茶)나, 나미(糯米) 달인 물이나 삼두음(三豆飮)을 다 먹여야 된다. 또 홍화(紅花) 달인 물도 묘효가 있다.

두진이 나는 3일[出痘三日]간을 보면 처음 아픈 지 1일 만에 두진이 나는 것은 아주 중증(重症)이고, 2일 만에 나는 것도 중증이며, 3일 만에 나는 것이 상례(常例)이다. 그리고 혹은 놀면서 4~5일이나 6~7일에 나는 것은 약을 쓰지 않아도 되는 유(類)이다.

79) 흑함(黑陷) : 두진(痘疹). 즉 마마가 곪을 때 농포(膿疱) 속에 출혈(出血)이 되어 빛깔이 검어지는 증세.

이때에 토사(吐瀉)는 걱정할 게 못 된다. 처음으로 홍점(紅點)이 나타나면 급히 화독탕(化毒湯)을 쓴다. 자초용(紫草茸 자초의 싹) 승마(升麻)·감초(甘草) 각 1전에 백작약(白芍藥) 1전, 산사육(山査肉) 7푼, 머리 다리 날개를 제거한 선각(蟬殼) 5푼, 나미(糯米) 100개를 더하여 달여서 3일을 한(限)하고 먹이되 하루에 두 번씩 먹이면 두진을 드물게 나게 할 수 있고, 또 두진의 모든 후유증을 없앨 수 있는, 두역(痘疫)의 시초에 쓰는 성약(聖藥)이다.

이때에는 급히 건연지(乾臙脂)를 백밀(白蜜)에 개서 안광(眼眶 눈자위)·입술·콧구멍·귓구멍에 자주자주 발라주어 두진이 나오는 것을 방지해야 한다. 그리고 사발연지(砂鉢臙脂)를 주사(朱砂)에 섞어 사용해도 묘효가 있다.

이때에는 두진이 너무 많이 나와 독이 성할 때는 급히 연교승마탕(連翹升麻湯)을 써야 한다. - 바로 승마갈근탕(升麻葛根湯)에 연교(連翹) 1전을 가미(加味)한 것이다. -

이때에는(두진이 많이 나와 독기가 성할 때임) 급히 서점자(鼠粘子)를 가루로 만들어 우물물에 개어 앓는 아이의 신문(囟門 숨구멍)에 붙여 주어서 안환(眼患 두진으로 눈이 머는 일)을 방지해야 한다.

이때에 혹 경축(驚搐)·질색(窒塞)을 발하기도 하는데 이것은 역증(逆症)이다. 급히 가감홍금산(加減紅錦散)을 써야 한다. 거절(去節)한 마황(麻黃)·거독(去毒)한 전갈(全蝎)·형개수(荊芥穗)·자초용(紫草茸)·선각(蟬殼) 각 5푼, 총백(葱白) 1경을 달여 먹인다.

이때에 배가 아픈 자는 두진이 장위(腸胃)에서 나오기 때문에 선퇴탕(蟬退湯)을 써야 한다. 선각 1개, 감초(甘草) 1전 반을 달여 먹이거나, 가루로 만들어 백탕(白湯)에 타 먹이면 즉시 효력이 있다.

이때에 혹 크게 갈증을 느껴 심하게 물을 찾으면, 홍화자(紅花子) 1홉을 물에 달여 먹이거나, 녹두(綠豆)·적두(赤豆)·흑소두(黑小豆) 각 1홉, 오매(烏梅) 3개를 물에 달여 먹이면 갈증이 저절로 그친다. 월경

(月經 부녀자들이 생리적으로 한 달에 한 번씩 나오는 경도의 피를 말함)을 사용하는 것도 좋다.

월경(月經)을 채취하는 방법은 나미(糯米 찹쌀) 한 줌에, 우물물 4사발을 붓고 반이 되도록 달여 식혀서 진하게 월경을 씻어서, 갈증이 날 때나 열이 날 때에 연속하여 먹인다. 대개 나미는 두독(痘毒)을 치료하고 위기(胃氣)를 배양하며 설사(泄瀉)를 그치게 하므로 비록 열 동이를 먹이더라도 끝내 설사할 걱정은 없다.

이때에 혹 사지(四肢)와 백절(百節)이 다 아픈 자가 있는데, 이것은 두진(痘疹)이 쾌하게 나오지 못한 데서 연유되거나, 다 풀리지 못한 데서 연유되어 그런 것이니 약을 쓰지 않아도 저절로 낫는다.

이때에는 형색(形色)을 보아서 허실(虛實)을 분별하여 약을 써야 한다.

두진이 나오기를 끝내는 날[出痘終日] - 처음 나온 날부터 3일이 되는 날을 가리킨다. - 에는 혹 가려운 증상이 있으면 메밀[木麥]가루를 가려운 곳에 바르고 손으로 씻어주며 문질러 주면 즉시 그친다. 만약 메밀가루가 효험이 없으면 패초산(敗草散)을 써야 한다. - 들풀[郊草]이나 곡초(穀草)를 막론하고 다년간 지붕을 덮어 일월(日月)·상로(霜露)·풍우(風雨)를 겪어서 아주 썩어 문드러진 것이다. - 이상의 것(위의 세주(細註)에 기록된 교초(郊草)와 곡초(穀草))을 가루로 만들어 바르고 손으로 씻어 주면서 문질러주면 즉시 효력이 있다. 그러니 무릇 두진(痘疹)을 손톱으로 터치거나, 혹은 궤란(潰爛)되어 피가 흐르고 즙물이 흐르는 곳에 모두 발라준다.

가려운 증세를 그치게 하는 것은 수양탕(水楊湯)만 한 것이 없다. 시냇가의 잎이 크고 가지가 붉은 버들을 채취하여 썰어서 큰 가뭄에도 마르지 않는 장류수(長流水)를 떠다가 맹화(猛火)에 6~7차 끓도록 달여 그 물이 대단히 뜨거울 때를 타서 명주 수건으로 자주자주 적시어 면부(面部)를 씻어주되 오래 씻어주어야 효력이 있다. 그러므로 반드시 두 그릇에 마련하여 바꿔 가면서 데워서 하루에[日夜] 수십 차 씻어주어야 하는데 많을수록 더욱 좋다. 이 약은 독기(毒氣)를 끌어낼 수 있으므로 이마가 흑함(黑陷)된 것도 모두 일어난다. 혹 흑함(黑陷)된 곳에는 솜으로 흑함의 대소·광협을 헤아려 말라서[裁之] 이 물에 적시어 뜨거울 때 갈아줘가면서 붙이면 초흑(焦黑)된 것이 다 젖어 문드러져서 독기가 속으로 들어가지 못한다. 도염(倒靨)80)의 유(類)에도 더욱 기효(奇效)를 본다. 외치약(外治藥)은 이것보다 나은 것이 없다. 이때부터 딱지가 떨어질 때까지 낮이나 밤이나 연속해서 씻어주되 겨울에는 목욕을 시키면 풍한(風寒)에 감촉될까 두려우니 얼굴[面上]만 씻어주는 것이 좋다. 봄·여름철에는 수양(水楊)의 잎사귀를 쓰고 가을·겨울철에는 가지를 쓴다. -『동의보감』에는 "봄과 겨울철에는 가지를 쓰고 가을철에는 잎사귀를 쓰는데 물 한 솥에 버들가지 5근을 넣는다." 하였다. -

이때에는 반드시 인통(咽痛)이 있다. 저미고(猪尾膏)를 연달아 사용해야 하는데 - 아직 정(精)을 쏟지 않은 작은 수돼지의 꼬리 끝을 날카로운 칼로 찢어서 피를 내어 용뇌(龍腦)를 개어 소두대(小豆大)의 크기로 환을 만들어서 온담탕(溫淡湯)으로 먹이거나, 자초(紫草)달인 물로 먹인다. - 여성음(如聖飮)인 맥문동(麥門冬)·길경(桔梗) 각 1전, 서점자(鼠粘子)·감초(甘草) 각 5푼, 죽엽 3편을 달여 먹일 때 타 먹인다. 만약 그 독이 성하면, 가미서각소독음(加味犀角消毒飮)인, 볶아갈은[炒研] 서점자(鼠粘子) 2전, 방풍(防風)·승마(升麻) 각 7푼, 형개수(荊芥穗)·맥문동(麥門冬)·길경(桔梗) 각 5푼, 서각설(犀角屑) 5푼을 달여 먹일 때 타 먹이거나, 함께 달여 먹이기도 하는데 4첩(貼)을 만들어 하루에 두 번씩 먹인다.

기창(起脹)한 3일에는 - 출두(出痘)부터 제4일을 말한다. - 증세(症勢)가 순(順)한 자는 이미 엇그제 시작할 때부터 창(脹)할 뜻이 있어 먼저 나온 두진은 먼저 일어나서 차례로 점점 일어나게 되는데, 무릇 두진

80) 도염(倒靨) : 두진(痘疹). 즉 마마에 탈(頉)이 생겨서 잘 곪지 아니하는 증세(症勢).

(痘疹)의 허실(虛實)과 독기의 천심(淺深)이 전혀 여기에 관계되어 있다. 만약 두창이 빽빽이 나고 증세가 위중하면 급히 신공산(神功散) 두 첩으로 구제한다. 신공산은 황기(黃芪)·인삼(人蔘)·백작약(白芍藥)·자초(紫草)·생지황(生地黃)·우방자(牛蒡子)·홍화(紅花) 각 등분(各等分)에, 전호(前胡)·감초(甘草)를 반감(半減)해서 쓴다. 만약 증세가 험악하면 신공산(神功散) 두 첩을 쓰고 나서 내탁산(內托散)인 밀구(蜜灸)한 황기(黃芪)·인삼(人蔘)·당귀(當歸)·천궁(川芎)·강초(薑炒)한 후박(厚朴)·방풍(防風)·길경(桔梗)·백지(白芷)·감초(甘草) 각 1전, 목향(木香)·관계(官桂) 각 3푼을 연용한다. 그리고 만약 담백(淡白)하거나 회흑(灰黑)하거나 함복(陷伏)일 때는 다시 정향(丁香) 5개를 더한다.

이때에 곤하고 파리하여 울음이 불안한 것은 보통 예의 증상이다. 이때에 만약 번갈(煩渴) 증세가 있으면 홍화자탕(紅花子湯)이나 오매탕(烏梅湯)을 쓴다. - 처방(處方)은 위의 출두조(出痘條)에 보인다. - 만약 목이 아파[咽痛] 참을 수 없고 입과 혀에 창(瘡)이 나서 젖을 빨지 못할 때는 가미서각소독음(加味犀角消毒飮) - 처방은 위에 보인다. - 에 주초(酒炒)한 황금(黃芩)·주초한 황련(黃連)·연교(連翹) 각 7푼을 더하면 아주 묘효가 있다.

만약 창허(脹虛)가 일어나지 않는 자는 보원탕(保元湯)인 인삼(人蔘) 2전, 황기(黃芪)·감초(甘草) 각 1전에 당귀(當歸)·백복령(白茯苓)·미초(微炒)한 백작약(白芍藥) 각 1전, 육계(肉桂) 5푼, 생강(生薑) 1편(片), 나미(糯米) 100낟알을 더하여 쓴다.

이때에 만약 설사(泄瀉)를 하면 크게 위험하니 급히 보원탕(保元湯)에 주초한 백작약·백복령·백출(白朮)·검게 초한 건강(乾薑)·육계(肉桂) 각 7푼, 서각설(犀角屑) 5푼을 더하여 쓴다.

이때에 두창(痘瘡)의 빛깔이 전혀 흰 것은 기허(氣虛)한 데서 연유된 것이다. 이럴 때는 보원탕에다 당귀·백복령·주초(酒炒)한 백작약

각 1전, 관계(官桂) 7푼, 생강 1편, 찹쌀 100낟알을 더하여 두 첩을 쓰되 붉게 살아날 때까지 복용시켜야 한다. 두창의 빛깔이 홍자(紅紫)한 것에는 보원탕에다 목향(木香)·당귀·천궁(川芎) 각 7푼을 더하여 사용(使用)해야 한다.

두창의 빛깔이 너무 붉어서 자색에 가까운 것은 혈열(血熱)로 연유된 것이니, 사물탕(四物湯)인 주초한 생건지황(生乾地黃)·주초한 백작약·당귀·천궁 각 1전에 주초한 황금(黃芩)·자초(紫草)·홍화(紅花) 각 7푼을 더하여 쓴다.

이때에 만약 심하게 아파서 참을 수 없으면 백작약을 세말(細末)하여 매번 1전씩 담주(淡酒)에 타 먹이고 황토(黃土)를 세말하여 아픈 곳에 발라준다.

이때에 가려움 증세가 발생하면 위의 출두종일조(出痘終日條)를 상고하여 약을 쓴다.

이때에는 수양탕(水楊湯)으로 낮에나 밤에나 자주자주 면부(面部)를 씻어 주어야 한다. 관롱삼일(貫膿三日)에는 - 출두(出痘)부터 6~7일까지를 말한다. - 무릇 두창(痘瘡)이 순한 자는 제6일이면 과색(顆色 두창의 빛깔)이 희어지며 이미 농(膿)으로 향하는 조짐이 있게 되고 7일이면 면부(面部)의 부기(浮氣)가 더해지는 것은 보통 예(例)의 증상이다. 8일이면 부기(浮氣)가 차츰 감소되며 눈을 뜰 수 있고 후통(喉痛)도 조금 낫는다.

이때에 혹 토(吐)하거나 사(瀉)하거나 토사(吐瀉)를 하면 크게 위험하다.

이럴 때는 급히 정중탕(定中湯)을 쓴다. 참황토[眞正黃土] 한 덩이를 채취하여 주발[碗內]에 넣고서 백비탕(百沸湯)을 부어 포(泡 불리는 것)하여 합(合)을 덮어놓고 따뜻해지기를 기다렸다가 두 술잔에 담아 수비(水飛)한 주사(朱砂) 가루 1푼과 수비한 웅황(雄黃) 가루 1전을 타서 사탕(砂糖)을 조금 가미하여 따뜻하게 먹인다.

이때에는(관롱(貫膿)이 될 때) 은침(銀鍼)으로 두과(痘顆)를 가로 찔러서 관통하면 즙물이 자연히 흘러나오므로 아주 묘효가 있다. 은침이 없으면 죽침(竹鍼)을 사용해도 좋다.

이때는 반드시 가려움 증세가 발생하게 되는데 자주 수양탕(水楊湯)으로 적셔준다. 혹 가려움이 심하여 손톱으로 터친 것은 나중에 반드시 딱지가 진다. 명주 수건으로 손가락을 싸매어 가려운 곳에 대고 아주 긴박하게 누르면 과립(顆粒)이 저절로 터져 즙물이 나오는 것도 있는데 또한 해롭지 않다. 이때는 열(熱)이 반드시 성하게 되니 연달아 월경수(月經水)를 사용하고 틈틈이 저미고(猪尾膏)를 써서 열을 내리게 하되 열이 극도로 오른 자에게는 많이 써서 가슴속이 상쾌할 때까지 한다. 그렇지 않으면 열이 자연히 속으로 들어가 마침내는 위험한 지경에 이르게 되니 조심해야 한다. 염(靨)이 거치는 3일에는 - 출두(出痘)에서 9~10일에 이르러 차츰차츰 초흑(焦黑)되어 딱지 질 때를 말한다. - 반드시 대열(大熱)이 있어서 혹은 물을 찾기를 평상시보다 다르게 할 것이니 나미음(糯米飮)이나 월경(月經)이나 저미고(猪尾膏) 등의 약을 미리 준비했다가 양(量)대로 실컷 마시게 하되 가슴속이 시원해질 때까지 해준다. 증상이 가벼운 자는 혹 열이 나지 않기도 하나 열이 나는 것이 대부분이다. 이때는 반드시 팔・다리・손・발이 아픈데, 그것은 대개 면부(面部)가 이미 염이 이루어졌기 때문에 손과 발이 막 창농(脹膿)되려 하므로 부기가 더해가는 소치요, 원래 별증(別症 병이 위독해서 일어나는 악증)은 아니니 이것에 대해서는 걱정할 필요가 없다.

이때에 혹 백정(白睛 눈의 흰자위) 위에 홍사(紅絲 실낱같은 붉은 핏발)가 산만(散漫)하고 그 속에 뾰족이 솟아나온 형상이 있는 것은 두창(痘瘡)이 나와서 그렇다. 그리고 잇달아 예막(瞖膜)이 흑정(黑睛)에 침범하여 백점(白點)을 이루게 되는데 기혈(氣血)이 회복된 뒤에는 비록 약을 안 써도 낫는다고 하지만 어떻게 저절로 나을 것만을 믿고 급히 치료하지 않겠는가? 악실(惡實)[81]을 세말(細末)하여 정화수(井華水 새벽에 우물에서 길어온 물)에 개어 떡을 만들어 신문(囟門) 위에 붙여주되 하루에 두 번씩 갈아 주면 아주 묘효가 있다.

이때에 설사(泄瀉)나 적백리(赤白痢)가 있는 자는 모두 사열(瀉熱)이 되어 발생하는 것이므로 수일 뒤에는 저절로 나으니 약을 쓸 필요가 없다. 만약 기혈(氣血)이 함께 허하여 열이 그 틈을 타서 발한 것은, 날로 가중되어 끝내는 난치에 이르게 되니 급히 보원탕(保元湯)에 미초(微炒)한 백작약(白芍藥)·백복령(白茯苓)·토초(土炒)한 백출(白朮) 각 1전, 육두구(肉豆蔻)·육계(肉桂)·주초(酒炒)한 황련·초흑(炒黑)한 건강(乾薑) 각 7푼을 더하여 두 첩을 연달아 먹인다.

이때에 손·발·팔·다리에 난 두창(痘瘡)이 막 비창(肥脹)되기 시작하는데 침으로 찔러 즙물을 빼내는 것이 좋다. 처방법은 관농(貫膿)조에 보인다.

이때에 복통(腹痛)이 있는 자에게는 선퇴탕(蟬退湯)을 쓴다. - 처방은 위에서 보였다. - 이 약이 효력이 없으면 목향이중탕(木香理中湯)인 목향(木香)·인삼(人蔘)·백출(白朮)·포(炮)한 건강(乾薑)·구(灸)한 감초(甘草) 각 5푼에 초연(炒硏)한 서점자(鼠粘子)·주초한 황련(黃連) 각 5푼을 더하여 쓴다.

이때에 가슴·옆구리의 통증이 중완(中脘) 근처에 있는 것은 남은 독기가 심장으로 돌아들어가기 때문에 그렇다. 급히 유향산(乳香散)인 유향(乳香) 2전을 물 1잔에 달여 먹인다. 협통(脅痛)만 있는 것은 어혈(瘀血) 때문에 일어나는 것이니 부추를 즙내어 먹여도 된다.

이때에 풍한(風寒)에 감촉되어 흉복(胸腹)에 급통(急痛)이 있는 자는 그 증후가 곽란(霍亂)과 같은데 만약 곽란 약으로 치료한다면 대단히 위험하다. 급히 소풍산(消風散)인 형개수(荊芥穗)·감초(甘草) 각 1전, 인삼(人蔘)·백복령·백강잠(白殭蠶)·천궁(川芎)·방풍(防風)·곽향

---

81) 악실(惡實): 우방자(牛蒡子)를 말한다. 그 열매가 형상이 좋지 못하고 구자(鉤刺)가 많기 때문에 붙인 이름이다.

(藿香)·머리 다리와 날개를 제거한 선퇴(蟬退)·강활(羌活) 각 5푼, 진피(陳皮)·강제(薑製)한 후박(厚朴) 각 3푼에 시호(柹胡) 7푼, 청피(靑皮) 5푼을 더하여 세다(細茶) 1잔을 넣어 3~4첩을 달여 먹이면 즉시 효력이 있다.

이때에 수족이 떨리며 흔들리거나 턱이 떨리는 자가 있는데 이는 기허(氣虛)한 소치로 그렇다. 마땅히 보원탕(保元湯)에 당귀(當歸)·주초한 백작약(白芍藥)·백복령 각 1전, 육계(肉桂) 7분을 더하여 써야 한다.

이때에 창처(瘡處)의 습란(濕爛)이 거치지 않으면 치료법이 위와 동일하다. 거기에 다시 토초(土炒)한 백출(白朮) 1전을 더하여 달여 먹이되 나을 때까지 한다. 음낭(陰囊)이 부어서 나이가 많은 자는 크기가 박[瓠瓜]만 하고 어린애는 거위알[鵝卵]만 한데 이것은 두독(痘毒)이 습열(濕熱)과 함께 아래로 쏠려서 그렇다. 이럴 때는 급히 소독음(消毒飮)인 초연(炒硏)한 서 점자(鼠粘子) 2전, 형개수(荊芥穗) 1전, 방풍(防風)·감초(甘草) 각 5푼에 주초한 황금(黃芩)·주세(酒洗)한 생지황(生地黃)·지모(知母)·초룡담(草龍膽) 각 5푼 수첩(數貼)을 쓰면 매우 효력이 있다. 그러나 이 증세는 약을 안 써도 저절로 낫는 자가 많다.

이때에 잠에 빠져 불러도 대답이 없고 젖을 먹여도 먹으려 하지 않는 것은 병이 이완되고 기력이 곤핍해서 그렇다. 마땅히 보원탕(保元湯)에 주초한 백작약(白芍藥)·당귀신(當歸身)·백복령(白茯苓)·초하여 연한 서점자 각 1전, 육계(肉桂) 7푼, 강(薑) 1편, 나미(糯米) 100개를 더하여 함께 달여 먹여야 한다. 기단(氣短)하여 졸음이 오는 자에게도 이 약을 쓰지만 구제하기 어려운 자가 많다.

이때에 따르는 제증(諸症)들은 이름 붙이기 어렵다. 기단(氣短)하거나 기허(氣虛)하거나 구토 설사하거나 혼수(昏睡) 상태거나 의식이 없거나 엄엄(奄奄)히 죽어가는 것 같은 패증(敗症)이 함께 나타나는 자에게는 마땅히 사성회천탕(四聖回天湯)인 인삼(人蔘)·황기(黃芪)·당귀(當歸) 각 2전을 달여 석웅황(石雄黃)을 수비(水飛)한 가루 2전을 먹일 때에 타서 먹인다. 만약 흑함(黑陷)이 있을 때는 백출(白朮) 2전을 더하여 낫는 것으로서 한도를 삼으면 아주 묘효가 있는데 이 약은 바로 전유형(全有亨)82)이 지은 처방이다. 별로 지적(指的)할 만한 증세는 없으나 형세(形勢)가 아주 위험할 때 이 약을 시험 삼아 사용하면 자못 회생(回生)되는 자가 있다. 대개 인삼・황기(黃芪)는 보기(補氣)를 하고 당귀는 보혈(補血)을 하며 웅황(雄黃)은 비위(脾胃)를 편안케 하고 창독(瘡毒)을 다스리기 때문이다.

이때에 귀신(鬼神)이 보인다고 헛소리하는 자는 열(熱) 때문이며, 혼혼(昏昏)히 의식을 잃는 자도 역시 열 때문이다. 월경(月經)・저미고(猪尾膏) 등의 약을 연속적으로 써야 된다. 혹 증세가 위험하게 악화되어 구제할 수 없을 듯한 자이면, 치료법을 흑함 치료법과 동일하게 한다.

이때에 눈에 적백예(赤白瞖)가 있는 자는 급히 치료해야 하나 기혈(氣血)이 회복되기에 앞서 경솔히 사약(瀉藥)을 쓰면 눈병[眼患]에 이익이 없을 뿐만 아니라 생사에 관계가 있게 되니 반드시 완전히 회복되기를 기다린 다음에 약을 써야 하는데 혹은 저절로 낫는 자도 있다.

반안(反眼 눈이 뒤집힘)의 증세는 반드시 수염(收靨 염증(靨症)이 걷힐 때)할 때에 나오는데 그 형상은 상첩(上睫 위 속눈썹)의 털이 반드시 거꾸로 섰거나[倒豎], 곧바로 서서[直豎] 앞을 향해서 보이는 것이 이상하거나, 상첩의 안에 홍육(紅肉)이 아래로 늘어져 있기도 하는데 이 증상이 있는 자는 황홀해지며 의식을 잃거나 귀신이 보인다고 미친 소리를 한다. 대체로 이 형세의 증상은 고방(古方)에는 논(論)하지 않은 것이나 안포(眼胞)는 비위(脾胃)에 소속된 것이니 생각건대 반드시 남은 열이 비위에 들어갔기 때문이다. 자작(自作)한 방문(方文)의 이름은 '연교

---

82) 전유형(全有亨): 조선조(朝鮮朝) 명종(明宗) 21년에 태어나 인조(仁祖) 2년에 죽은 조선의 문신(文臣)으로, 자(字)는 숙가(叔嘉), 호(號)는 학송(鶴松), 본관은 평강(平康)이다. 임진왜란 때 조헌(趙憲)과 함께 의병을 일으키기도 했다. 그리고 의술에 능하여 「오장도(五臟圖)」를 그렸다.

석고탕(連翹石膏湯)'으로 연교(連翹)·연(硏)하여 감초(甘草) 달인 물에 수비(水飛)한 석고(石膏) 각 1전 반, 갈근(葛根)·생지황(生地黃)·대황(大黃)·산치(山梔) 각 7푼, 승마(升麻)·적복령(赤茯苓)·적작약(赤芍藥) 각 5푼, 감초(甘草) 3푼에 주초(酒炒)한 황금(黃芩)·주초한 황련(黃連) 각 7푼을 더하여 급히 쓰되 경증에는 2첩, 중증에는 3~4첩을 쓰면 금방 신효를 보아 열 번 써서 한 번의 실수도 없다.

이 뒤의 모든 증세인 설사(泄瀉)·구토(嘔吐)나, 눈병[眼患]에 대해서는 모두 그 대략은 위에서 논하였으니 각각 그에 해당하는 약으로 치료하는 것이 좋다.

창진(瘡疹)이 흑함(黑陷)된 자는 침향(沈香)·유향(乳香)·단향(丹香)을 사용하여 다소(多少)를 불구하고 화분(火盆) 위에 태워 아이를 안아다가 그 연기에 훈(熏)해주면 즉시 흑함이 일어난다. -『신효방』-

침의(鍼醫) 최우량(崔宇量)이 일찍이 말하기를,

"아들 재삼(在三)이 두질(痘疾)에 걸려 위중(危重)하므로 주사(朱砂)와 용뇌(龍腦)를 평양(平壤)으로 구하러 보냈는데 약이 채 도착되기 전에 죽었고, 죽고 조금 있다가 약이 도착하였다. 그리하여 주사(朱砂) 콩 크기만큼과 용뇌 콩 반만큼 크기를 물 한 종발에 타서 죽은 아이의 입 안에 부어주니 얼굴색이 점점 붉어지며 호흡이 통하고 흑함(黑陷)이 모두 일어나서 지금까지 살아 있다."

하였다.83) -『잠담』-

83) 창진(瘡疹)이 …… 하였다 : 이 부분은 한독본에 의하여 보충 번역하였다.

구황 救荒 벽한(辟寒) 조를 붙였다

구황 서

기황(飢荒)은 상고(上古)시대에도 때로는 있었던 것이고 보면, 숙세(叔世 말세와 같음)야 말할 것이 있겠는가? 한편 가뭄이 들어 농토에 수확이 줄면 굶주려 부황(浮黃)으로 죽어서 구학(溝壑)에 뒹구는 신세가 되지 않을 사람이 거의 드물 것이다. 그러니 어떻게 구제할 방책을 세우지 않고, 앉아서 죽기만을 기다릴 수 있겠는가? 또 굶주린 나머지 음식에 적당함을 잃으면 비록 살아나도 반드시 병들게 될 것이니, 더욱더 삼가야 한다. 이에 이 구황(救荒)의 방법을 기록하고, 겸하여 곡식을 끊는[斷穀] 모든 약(藥)을 채택하였으며, 추위를 물리치는 방법[辟寒法]을 붙여서 제11편을 삼는다.

구황

굶주려 피곤해서 죽게 된 사람을 구활하는 방법은, 굶주려 피곤해서 죽게 된 사람에게 갑자기 밥을 먹이거나, 뜨거운 음식물을 먹게 하면 반드시 죽게 된다. 그럴 때는 먼저 장즙(醬汁 간장)을 물에 타서 마시게 한 다음에 식은 죽[涼粥]을 주고 그가 소생하기를 기다려서 점점 죽(粥)과 밥[食]을 주어야 한다. -『구황촬요』·『고사촬요』-

굶주려 부기(浮氣)가 있는 자에게는 위의 방법과 같이하여 구제한 다음에 원기(元氣)가 차츰 충실해졌으나, 부기가 빠지지 않으면 천금목피(千金木皮) - 붉나무 껍질 - 를 다소를 한정짓지 말고 달여 즙을 취해서 그 즙에 알맞게 죽(粥)을 쑨다. 이것을 굶주린 사람의 기후(氣候

기력)에 맞추어 주면 기종(飢腫 굶주려서 부황이 남)을 빠지게 하는 데 아주 좋다. -『구황촬요』·『고사촬요』-

천금주(千金酒)를 만드는 방법은, 먼저 나미간(糯米稈 찰볏짚)을 진하게 달여 짚을 건져낸 다음에 천금목피(千金木皮)를 넣고는 다시 달여 1~2차 끓인다. 이것이 식기를 기다렸다가 항아리에 넣고 양에 맞게 누룩가루[麴末]를 넣는다. 그리고 이튿날에 미죽(米粥)을 넣고 익혀서 맑아질 때까지 놓아두면 맛이 감미(甘美)롭게 된다. 그것을 먹이면 기종(飢腫)을 빠지게 하는 데 신묘한 효험이 있다.

그런데 양수(釀水 술빚은 물) 2동이[盆]에 쌀[米] 1되를 넣는 것을 기준으로 한다. -『구황촬요』·『고사촬요』-

솔잎을 채취하여 가루로 만드는 방법은, 솔잎은 오장(五臟)을 편안케 하며 기곤(飢困)을 면하게 한다. 그리고 소나무의 솔방울 송진·뿌리의 껍질은 모두 벽곡(辟穀)을 할 수 있으나 그중에서도 솔잎이 가장 곡식을 끊는 데 효능이 있다고 한다. 그러나 반드시 유피즙(楡皮汁)을 섞어야 대변(大便)이 막힐[秘澁] 걱정이 없다. -『구황촬요』·『고사촬요』-

솔잎의 다소(多少)를 따지지 말고 생잎을 찧어 세말(細末)을 만들어 쪄서 볕에 말려 사용한다. 만약 찧을 때에 저절로 조각을 이룬 것은 볕을 쬐어 말리면 쉽게 찧어진다. 혹은 솔잎 2말을 따서 콩[太] 1되와 같이 볶아서 뜨거울 때에 찧으면 가루를 만들기가 쉽다. 만약 쪄서 찧어 다시 가루를 만든다면 쓴맛은 줄일 수 있으나 찌지 않은 것이 더욱 기력(氣力)이 있다. -『구황촬요』·『고사촬요』-

솔잎을 찧은 다음 포대에 담아서 흐르는 물속에 담갔다가 3~4일이 지나면 건져 쪄서 볕에 말린다. 혹은 온돌에 말려 찧어서 가루로 만들면 그 맛이 매우 감미롭다. -『구황촬요』·『고사촬요』-

솔잎가루 3홉, 쌀가루 1홉, 유피즙(楡皮汁) 1되를 고루 섞어서 죽을 쑤어 먹으면 조석(朝夕)의 시장기를 면할 수 있다. 그런데 대개 솔잎은 성질이 깔깔하고[澁] 유피즙은 성질이 매끄러워서[滑] 쌀가루와 섞으면 크게 위분(胃分)을 보익(補益)하고 이부(二腑 대소장(大小腸)을 말함)를 이롭게 한다. 이와 같이 하면 흉년에 대비가 될 뿐만이 아니라 섭양(攝養)하려는 사람이 이것을 복용하면 오곡(五穀)·고량(膏粱)보다 낫고 또한 병을 치료하고 수(壽)도 늘일 수도 있다. -『구황촬요』·『고사촬요』 유피(楡皮)가 생산되지 않는 곳이면 죽을 쑬 때에 유피즙(楡皮汁)을 사용하지 않고 백수(白水 맑은 물)를 써도 해롭지 않다. -

솔잎가루 2홉과 콩가루 1홉을 냉수(冷水)에 타 먹고 일식(一息 잠깐 동안) 간을 달리면 시장기가 없어지나 항상 포대에다 담아서 휴대하고 다녀야 한다. -『구황촬요』·『고사촬요』 -

솔잎을 따서 익도록 찧으면 잎이 문드러져 진흙처럼 되니, 모름지기 익도록 찧어서 진흙처럼 되는 것을 한도로 하고, 곡식 가루로 담죽(淡粥)을 만든다. 구방(舊方)은, 첫 번에 찧어 조각을 만들어 볕에 말렸다가 다시 찧어 가루로 만드는데 가루를 더디게 만들면 맛이 좋지 않다 하였고, 심지어는 유즙(楡汁)으로 죽을 쑤면 맛이 아주 좋지 않아서 먹을 수가 없다 하였으니, 이 방법대로 하면 즉시 가루로 만들어야 맛이 매우 좋다는 것이다. -『구황촬요』 -

솔잎을 오래 먹어서 대변(大便)이 불통하면 콩가루 1~2순갈을 물에 타 먹되 연달아 2~3일간을 먹으면 즉시 통변된다. -『구황촬요』 -

콩가루를 죽에 타서 먹거나, 혹 날콩물에 담갔다가 씹어 먹으면 대변(大便)이 막히지 않는다. -『구황촬요』 -

솔잎을 먹어서 창(瘡)이 났을 때에는 폭포수(瀑布水) 아래 고요한 물[靜水] 밑의 진니(塵泥 물앙금)를 취하여 바르면 즉시 낫는다. -『한정보』 -

송백피(松白皮 소나무의 속껍질)를 쪄서 먹으면 곡식을 먹지 않아도 시장하지 않다. -『증류본초』 구황방(救荒方)에 "반드시 곡식 가루를 섞어서 먹어야 살 수 있다." 하였다. -

송진[松脂] 1근, 백복령(白茯苓) 4냥을 가루로 만들어 매일 새벽에

물에 타 먹거나, 혹 꿀로 환(丸)을 만들어 먹으면 곡식을 먹지 않고도 오래 살 수 있다. -『증류본초』-

잣나무 잎[柏葉]을 송진과 함께 오래 먹으면 곡식을 먹지 않아도 배고프지 않다. -『증류본초』-

유피(楡皮) - 느릅나무 껍질 - 는 흉년든 해에 사람이 먹으면 양식에 충당된다. 백피(白皮 느릅나무의 속껍질)를 채취하여 찧어 가루로 만들어서 물에 타 먹는다. -『증류본초』-

유피(楡皮)는 성질이 활(滑)하므로 오랫동안 먹으면 배고프지 않다. 껍질을 채취하여 백피를 취(取)해서 볕에 말렸다가 찧어 가루로 만들어서 쓰기도 하는데, 그것은 즙을 내는 것이 쉽고도 좋은 것만 같지 못하다. 그리고 열매와 잎사귀도 채취해 쓸 수 있다. -『고사촬요』·『구황촬요』-

유피(楡皮)는 두텁고 부드러운 것[老嫩]을 가릴 것 없이 채취해서 찧은 다음 도기(陶器)나 혹 목조(木槽 나무로 만든 물통)에 담아 물에 담갔다가 즙을 짜서 복용하되, 즙이 다하면 물을 더하여 뒤섞어서 즙을 짜면 즙이 무궁히 나온다. -『고사촬요』·『구황촬요』-

유백피(楡白皮) 가루 1되, 쌀가루 1홉, 솔잎가루 1홉을 백탕(白湯)에 고루 섞어 떡을 만들어서 끓는 물에 넣어 익힌 다음 식혀서 먹는다. -『고사촬요』·『구황촬요』-

또 다른 방법은 유백피(楡白皮) 가루 1되와 쌀가루 1홉을 백탕(白湯 맹물 끓인 것)에 개어 떡을 만들어서 삶아먹거나 혹은 기름으로 약간 지져서 전병(煎餠)을 만들어서 먹거나 한다. 기름이 없으면 납(蠟)을 사용하여 지져도 좋다. -『고사촬요』·『구황촬요』-

상실(橡實) - 상수리 - 을 껍질을 제거하고 삶아먹으면 사람에게 유익하며, 속이 실해져서 배고프지 않게 된다. -『증류본초』「구황방(救荒方)」에 "반드시 곡식 가루를 섞어 먹어야 살 수 있다." 하였다. -

길경(桔梗)을 깨끗이 씻어 푹 삶아서 포대에 넣어 물에 담그고 밟아 쓴맛을 다 나오게 한다. 그것을 짓이겨 진흙처럼 만들어서 곡식 가루를 섞어 찌거나, 밥을 지을 때 밥 위에 놓고 쪄서 먹으면 배고프지 않으며 비록 곡식 없이 먹더라도 배고프지 않다. -『고사촬요』·『구황촬요』-

갈근(葛根)을 깨끗이 씻어 껍질을 제거하고 난도(爛擣)하여 수비(水飛)해서 그 실낱을 버린다. 그리고 앙금[泥]을 가라 앉혀야 되는데 앙금이 가라앉으면 물을 따라내고 쌀과 섞어 밥이나 죽을 만들어서 먹으면 배고프지 않다. 백복령(白茯苓)은 곡식을 끊는 데 좋으며 배고프지도 않다. -『증류본초』-

출(朮) - 삽주뿌리 - 을 캐어 가루로 만들거나 환(丸)을 만들어 먹으면 양식(糧食)을 대용할 수 있다. 어느 사람이 산 중에서 난(亂)을 피하다가 굶주려 죽게 되자 출(朮 창출(蒼朮)과 백출(白朮)이 있다.)을 캐어 먹으니, 배고프지 않았다. 그리하여 수십 년이 되어 향리(鄕里)에 돌아왔는데 안색(顔色)이 전과 같았다고 한다. -『증류본초』·『고사촬요』·『구황촬요』-

서여근(薯蕷根) - 마 - 을 쪄 먹거나, 찧어 가루로 만들어서 면(麪)을 만들어 먹으면 흉년에도 양식을 충당할 수 있으며 배고프지 않게 하는 데 가장 좋다. -『증류본초』·『구황촬요』-

선복근(旋葍根) - 메뿌리 - 을 쪄 먹으면 배고프지 않다. -『증류본초』·『구황촬요』-

위유(萎蕤) - 둥구레 - 는 맛은 달고 평하며 독(毒)이 없다. 허로(虛勞)를 보(補)하며 송피(松皮) 등과 함께 삶아 먹으면 요기(療飢)하기에 가장 좋다. -『구황촬요』-

황정(黃精) - 둑대 뿌리. 그 잎사귀가 양쪽으로 서로 마주 붙은 것을 황정이라 하고 마주 붙지 않은 것을 편정(偏精)이라 하는데 효능이 황정만 못하다. 평안도(平安道)에 있다. - 을 오래 먹으면 곡식을 끊어도 배고프지 않으며 맛이 감미(甘美)로워 먹기가 쉽다. 뿌리·잎·꽃·열매를 모두 먹을 수 있다. 혹 찐 다음 볕에 말려서 환(丸)이나 산(散)을 편의에 따라 만들어 먹으면 흉년에는 양식을 대신할 수 있다. -『증류본초』·『구황촬요』-

천문동(天門冬)의 뿌리를 캐어 껍질과 속을 제거하고 쪄서 먹으면 매우 향기롭고 맛이 좋으며 흉년에 먹으면 곡식을 끊고도 배고픔을 면할 수 있다. - 『증류본초』·『구황촬요』 -

백합(百合) - 개나리 뿌리 - 뿌리를 캐어 찌거나 삶아서 먹으면 사람에게 보익이 되며 양식을 끊을 수 있다. - 『증류본초』·『구황촬요』 -

하수오(何首烏) - 새박 뿌리 - 뿌리를 캐어 쪄 말려서 환(丸)이든, 산(散)이든 마음대로 만들어 먹는다. 또 생으로 먹어도 되며 양식을 끊을 수 있다. - 『증류본초』·『구황촬요』 -

연자(蓮子)·연근(蓮根)·능인(菱仁) - 마름 - ·감인(芡仁) - 가시연밥·계두실(鷄頭實)이라고도 한다. - 은 모두 양식을 끊을 수 있는 것이다. - 채취하는 방법은 섭생(攝生) 편에 보인다. -

우(芋) - 토란·토지(土芝)라고도 하며 지금 사람들은 토련(土蓮)이라고 부른다. - 를 삶아서 먹으면 양식으로 대용할 수 있어서 흉년을 넘길 수 있다. - 『증류본초』·『구황촬요』 -

각조산(閣阜山)의 어느 사찰에 한 기이(奇異)한 중이 있었다. 그는 전력(專力)을 기울여 토란[芋]을 심어서 해마다 많은 수확을 하였다. 그것을 절굿대로 진흙처럼 찧어 벽돌[墼] - 굽지 않은 벽돌[磚] - 로 만들어 담[墻]을 쌓으니 사람들은 그가 하는 일을 헤아리지 못했다. 그런데 그 후에 큰 흉년을 만나 백성들이 굶어죽은 자가 많았으나 이 사찰에 있는 40여 명의 중들은 이 토란벽돌을 먹고 굶주림을 면하였는데, 사람들이 그제야 그를 기이하게 여겼다. - 『거가필용』·『고사촬요』·『구황촬요』·『제민요술(濟民要術)』에 "토란[芋]은 굶주림을 구제할 수 있는데 사람들이 이 법을 모르고 혹 알더라도 심지 않고서 앉아서 죽기를 기다리니 슬픈 일이다. 인목(人收)이 된 자가 어찌 통독할 과제로 삼지 않을 수 있겠는가." 하였다. -

오우(烏芋) - 올매 부감(鳧茨)이라 하며, 속명(俗名)은 오매초(烏味草)이다. - 를 가루로 만들어 먹거나, 혹 삶아서 먹으면 배고프지 않다. 『한서(漢書)』에,

"형주(荊州)의 기민(飢民)들은 부감(鳧茨)을 캐어 먹었다."

했는데, 범중엄(范仲淹)이 강회(江淮) 지방을 순무(巡撫)할 때에 이 풀을 올렸다 한다. -『증류본초』·『구황촬요』-

나복근(蘿葍根) - 댄무 - 을 이른 아침에 구워서[煨熟] 먹으면 배고프거나 춥지 않다. -『구황촬요』·『고사촬요』-

만청(蔓菁) - 신무 - 은 사철 먹을 수 있다. 봄에는 싹을 먹고, 여름에는 잎을 먹고, 가을에는 줄기를 먹고, 겨울에는 뿌리를 먹는데, 흉년[飢歲]을 대비할 수 있다. -『증류본초』·『고사촬요』·『구황촬요』-

만청자(蔓菁子)를 세 번[三遍] 삶아 쓴 맛을 모두 없앤 다음 볕에 말렸다가 찧어 가루로 만들어 2전씩 물에 타 하루에 세 번 먹는다. 이렇게 오래 먹되 점점 양을 더하여 먹으면 벽곡(辟穀)할 수 있다. -『증류본초』·『고사촬요』·『구황촬요』-

토사자(兎絲子) - 새삼씨 - 로 밥을 지어먹으면 풍질(風疾)을 치료하고 배고픔을 면할 수 있다. 어떤 사람이 풍질을 앓은 후에 병황(兵荒 난리)으로 인하여 수곡(數斛)의 토사자를 먹었는데, 옛날의 병이 깨끗이 나았다고 한다. -『구황촬요』 섭생(攝生) 편에 자세히 보인다. -

제채(薺菜) - 냉이 - 는 성질이 온(溫)하여 위장을 화하게 만들고 오장(五臟)을 이롭게 만든다. 죽을 쑤어 먹으면 피를 끌어 간(肝)으로 돌아가게 만든다. 채서산(蔡西山)[84]이 글을 읽을 때에 항상 냉이[薺]를 먹고서 요기(療飢)했다고 한다. -『증류본초』·『고사촬요』·『구황촬요』-

양제근(羊蹄根) - 소루쟁이뿌리 - 싹을 뜯어 국을 끓여 먹어도 배를 채울 수 있다. -『고사촬요』·『구황촬요』 치포(治圃) 편에 자세히 보인다. -

2월 이후에 전채(田菜)·산채(山菜)·단엽(檀葉) - 팽나무 잎 - ·귀

84) 채서산(蔡西山) : 송(宋)나라 사람 채원정(蔡元定)을 가리킨다. 서산(西山)은 그의 호이며 자(字)는 계통(季通)이다. 어려서는 아버지에게 배웠고, 자라서는 주희(朱熹)와 종유(從遊)하였는데 주희가 그의 학문을 시험해 보고는 크게 놀라 말하기를, "이 사람은 나의 노우(老友)이다. 제자(弟子)의 열에 두는 것은 마땅치 않다." 하고 마주앉아 경의(經義)를 강론(講論)하기에 매양 밤중에 이르곤 하였다.

엽(櫰葉) - 느티나무 잎 - ・호엽(蒿葉)은 굶주림을 구제할 수 있다. 그러나 반드시 곡식 가루를 버무려서 먹어야 하며 곡식 가루를 섞지 않고 먹으면 살 수가 없다. 그러나 곡식이 좀 있을 때부터 미리 준절(撙節)하여 잡물(雜物)을 섞어 먹어서 갑자기 떨어지지 않도록 해야 한다. - 『구황촬요』 -

생률(生栗)을 구워 먹으면 배고픔을 면할 수 있다. - 『증류본초』・『구황촬요』 -

황률(黃栗)・홍조(紅棗)・호도(胡桃)・건시(乾柹) 이 네 가지의 과실을 씨와 껍질을 제거하고 방아 안에 넣고 함께 찧는다. 이것으로 둥글고 두터운 떡을 만들거나, 박아서 벽돌처럼 만든 다음 볕에 말렸다가 거두어 먹는다. 옛날에 기이한 중이 있었는데 미리 위의 물건을 여러 해 동안 구하여 많이 저축을 하였었다. 그 후 흉년을 만나게 되자 이것을 먹고서 살아났다 한다. - 『구황촬요』 -

대추[大棗]를 많이 먹으면 배고프지 않다. - 『증류본초』 -

해송자(海松子) - 잣 - 를 먹으면 배고프지 않다. - 『구황촬요』 -

진자(榛子) - 개암 - 를 오래 먹으면 배고프지 않다. - 『증류본초』 -

소시(小柹) - 고욤 - 를 쪄서 씨를 제거하고, 대추도 씨를 제거하여 함께 찧어서 먹으면 양식을 대용할 수 있다. - 『구황촬요』 -

납(蠟)을 먹는 법은, 납 방촌(方寸)을 씹으면 종일(終日) 배고프지 않다. 납과 대추를 같이 먹으면 쉽게 풀어진다. - 『증류본초』・『고사촬요』・『구황촬요』 -

대미(大米) 3홉을 볶아내고 황랍(黃蠟) 2냥을 냄비[銚]에 녹인 다음 거기에 쌀을 넣고 볶는다. 이것을 말려서 먹으면 수일간은 배고프지 않다. 호도(胡桃) 두 개를 먹으면 즉시 밥이 생각난다. - 『증류본초』・『고사촬요』・『구황촬요』 -

황랍으로 기름을 만들어서 백면(白麪) 1근을 넣고 전병(煎餅)을 만들어 먹으면 1백 일 동안 배고프지 않다. - 『증류본초』・『고사촬요』・『구

황촬요』 -

황랍에다 송진[松脂]・행인(杏仁)・조육(棗肉)・복령(茯苓)을 등분(等分)하여 가루로 만든다. 이것으로 환(丸)을 지어 50환을 먹으면 배고프지 않다. -『증류본초』・『고사촬요』・『구황촬요』 -

백복령(白茯苓) 가루 4냥과 백면(白麪) 2냥을 물에 개어 기름대신 황랍으로 지져서 전병(煎餠)을 만들어 한번 포식(飽食)을 하고, 그길로 절식(絶食)을 했다가 3일 뒤에 지마탕(脂麻湯)을 마시어 장위(腸胃)를 조금 적셔준다. -『증류본초』 -

황랍・송진[松脂]・백복령(白茯苓)・감국화(甘菊花)를 등분하여 가루로 만들어서 달인 꿀[煉蜜]에 갠 다음에 이것으로 총알만 하게 환을 만들어서 매번 1환씩을 백탕(白湯)으로 씹어 먹으면 곡식을 안 먹어도 배고프지 않다. -『동의보감』 -

천금초(千金麨)를 매번 1숟갈씩 냉수(冷水)에 타 먹으면 백 일 동안은 배고프지 않을 수 있다. - 치선(治膳)・분면(粉麪) 조에 자세히 보인다. -

대맥초(大麥麨) - 소맥초(小麥麨)도 좋다. - 1근과 백복령(白茯苓) 가루 4냥을 생우유(生牛乳)로 갠다. 이것으로 방촌(方寸)의 떡[餠子]을 만들어서 끓여서 배불리 먹으면 백 일간은 배고프지 않다. -『증류본초』 -

유경선(劉景先)이 흑두(黑豆)를 복용하던 방법은 - 경선(景先)은 영령(永寧 후한<後漢> 안제<安帝>의 연호) 중엽의 황문시랑(黃門侍郎)이었는데, 이 처방(處方)을 태백산 은사(太白山隱士)에게서 전해 받았다고 한다. - 흑두(黑豆) 5되를 씻고 세 번을 쪄서 볕에 말린 다음 껍질을 제거하고 가루로 만들고, 대마자(大麻子) -『거가필용』에는 "대화마자((大火麻子)라" 하였고,『고사촬요』에는 "세속에서는 호임(虎荏)이라 하나 자세하지 않다." 하였다. 어떤 사람은 "함경도(咸鏡道)의 마자(麻子)로 대용한다." 하였다. - 3되 - 5되라고도 한다. - 를 탕(湯)에 담가 하루를 재워 건져내어 볕에 말렸다가 세 번을 쪄서 입이 벌어지게 하여 껍질을 제거하고 가루로 만든다. 그리고 찹쌀죽으로 반죽하여 고루 찧어서 주먹 크기의 단(團)을 만들어 다시 시루에 넣고 찌되 초저녁서 밤중까지 불을 지펴두었다가 아침[寅時]에 꺼내어 자기(磁器)에 담아 뚜껑을 덮어 바람이 들어가 마르지 않게 해놓고는 매번 한두 덩이를 먹되 배부른 것으로 한도를 삼는다. 그리고 일체 다른 음식을 먹어서는 안 된다. 한 번 실컷 먹으면 7일간 밥을 안 먹어도 되고 두 번 실컷 먹으면 49일을 안 먹어도 되며 세 번 실컷 먹으면 백 일간 안 먹어도 되고 네 번 실컷 먹으면 영원히 안 먹어도 배고프지 않은데 용모(容貌)는 좋아지고 다시 초췌해지지 않는다. 목마르면 대마자(大麻子)를 갈은 즙을 마시어 장부(臟腑)를 윤택하게 한다. 만약 다른 것을 또 먹어야 할 경우에는 규채탕(葵菜湯)을 먹어서 풀어야 한다. 혹 규자(葵子) 3홉을 찧어서 전탕(煎湯)으로 만들어 냉복(冷服)하여도 좋다. - 다른 처방(處方)에는 백복령(白茯苓) 5냥을 함께 쓴다고 되어 있다. 『동의보감』·『고사촬요』·『구황촬요』 -

좌원방(左元放)의 구황법(救荒法)은, 굵은 흑두 날것 21개(3×7)를 익도록 비비어 - 한참 동안 손으로 비비는 것을 말한다. - 따뜻한 기운이 콩의 속에까지 통하게 한다. 이것을 선일일(先一日 하루 전날)을 굶고, 다음날 아침에 냉수로 먹고 어육(魚肉)과 채과(菜果)를 다시 입에 대지 말아야 한다. 그리고 갈증이 나면 냉수를 마신다. 처음에는 조금 피곤하나 10수일이 지나고 나면 체력(體力)이 장건(壯健)해져서 다시는 밥 생각이 나질 않는다. - 『증류본초』·『고사촬요』·『구황촬요』 -

흑두 1되, 관중(貫衆) - 회초의 뿌리 - 1근을 가늘게 썰어서 함께 삶는다. 콩이 향기롭게 익었으면 반복하여 펴서 나머지 즙이 다 없어지면 까불어서 관중(貫衆)은 제거하고 콩만 취(取)하여 빈속에 하루에 5~7개씩 먹는다. 그런 다음 초목(草木)을 마음대로 먹어도 무방하나, 어육(魚肉)·채과(菜果) 및 열탕(熱湯)은 금기하여야 한다. 그렇게 하여 수일(數日)이 지나면 밥 생각이 없게 된다. - 『의학입문』·『구황촬요』 -

또 한 방법은 이것과 대략 같은데 이름을 "피란대도환(避亂大道丸)"

이라 한다. - 아래 잡방(雜方)에 보인다. -

흑두(黑豆)를 볶아서 조육(棗肉)과 함께 찧어서 초(麨 초는 바로 미숫가루의 유이다.)를 만들어 먹으면 밥을 대용할 수 있다. - 『증류본초』·『고사촬요』·『구황촬요』 -

대두황(大豆黃)의 가루를 약으로 삼아 먹으면 곡식을 먹지 않고서도 흉년을 넘길 수 있다. - 아래의 잡방(雜方)에 보인다. -

호마(胡麻) - 검은 참깨 - 를 아홉 번 찌고 아홉 번 볕에 쬐어 볶아서 찧어 먹으면 곡식을 먹지 않아도 배고프지 않으며 오래 살 수 있다. 또 백대두(白大豆)와 조육(棗肉)을 함께 쪄 볕에 말린 다음 단(團)으로 만들어 먹으면 배고프지 않으며 곡식을 끊을 수 있다. - 『증류본초』·『구황촬요』 -

백지마(白脂麻) - 흰 참깨 - 를 쪄 볕에 말려서 약으로 삼아 먹으면 곡식을 끊을 수 있다. - 『증류본초』 -

임자(荏子) - 들깨 - 를 쪄서 뜨거운 햇볕에 말려 껍질이 벌어질 때 방아질 하여 낟알을 취(取)해 먹어도 곡식을 끊을 수 있다. - 『증류본초』·『구황촬요』 -

청량미(青粱米)를 초(醋)와 섞어 백 번 찌고 백 번 볕에 말려 후량(糗糧)을 만들어 먹으면 곡식을 끊을 수 있다. - 『증류본초』·『고사촬요』·『구황촬요』 -

청량미(青粱米) 1말을 고주(苦酒) - 쓴 술. 전에는 초(醋)로 해석했으나 지금은 이와 같은데 자세하지는 않다. - 1말에 3일간 담갔다가 꺼내어 100번 찌고 100번 볕에 말려 잘 싸서 저장해 두었다가 원행(遠行)할 때에 한 번 먹으면 10일간은 배고프지 않고 거듭 먹으면 90일은 배고프지 않다. - 『증류본초』·『고사촬요』·『구황촬요』 -

나미(糯米) 1말을 돌을 없애고 깨끗이 씻어서 100번 찌고 100번 볕에 말린 다음 찧는다. 매일 3홉쯤을 냉수(冷水)에 타서 먹되 30일 동안에 모두 다 먹으면 종신토록 먹지를 않아도 배고프지 않다. - 『증류본

草』·『고사촬요』·『구황촬요』 -

갱미(粳米) 1되를 술 3되에 담갔다가 건져 볕에 말리고 또 담갔다가 또 볕에 말려서 술이 다 없어지면 중지하여 주근주근 먹고 목마르면 냉수를 마시곤 하면 곡식을 30일간은 끊을 수 있으며, 1말 2되를 가지면 곡식을 1년 동안 끊을 수 있다. -『증류본초』·『고사촬요』·『구황촬요』 -

곡식 가루를 만드는 방법은 백미(白米) 1되로는 가루 2되 5홉을 만들 수 있고, 까끄라기를 제거한 피맥(皮麥 찧지 않은 보리)의 껍질을 제거하고 볶아서 가루로 만들면 2되의 가루를 만들 수 있다. 조[粟]와 피[稷]도 동일하다. 대저 1되의 쌀로는 약 2되 5홉의 가루를 만들 수 있는데 1말 쌀로는 250인에게 먹일 수 있으며, 만약 1인에게만 먹인다면 사삭(四朔 넉달)을 지탱할 수 있으니, 3말의 쌀이면 1년을 대비할 수 있는 셈이다. -『고사촬요』·『구황촬요』 -

삼(糝)[85]을 만드는 방법은, 목맥화(木麥花) - 메밀느쟁이 - ·대두엽(大豆葉) - 콩잎 - 과 각(殼) - 깍지 - 을 가루로 만들어 곡식 가루와 섞어 삼을 만들어 쪄먹으면 아주 좋다. 만약 이와 같은 물건이 없으면 곡식 뿌리를 세말(細末)하여 삼을 만들어 먹어도 부황(浮黃) 없이 흉년을 넘길 수 있다. -『고사촬요』·『구황촬요』 -

또 다른 방법은 대두각(大豆殼)을 삶아서 온돌(溫堗)에 펴 말려 가루를 만들어 물에 담가 가라앉히되 두세 번 물을 바꿔서 독(毒)을 제거한 뒤에 삼을 만들면 아주 좋다. -『고사촬요』·『구황촬요』 -

목맥(木麥 메밀)이 반쯤 익고 줄기와 잎이 부드러울 때에 베어서 말린 다음 줄기와 열매를 아울러 잘게 썰어 볶는다. 그리고 찧어 가루를 쳐서 물에 타 먹으면 1발(鉢)의 물이 1우(盂)의 밥을 당할 만하여 조석을 건넬 수 있다. 만약 가을이 되기 전에 벤 것은, 떨어낸 짚을 볶아서 찧어 가루를 만들어 위의 방법처럼 하여 먹을 수 있다. 그러나 가을

85) 삼(糝) : 나물류에 곡식 가루를 섞어서 만든 음식.

이 지난 뒤에 벤 것은 단식(單食)할 수 없고 모름지기 곡식 가루에 타서 먹어야 된다. -『구황촬요』-

장(醬)을 만드는 방법은, 대두엽(大豆葉 콩잎)을 깨끗이 씻은 다음 삶아서 즙이 진하게 되기를 기다렸다가 항아리에 가득하게 넣고 분량에 맞게 소금을 넣으면 청장(淸醬)이 만들어지는데, 맛이 두장(豆醬)보다 낫다. -『고사촬요』·『구황촬요』-

또 다른 방법은, 대두각(大豆殼)을 문드러지게 삶아서 소금을 섞고 간간이 막장[末醬]을 넣어 담가서 장을 만들면 매우 좋다. 막장을 넣지 않아도 된다. 그런데 삶기 전에 물에 담가서 독기(毒氣)를 제거하고 삶아서 써야 한다. 그렇지 않으면 반드시 사람을 상(傷)하게 된다. -『고사촬요』·『구황촬요』-

또 다른 방법은 사삼(沙蔘)과 길경(桔梗)의 노두(蘆頭)를 제거하고 씻어 말린 다음 가루로 만들어서 체[篩]로 쳐서 자루에 넣어 물에 담근다. 그리하여 쓴맛을 제거하고, 꼭 짜 물을 제거한 다음 항아리에 넣고는 가루 10말이라면 막장 1~2말을 그 위에 넣고, 염수(鹽水)로 적당하게 담가주면 모두 익어 장(醬)이 된다. 본방(本方)이 비록 이와 같으나 일찍이 시험해 보니 사삼(沙蔘)·길경을 많이 캐서 껍질을 벗기고 흙을 씻어 흐르는 물이나 우물물 속에 담가 둔다. 쓴맛이 없어지면 건져내어 물기를 없애고 문드러지게 찧은 다음 약간의 소금을 뿌려서 단단히 뭉쳐 막장[末醬] 모양으로 단(團)을 만든다. 그리하여 잠깐 말린 뒤에 항아리 속에 넣은 다음에 막장을 잰다. 이때 소금은 상례(常例)에 의하여 넣는다. 사삼과 길경을 막장[末醬]과 등분(等分)하는 것도 좋다. 익은 다음에는 장즙(醬汁)으로도 쓰고 반찬(盤餐)으로도 쓸 수 있으니, 쓰이지 않는 데가 없다. -『고사촬요』-

유실(楡實)로도 장(醬)을 만들 수 있다. -『구황촬요』-

청장(淸醬)을 만드는 방법은, 소금 7홉을 바싹 볶고, 진말(眞末 밀가루) 8홉을 소금과 섞어서 볶는다. 진말의 빛깔이 누렇게 되기를 기다려서 진감장(陳甘醬) 4홉과 물 6주발[鉢]을 섞어 4주발이 되도록 달이면 맛이 좋게 된다. -『고사촬요』·『구황촬요』-

대두(大豆) 1말을 문드러지게 삶고 진맥(眞麥 참밀) 5되를 정(精)하게 가려서 볶아 찧어 부순다. 그다음 두 가지를 합해서 온돌(溫堗)에 펴서 말리는데 빛깔이 누렇게 되는 것을 한도로 삼는다. 그리고 볕에 두세 번 말리어 바싹 말린 소금 6되를 탕수(湯水)에 화합하여 담가서 양지쪽에 놓아두고 자주자주 저어주면 7일이 지나면 장(醬)이 만들어진다. -『고사촬요』·『구황촬요』-

대두(大豆) 1곡(斛)을 문드러지도록 삶아 국자(麴子 누룩) 3되와 소금 4되와 합하여 찧어서 항아리에 넣고, 단단히 봉(封)해 양지쪽에 놓아두면 맛이 좋게 된다. -『구황촬요』·『고사촬요』-

한 방법은, 10말들이 항아리로 취(取)하여 항아리 중간에 나무 5~6매를 가로놓고 새끼줄로 망(網)을 뜨거나, 혹 짚을 엮어 작은 발을 만들어서 그 위에 펴서 위아래를 가로막고 막장 5말을 그 위에 부은 다음 소금물을 항아리에 가득 부어두면 익어서 청장이 항아리에 가득하게 된다. -『고사촬요』·『구황촬요』-

한 방법은, 대두엽(大豆葉 콩잎)을 문드러지게 삶아서 그 삶은 물과 잎을 항아리에 넣고 소금을 섞은 다음 막장을 적당하게 넣어서 익히면 청장이 만들어진다. -『고사촬요』·『구황촬요』-

소나무순으로 술 만드는 방법[松筍酒法]은, 소나무순[松筍]을 많이 따서 큰 항아리 속에 가득 담고 탕수(湯水)를 매우 따뜻하게 해서 항아리에 가득 부었다가 3일이 지난 뒤에 소나무순을 건져내고 체로 항아리 물을 걸러 찌꺼기를 버린다. 그 물을 도로 항아리에 붓고 점미(粘米 찹쌀) 1말을 쪄서 누룩 1되와 섞어 항아리 물로 술을 빚어 넣는다. 그리하여 항아리의 아궁이를 봉하여 두었다가 15일이 지난 뒤에 먹으면 그 맛이 매우 좋다. 여러 날이 지나도 변질되지 않는다. -『고사촬요』·『구황촬요』-

적선소주법(謫仙燒酒法)은, 백미(白米) 1되 5홉을 100번 씻어 하룻밤을 재워서 가루를 만들어 탕수(湯水) 4말로 죽을 쑤어 식기를 기다려 좋은 누룩가루 3되와 섞어서 항아리에 넣는다. 여름에는 3일, 겨울에는 5일이 지난 뒤에 점미(粘米) 1말을 100번 씻어서 하룻밤을 지나 술밥을 써 본주(本酒 위에서 설명한 술)와 화합(和合)하여 항아리에 넣어둔다. 그리고 익기를 기다려서 넷으로 나누어 내리면[注之] - 해석하기를, "소주를 내리는 것이다." 하였다. - 한쪽에서 내린 것이 4되가 나오니 도합 16되가 나오는데, 맛이 좋다. -『고사촬요』·『구황촬요』-

부(附) 벽한(辟寒)

천문동(天門冬)과 백복령(白茯苓)을 등분(等分)해서 가루로 만들어 술로 2전씩 복용하되 하루에 두 번씩 복용하면 아주 추울 때에 홑옷차림으로 다녀도 땀이 난다. -『증류본초』·『고사촬요』·『구황촬요』-

꿀[淸] 1숟갈을 먹으면 추위를 막는 데 제일 좋다. -『문생방』-

벽온 辟瘟

[벽온 서]

때의 기후[時氣]가 조화(調和)를 상실하면 해마다 온역(瘟疫)이 치성(熾盛)하게 된다. 그리하여 간혹 온 집안과 온 마을이 서로 전염이 되는데 아주 위험하고 두려운 일이다. 그리하여 혹은 그에 대한 예방으로 부적(符籍)이나 예방물을 차고 다니기도 하고 먹기도 하며, 불에 태우기도 하고 문 위에 붙이기도 하여 무릇 예방할 만한 것은 다 상고하여 행해야 한다. 그리고 온귀(瘟鬼)가 있는 곳에도 의당 살펴서 출입해야 한다. 이에 이 벽온(辟瘟)의 방법을 기록하여 제12편을 삼는다.

벽온

항상 계명시(鷄鳴時)에 마음을 깨끗이 하여 사해신(四海神)의 이름을 세 번씩 외면 백귀(百鬼)와 온역 및 화재(火災)를 물리치는 데 매우 효력이 있다.

사해(四海)의 신(神) 이름은 다음과 같다. 동해신(東海神)의 이름은 아명(阿明), 남해신(南海神)의 이름은 축융(祝融), 서해신(西海神)의 이름은 거승(巨乘), 북해신(北海神)의 이름은 우강(禺强)이다. -『동의보감』·『고사촬요』-

원범회막(元梵恢漠) 4자를 주서(朱書)로 써서 차고 먹는다. -『고사촬요』-

석웅황(石雄黃)을 차고 다니는 사람에게는 귀신(鬼神)이 감히 가까

이 하지 못한다. -『고사촬요』-

천금목(千金木) - 붉나무 - 을 깎아 갓끈[笠纓]을 만들거나 구슬을 만들어 찬다. -『고사촬요』,『지봉유설(芝峰類說)』에도 천금목(千金木)은 벽사(辟邪), 벽온(辟瘟)을 한다고 하였다. -

마제설(馬蹄屑) 2냥을 붉은 비단주머니[絳囊]에 담아서 남자는 왼쪽, 여자는 오른쪽에 차고 다닌다. -『고사촬요』-

무성자(務成子)[86]의 형화환(螢火丸)은 웅황(雄黃)·자황(雌黃) -『본초(本草)』에 "정(精)하고 밝은 것이 웅황(雄黃)이다." 하였고,『의학입문(醫學入門)에 "산(山)의 양지에서 나온 것은 웅황(雄黃)이고 산의 음지에서 나온 것은 자황(雌黃)인데, 붉기가 계관(鷄冠)과 같고 맑아 속까지 들여다보이는 것이 좋다." 하였다. - 각 2냥, 형화(螢火)·귀전우(鬼箭羽)·질려자(蒺藜子)·백반소(白礬燒) 각 1냥, 영양각(羚羊角)·단조회(鍛竈灰)·철퇴병(鐵槌柄) - 쇠에 들어갔던 곳을 채취한다. - 각 2전 반 이상의 약을 가루로 만들어 계자황(鷄子黃 계란의 노른자)과 웅계관(雄鷄冠)의 피에 개어 행인(杏仁) 크기로 만들어서 강낭(絳囊)을 삼각(三角)으로 꿰매어 그 속에 5알을 담아 좌비(左臂) 위에 차고 다닌다. 또 문 위에 걸어 놓아도 좋다. 이렇게 하면 온역(瘟疫)·악기(惡氣)·귀신[百鬼]·호랑이[虎狼]·뱀[蛇虺]·벌[蜂蠆]의 독(毒)과 병기[白刃]와 도적(盜賊)의 흉한 재해를 물리칠 수 있다.

옛날 유자남(劉子南)이 이 처방을 사용하였었는데, 그 뒤에 오랑캐와 싸우다가 패(敗)하여 포위를 당했었다. 그런데 적이 쏜 화살이 자남(子南)의 수척(數尺) 앞에까지 와서는 모두 땅으로 떨어지자 오랑캐들이 신인(神人)이라 하고 포위를 풀고 갔다고 한다. -『동의보감』-

태을유금산(太乙流金散)은, 웅황(雄黃) 1냥 반, 영양각(羚羊角) 1냥, 자황(雌黃)·반석(礬石)·귀전우(鬼箭羽) 각 7전 반이다. 위 약을 추

86) 무성자(務成子) : 상고인(上古人). 이름은 소(昭), 또는 부(跗)라고도 하는데 순(舜)의 스승이었다.『荀子大略』

말(麤末)하여 강낭을 삼각으로 지어 1냥을 담아서 가슴 앞에 차고 아울러 문 위에도 걸어둔다. 또 약간을 청포(靑布)에 싸서 중정(中庭)에서 태우면 온역을 물리칠 수 있다. -『동의보감』-

칠물호두원(七物虎頭元)은, 호두골(虎頭骨)·주사(朱砂)·웅황(雄黃) 각 1냥 반, 자황(雌黃)·무이(蕪荑)·조협(皁莢)·귀구(鬼臼) - 대저 천남성(天南星)과 비슷하여 분별하기가 어렵다. 그러나 남성(南星)은 작고 귀구(鬼臼)는 크다. - 각 1냥을 가루로 만들어 납(蠟)을 용해해서 개어 탄자(彈子) 크기로 환(丸)을 만든다. 그리하여 홍견대(紅絹帒)에 1알을 넣어 남자는 왼쪽, 여자는 오른쪽 비상(臂上 전대 팔. 즉 팔꿈치에서 어깨 사이임)에 차며 또 집의 사각(四角)에 매달아 둔다. 만약 가까운 지역에 온역이 발생되었을 때에는 그믐날과 보름날 밤중에 문에서 1알을 태우고 새벽에 일어나서는 각 사람마다 소두(小豆) 정도 크기로 1알씩 먹으면 전염(傳染)되지 않는다. -『동의보감』-

노군신명산(老君神明散)은 포(炮)한 천오(川烏) 4냥, 포한 부자(附子)·백출(白朮) 각 2냥, 길경(桔梗)·세신(細辛) 각 1냥을 추말(麤末)하여 강견대(絳絹帒)에 담아 휴대하면 한동네 사람들이 모두 무병하게 된다. -『동의보감』-

소합향원(蘇合香元) 9알을 1병의 청주(淸酒) 속에 담갔다가 때때로 마시면 귀역(鬼疫)을 물리치는 데 가장 좋다. 또 강낭(絳囊)에 3알을 담아 가슴에 띠고 다녀도 좋다. -『동의보감』·『고사촬요』-

도소음(屠蘇飮)은, 백출(白朮) 1냥 8전, 대황(大黃)·천초(川椒)·길경(桔梗)·계심(桂心) 각 1냥 반, 호장근(虎杖根) 2냥 2전, 천오(川烏) 6전을 썰어 강낭에 담아서 12월 그믐날에 우물에 담가둔다. 이것을 원일(元日 정월 초하루) 이른 아침에 꺼내어 2병의 청주(淸酒) 속에 넣고 두어 번 끓도록 달인다. 그리하여 약이 다 달여지면 동향(東向)하고 앉아서 1잔을 마시되 소년서부터 늙은이까지 사흘 동안 아침에 먹는다. 그리고 찌꺼기는 도로 우물 속에 담가둔다. 한 사람이 마시면 한 집안이 역(疫)이 없게 되고, 한 집안이 마시면 한 마을이 역(疫)이 없게 된다. -『동의보감』·『고사촬요』-

선성벽온단(宣聖辟瘟丹)은, 섣달 24일 평조(平朝)에 정화수(井華水)를 떠서 깨끗한 그릇에 담고 식구(食口)의 다소를 헤아려서 유향(乳香)을 담갔다가 세조(歲朝 설날 아침) 오경(五更)에 탕(湯)하여 따뜻하게 만들어서 소년부터 늙은이까지 모두 유향(乳香)의 작은 덩어리 하나씩을 물과 같이 먹는데, 1~2모금을 먹으면 2년간은 시역(時疫)에 걱정이 없다. -『동의보감』·『고사촬요』-

무릇 역병(疫病)이 처음으로 일어날 때에 향소산(香蘇散)을 큰 노구솥에 달여 사람마다 한 사발씩 먹으면 예방(豫防)할 수 있다. 향부자(香附子)·자소엽(紫蘇葉) 각 2전, 창출(蒼朮) 1전 반, 진피(陳皮) 1전, 구(灸)한 감초(甘草) 5푼을 썰어 1첩(貼)을 만들어서 생강 3편 총백(蔥白) 2경(莖)을 넣어 달여 먹는다. -『동의보감』·『구황촬요』-

측백(側柏)의 동향(東向)인 잎을 따서 말린 다음 세말(細末)해서 탕(湯)이나 술에 타 먹는다. -『고사촬요』-

7월 7일에 남자는 대두(大豆) 7매를 먹고 여자는 소두(小豆) 14매(2×7)를 먹는다. -『고사촬요』-

동쪽으로 향한 복숭아 나뭇가지를 잘게 썰어서 삶은 탕에 목욕(沐浴)을 한다. -『고사촬요』-

신성벽온단(神聖辟瘟丹)은 창출(蒼朮) 2냥, 강활(羌活)·독활(獨活)·백지(白芷)·향부자(香附子)·대황(大黃)·감송(甘松)·삼내자(三乃子)·적전(赤箭)·웅황(雄黃) 각 1냥이다. 위 약을 가루로 만들어 면호(麪糊 밀가루 풀)에 개어 탄자(彈子) 크기로 환(丸)을 만들고 황단(黃丹)으로 의(衣 환약의 거죽에 발라 싼 것)해서 볕에 쬐어 말렸다가 정조(正朝 정월 초하루 아침)의 이른 새벽에 1주(炷 심지)를 사른다. -『동의보감』-

창출(蒼朮)을 불사르면 역기(疫氣)를 물리치는데, 마른 소똥을 태워

도 좋다. -『고사촬요』-

제야(除夜 섣달 그믐날 밤)에 정중(庭中)에서 폭죽(爆竹)을 하면 온역(瘟疫)을 물리친다. -『고사촬요』-

단오일(端午日)에 쑥으로 사람 형상을 만들어 문 위에 달아맨다. -『고사촬요』-

"[illegible]" 이 네 글자를 주사(朱砂)로 크게 써서 문(門)의 좌우(左右)에 붙인다. -『고사촬요』-

전염(傳染)되지 않게 하는 방법은, 온역을 앓는 집에서는 자연히 악기(惡氣)가 생기므로 그 악기를 맡으면 즉시 전염된다. 그러니 향유(香油)로 코끝을 문지르거나, 또는 종이를 꼬아서 코를 더듬어 재채기를 내면 좋다. -『동의보감』·『고사촬요』-

석웅황(石雄黃) 가루를 향유에 개어 -『동의보감』에는 "물에 갠다"고 하였다. - 진하게 콧구멍 속에 바르면 비록 앓는 사람과 침상(寢床)을 같이하더라도 서로 전염되지 않는데, 처음 세면(洗面)한 뒤나 잠자리에 들 때에 바른다. -『동의보감』·『고사촬요』-

온역을 앓는 집에 들어갈 때에는 종이를 꼬아 향유에 담갔다가 웅황(雄黃)·주사 가루를 함께 묻혀서 귓구멍과 콧구멍 안에 넣어 두면 더러운 독기를 물리치는 데에 가장 좋다. -『동의보감』-

역병(疫病)을 앓는 집에 들어갈 때에는 먼저 문(門)을 열어놓고 큰 노구솥에 물 2말을 담아 당(堂) 중심(中心)에 놓은 다음 소합원(蘇合元) 20알을 달이게 하면 그 향기가 역기(疫氣)를 물리친다. 그리고 병자(病者)와 의자(醫者)가 각각 한 그릇씩 마신 뒤에 들어가 진찰하면 서로 전염되지 않는다. -『동의보감』·『고사촬요』-

역(疫)을 앓는 집에 들어갈 때에는 행동(行動)이 조용해야 하며 왼쪽으로 들어가야 한다. 남자(男子)가 병을 앓을 때에는 나쁜 기운[穢氣]이 입에서 나오고, 여자(女子)가 병을 앓을 때에는 나쁜 기운이 음호(陰戶)에서 나오는 것이니 병자와 마주보고 앉을 때나 섰을 때에는 반드시 그 향배(向背)를 알아야 한다. 그리고 나온 뒤에는 종이를 꼬아 콧속을 더듬어 재채기를 내는 것이 좋다. -『동의보감』·『고사촬요』-

무릇 역(疫)을 앓는 집에 들어갈 때는 오른손 가운뎃손가락으로 차(次) 자를 써서 굳게 쥔다. -『고사촬요』-

재채기 내는 법은, 조협(皁莢)을 구(灸)하여 껍질을 제거하고 가루를 만들어 매번 조금씩 콧구멍에 불어넣어서 재채기를 낸다. 반하(半夏) 가루도 좋다. 만약 이러한 약이 없으면 종이를 꼬아 콧구멍을 더듬어서 재채기를 낸다. -『고사촬요』-

날짜에 따라 온귀(瘟鬼)가 있는 곳이 있으니 온역을 앓는 집에 들어갈 때는 마땅히 피해야 한다. 그 방위는 다음과 같다.

1일에는 정중(庭中)에 있고, 2일에는 동쪽 벽 아래에 있다. 3일에는 대문(大門)에 있고, 4일에는 중문(中門)에 있다. 5일에는 밖에 있고, 6일에는 동쪽 벽 아래에 있다. 7일에는 서쪽 벽 아래에 있고, 8일에는 서쪽 벽 아래에 있으며, 9일에는 밖에 있고, 10일에는 밖에 있다. 11일에는 서쪽 벽 아래 있으며, 12일에는 방(房) 안에 있다. 14일에는 남방(南方)의 길 위에 있으면서 객(客)을 기다리며, 15일에는 후문(後門)에 있으면서 객을 기다린다. 21일에는 동방(東方)의 과실나무 밑에 있고, 22일에는 당(堂) 앞에 있다. 23일에는 길 위의 제객(諸客)과 육친(六親)에게 있고, 25일에 길 위의 사인(師人)에게 있으며, 27일에는 병 앓는 사람의 침상(寢床) 가에 있다. 28일에는 북방(北方)의 우물가에 있고, 29일에는 사당에 있으며, 30일에는 병 앓는 사람의 침상 위에 있다.

시간에 따라 온귀가 드나들고 머물러 있는 곳이 있다. 그것은 다음과 같다.

자일(子日)에는 오시(午時)에 들어왔다가 신시(申時)에 나가며, 대문(大門)에 있다. 축일(丑日)에는 미시(未時)에 들어왔다가 유시(酉時)에 나가며 대청(大廳)에 있다. 인일(寅日)에는 신시에 들어왔다가 술시(戌

時)에 나가며, 앞집[前宅]에 있다. 묘일(卯日)에는 유시에 들어왔다가 해시(亥時)에 나가며, 집 안의 병 앓는 사람의 몸에 있다.

진일(辰日)에는 술시(戌時)에 들어왔다가 자시(子時)에 나가며, 약점(藥店)에 있다. 사일(巳日)에는 해시(亥時)에 들어왔다가 축시(丑時)에 나가며 후문(後門)에 있다. 오일(午日)에는 자시에 들어왔다가 인시(寅時)에 나가며 중청(中廳)에 있다. 미일(未日)에는 축시에 들어왔다가 묘시(卯時)에 나가며 동방에 있다.

신일(申日)에는 인시(寅時)에 들어왔다가 축시에 나가며, 동방에 있다. 유일(酉日)에는 축시에 들어왔다가 오시(午時)에 나가며, 가후(家後)에 있거나 병 앓는 사람의 몸에 있다. 술해일(戌亥日)에는 서남북방(西南北方)에서 신시(申時)에 들어오며, 병 앓는 사람의 문(門)에 있다.

역기(疫氣)가 처음 발생(發生)했을 때는 갱미(粳米) 반 되와 뿌리가 달린 총백(葱白) 20경(莖)을 물 2사발에 넣고 달인 다음 죽을 쑤어서 여기에다 좋은 초(醋)를 작은 사발로 한 사발을 넣고 다시 달여 한소끔 끓여 한 사발을 먹고 땀을 내면 즉시 낫는다. -『오방』-

또 갈근(葛根) 4냥 메주[豉] 1되를 함께 달여 먹는다. -『오방』-

또 승마(升麻)·형개수(荊芥穗)·소엽(蘇葉)을 진하게 달여 먹고 땀을 낸다. -『오방』-

맨 처음 두통(頭痛)을 깨달았을 때 개자(芥子)를 가루로 만들어 제중(臍中)을 채우고 옷 한 겹을 덮고 뜨거운 물건으로 눌러주면 즉시 땀이 나고 낫는다. -『윤방』-

열병(熱病)으로 발광(發狂)할 때에는 야인건(野人乾) - 바로 인분(人糞)이 마른 것이다. - 을 백비탕(百沸湯)에 타서 먹이거나, 또는 수퇘지똥을 물에 적시었다가 즙을 짜 먹인다. 또 지룡(地龍)의 즙을 먹이거나 납설수(臘雪水)를 먹인다. 또 물속에 나는 이끼를 건져 찧어서 즙을 내어 먹이면 모두 효력이 있다. -『윤방』-

대두온(大頭瘟)[87]을 앓는 자가 두면(頭面)이 말[斗] 같이 종대(腫

大)되면서 혹 터져 고름이 나오게 되는데 이것에 전염(傳染)된 자는 10명이면 8~9명은 죽는다. 약을 코에 넣었을 때 재채기를 하는 자는 치료할 수 있고, 재채기를 않는 자는 치료할 수 없다. 그리고 병 앓는 사람에게 매일 재채기 약을 차례로 사용하여 독기(毒氣)를 배설시키고 좌우에서 병자를 간호하는 사람도 날마다 약을 사용하여 재채기를 하면 반드시 전염되지 않으며, 10일을 지나면 치료하지 않아도 저절로 낫는다. -『윤방』-

재채기 약은 현호색(玄胡索) 1냥 반, 조각자(皁角刺)·천궁(川芎) 각 1냥, 여노(藜蘆) 5전, 척촉화(躑躅花) 2전 반을 가루를 만들어 조금씩 콧속에 넣으면 재채기를 하게 된다. -『윤방』-

치료하는 방법은 대황(大黃) 주증(酒蒸) 4냥, 조각자(皁角刺) 2냥을 가루로 만들어 면호(麪糊)에 개어 녹두(綠豆)만 한 크기로 환(丸)을 만들어 매번 50알이나 70알씩을 녹두 달인 탕으로 먹고 땀을 많이 내면 효력이 있다. -『윤방』-

또 강활(羌活)·주초(酒炒)한 황금(黃芩)·주증(酒蒸)한 대황(大黃) 각 1전을 물에 달여 때때로 먹이면 효과가 있다. -『윤방』-

두면(頭面)이 종성(腫盛)하면 빙 둘러 침으로 찌르고 악혈(惡血)을 빼내면 효과가 있다. -『윤방』-

온병(瘟病)에 걸린 지 3일 안에는 구미강활탕(九味羌活湯)을 하루에 두 번씩 먹여 땀을 내면 즉시 낫는다. 탄자(彈子)만 한 크기로 환(丸)을 만들어 갈아 먹여도 효과적이다. -『문견방』 처방(處方)은 위의 상한(傷寒) 조에 보였다. -

87) 대두온(大頭瘟): 두통(頭痛)·발열(發熱)이 심하고 얼굴과 귀의 앞뒤가 부어 오르며 때로는 목구멍 속이 붓고 벌겋게 되는 병이다. 노두풍(顱頭風), 이두온(狸頭瘟), 시독(時毒)이라고도 한다.

벽충 辟蟲

[벽충 서]

산골은 성시(城市)와 달리 그 처지(處地)가 궁벽하고 누추하며 숲이 우거져 있기 때문에 사갈(蛇蝎)·문망(蚊蝱)·조슬(蚤虱) 등 사람에게 해를 끼치는 것들이 매우 많으니 어찌 두렵지 않을 수 있겠는가? 그래서 예방의 글자를 써 붙이거나 약을 휴대하기도 하고, 훈약(薰藥)을 태우거나 자리에 깔거나 뿌리기도 하는데, 모두 그 피해를 제거할 수 있다. 이에 벽충(辟蟲)하는 방법을 기록하여 제13편을 삼는다.

벽충

뱀을 물리치는 방법은, 거위를 기르면 뱀을 물리칠 수 있다. -『증류본초』-

영양각(羚羊角)을 태우면 뱀이 즉시 멀리 간다. -『증류본초』-

네 벽(壁) 기둥 위에, 역류하는 물(倒流水)[88]을 떠다가 먹을 갈아 '용(龍)' 자를 써서 붙인다. -『신은지』-

벽돌과 기와[瓴瓦]의 작은 조각을 많이 사용하여 '의방(儀方)' 두 글자를 써서 사방에 놓아두면, 뱀이 보고 무서워서 스스로 물러간다. -『신은지』-

단오일(端午日)[89] 오시(午時)에 주사(朱砂)로 '다(荼)' 자를 써서 거꾸로 붙여두면, 사갈(蛇蝎)이 감히 가까이 오지 못한다. -『신은지』-

---

88) 역류하는 물[倒流水]: 거꾸로 흘러드는 물, 즉 역류(逆流)를 말한다. 물길이 막혀 물이 차게 되면 물이 거슬러 위로 흐르게 되는 유(類)이다.
89) 단오일(端午日): 음력(陰曆) 5월 5일. 단양(端陽)이라고도 한다.

청명일(淸明日)[90]에 술방(戌方)의 흙을 파다가 개꼬리[狗尾]를 잘라 삶은 물로 진흙을 개어 집 안의 구멍난 곳을 막으면 뱀과 쥐는 물론이고 모든 벌레가 영원히 들어오지 못한다. -『거가필용』-

무릇 산길을 다닐 때는 웅황(雄黃)을 휴대하여 몸에 간직하고, 혹 물에 갈아서 발바닥에 바르면 뱀이 스스로 멀리 피하고 감히 가까이 오지 못한다. -『신은지』·『증류본초』-

산림(山林)에 들어갈 때에는 속으로 '의방(儀方)'을 외우면 사충(蛇虫)이 보이지 않는다.

연소(燕巢 제비집) 때문에 뱀을 유인하게 되는데 무(戊) 자를 써서 제비가 오는 곳에 붙여두면 오지 못한다. -『신은지』-

백지(白紙)에 주사(朱砂)로 '봉황(鳳凰)' 두 자를 써서 제비집 위에 붙여 두면 즉시 가버린다. -『신은지』-

쥐를 물리치는 방법은 나무에 고양이 모양을 새기고 적서시(赤鼠屎)에다 채색(綵色)을 타서 칠해 놓으면 쥐가 그것을 보고 저절로 달아난다. -『신은지』-

검은 개[黑犬]의 피를 게[蟹]에 섞어 태우면 모든 쥐가 다 가버린다. -『신은지』-

큰 숫쥐[大雄鼠] 한 마리를 잡아 그 불알을 발라내고 놓아주면 집에 가득한 쥐를 물어 죽이기를 고양이처럼 한다. -『신은지』-

연꽃[荷花] 대궁으로 쥐구멍을 굳게 막아두면 쥐가 스스로 가버린다. -『사시찬요보』-

매월(每月) 진일(辰日)에 -『산거사요』에는 "정월(正月) 진일(辰日)이라." 하였다. - 쥐구멍을 막으면 저절로 쥐가 없어진다. -『신은지』-

인일(寅日)을 만나 어느 물건으로든 쥐구멍을 막으면 쥐가 저절로 없어진다. -『사시찬요보』-

---

90) 청명일(淸明日) : 24절기(節氣)의 하나. 춘분(春分)과 곡우(穀雨)의 사이로 양력 4월 5~6일경이다.

달마다 경인일(庚寅日)과 임진일(壬辰日), 만일(滿日) 및 정월 상진일(上辰日)[91]에 쥐구멍을 막는다. -『거가필용』-

3월 경오일(庚午日)에 쥐꼬리를 잘라 피를 내서 들보[樑]에 바르면 영원히 물리칠 수 있다. -『거가필용』·『사시찬요』-

우방자(牛蒡子) 껍질[殼]은 비마자(萆麻子)의 껍질과 같으나 찌르는 끝이 있으며 거꾸로 갈고리 진 것이 있다. 쥐가 매우 무서워하는 것으로 그것이 쥐의 몸에 붙어 있으면 즉시 죽는다. 그러므로 서점자(鼠粘子)라 하는데 쥐구멍에 놓아두면 쥐를 쫓을 수 있다. -『신은지』-

모기를 물리치는 방법은, 풍(風) 자와 간(間) 자를 써서 창벽(窓壁) 아래에 붙이면 모기가 없어진다. -『신은지』-

부평(浮萍)·강활(羌活)을 가루로 만들어 태우면 모기가 저절로 죽는다. -『신은지』-

별각(鱉殼)·야명사(夜明砂)를 가루로 만들어서 태운다. -『신은지』-

야명사(夜明砂)를 태워 연기를 내면 모기를 물리칠 수 있다. -『신은지』-

사일(社日)[92]에 제사 지내고 남은 술을 집의 사벽(四壁)에 뿜으면 모기를 물리칠 수 있다. -『신은지』-

제야(除夜) 오경(五更 새벽 세시서 다섯 시까지이나 여기서는 밤중을 말함)에 한 사람을 시켜 당중(堂中)에서 당(堂)을 향하고 부채질을 하게 하고는 한 사람이 묻기를.

"부채질을 왜 하는가?"

하면, 대답하기를,

"모기에게 부채질을 하고 있소."

---

91) 상진일(上辰日) : 음력(陰曆)으로 매달 첫 번째로 드는 진일(辰日).

92) 사일(社日) : 춘분(春分) 및 추분(秋分)에서 가장 가까운 앞뒤의 무일(戊日). 춘분(春分)의 것을 춘사(春社), 추분(秋分)의 것을 추사(秋社)라고 하는데, 춘사에는 곡식의 성육(成育)을 빌고 추사에는 수확(收穫)을 감사한다.

한다. 그렇게 하면 모기가 없어진다. -『신은지』-

단오일(端午日) 오경(五更)에 앞의 방법대로 부채질 하면서 묻고 대답하면 더욱 효험이 있다. -『신은지』-

단오일에 큰 하막(蝦蟆 두꺼비) 1마리를 잡아다가 좋은 먹 1괴(塊)를 입 안에 넣어주고 홍선(紅線)으로 잡아매놓았다가 정오(正午) 때에 구덩이를 5촌 깊이로 파고 묻어둔다. 묻은 지 2일이 되는 날 오시(午時)에 하막 입 속의 먹[黑]을 꺼내어 벽상(壁上)에 호로(葫蘆 호리병박. 꼭지 달린 조그만 박) 1개를 그려 놓고 3일간을 깨끗한 물로 뿜어주면 모기가 모두 호로 속으로 들어가는데 타살(打殺)해서는 안 된다. 그 모기들이 가려고 할 때에 부채로 부쳐 가게 하고 묵하막(墨蝦蟆)을 꺼내봐서 살아 있으면 효험(效驗)이 있다. -『신은지』-

단오일에 마선(痲線 삼으로 꼰 실) 1조(條)로 상(床)을 두 번 빙 둘러 감고 편복(蝙蝠 박쥐)의 피를 상의 사면(四面)에 바르면 모기가 끊어진다. -『신은지』-

단오일에 부평(浮萍)을 채취하여 음건(陰乾)했다가 태워 연기를 내면 모기가 저절로 없어진다. -『동의보감』·『신은지』·『사시찬요』,『사시찬요』에는 "문예(蚊蚋)와 오공(蜈蚣)·가[虱]가 제거된다." 하였다. -

만려어(鰻鱺魚) - 뱀장어[蛇長魚] - 를 말렸다가 방안에서 태우면 모기가 화하여 물로 된다. -『동의보감』·『사시찬요』-

단오일에 납설수(臘雪水)를 뜨락에 뿌리면 모기와 파리[蚊蠅]가 없어진다. -『신은지』-

토폐일(土閉日)에 벽을 바르고 수폐일(水閉日)에 장(帳 장막)을 걸면 모기와 파리가 없어진다. -『산거사요』·『거가필용』,『거가필용』에 "여러 번 효험이 있었다." 하였다. -

벼룩 이[蚤虱]를 물리치는 방법은, 창포(菖蒲)·총(蔥)·부평(浮萍) 각 1근을 만들어 가루로 매번 반 잔(半盞)씩을 자리 위에 뿌리면, 다음날에는 저절로 죽는다. -『고사촬요』,『신은지』에 "개벼룩[狗蚤]을 퇴치(退

治)한다." 하였다. -

건창포(乾菖蒲)를 잘게 썰어 자리 밑에 둔다. 또는 사향(麝香) 조금을 자리 위에 붙여 놓으면 모두 제거할 수 있다. -『고사촬요』-

납설수(臘雪水)를 날마다 자리[薦席]에 뿌려주면 벼룩과 이를 제거할 수 있다. -『신은지』-

무릇 사람이 의복(衣服)을 세탁(洗濯)할 때에 분강(粉糨 풀주머니) 안에 수은(水銀)을 조금 넣고 연(硏)하여 고루 섞이게 해서 옷을 풀먹이면[糨衣] 그 뒤로는 이[虱]가 영영 생기지 않는다. -『동의보감』-

비상(砒霜)을 휴대하고 다니면 벼룩과 이를 물리칠 수 있다. -『증류본초』-

북방(北方 북쪽 방위)에 내린 이슬[氣子]을 붓끝에 빨아들여 그것으로 '흠심연묵칠(欽深淵默漆)' 5자를 써서 상장(牀帳 침상을 덮어놓은 장막)에 두면 이가 제거된다.[93] 개벼룩을 물리치는 방법은 창포(菖蒲) 가루를 만들어 자리 위에 뿌려 놓으면 아주 효험이 있다. -『신은지』-

복령(茯苓) 가루를 인석(茵席 자리) 밑에 뿌려 둔다. -『신은지』-

좋은 모과(木瓜)를 썰어 조각을 내침상(內寢床) 밑에 깔아 둔다. -『신은지』-

청명일(淸明日)에, 다리미[熨斗] 안에 불을 붙이고 대추씨[棗子]를 침상(寢床) 아래에서 볶아 장내(帳內) 상하(上下)로 연기를 나가게 하고, 한 사람을 시켜,

"무엇을 볶고 있는가?"

하고, 물으면,

"지금 개벼룩[狗蚤]을 볶고 있소."

라고 대답한다. 이와 같이 일곱 번 묻고 일곱 번 대답하면 개벼룩이 생

93) 북방(北方)에 …… 제거된다 : 이 부분은 한독본(韓獨本)에 의하여 보충하였다.

기지 않는다. -『신은지』-

단오일(端午日)에 다리미에다 한 개의 대추를 태워 침상 아래에 놓아두면 개벼룩이 생기지 않는다. -『신은지』-

이상의 모든 방법은, 또한 벽슬(壁虱 빈대)도 처치한다.

3월 3일에 제채화(薺菜花)를 따다가 침상(寢床)의 자리 밑에 깔아두면 벼룩이 제거된다. -『신은지』-

벽슬을 물리치는 방법은, 종이에다 "우리 청주 목과의 돈을 축냈다.[欠我青州木瓜錢]" 7자(字)를 써서 침상 다리[床脚]에 붙여 놓으면 홀연(忽然)히 보이지 않는다. 어떤 데에는 "장삼현이 목과를 사고는 돈을 건네지 않은 채 한번 가더니 삼십 년이 되었다.[張三賢買了木瓜不還錢一去三十年]"라고도 쓰는데, 이것을 써서 침상 다리에 붙여 놓으면 또한 효험이 있다. -『신은지』-

백마제(白馬蹄 흰말의 발굽)를 침상의 아래에서 태우면 벽슬(壁虱)이 모두 화(化)하여 피로 된다. -『신은지』-

사향각(麝香殼) 3개를 가루로 만들어 자리 아래에 놓아두면 즉시 제거된다. -『신은지』-

날료(辣蓼)를 볕에 말려 자리 밑에 깔아두면 즉시 제거된다. -『신은지』-

마름[萍]을 태워 그 연기로 훈하면 즉시 제거되며 오공(蜈蚣)도 물리칠 수 있다. -『동의보감』-

기슬(蟣虱)94)을 물리치는 방법은, 창포(菖蒲)·신국(神麴)·백반(白礬) 각 반 냥, 초석(硝石) 1푼 흑석(黑錫) 1냥을 우선 냄비에다 흑석(黑錫)을 녹이고 거기에 백반과 초석을 넣고 갈아서 가루로 만든다. 그리고 창포와 신곡가루를 넣어서 물에 넣고 함께 달여 면대(綿帶 무명으로 만든 띠)를 다소에 구애치 말고 한 번 밥 지을 동안을 말린다. 그리

---

94) 기슬(蟣虱) : 사람에 기생하는 이[虱]로서 옷엣니와 머릿니를 통틀어 일컫는다.

하여 매조(每條)에 수은(水銀) 1수(銖)를 손바닥[手心]에 놓고 침을 뱉어 진흙과 같이 갠 다음 띠 위에 발라서 허리 및 머리에 띠고 또한 의복(衣服) 위에 띠면 영영 기슬이 없어진다. -『신은지』-

누구든지 이[虱]가 많은 자는 겨울이 되려 할 때 수은(水銀) 2~3전, 납다(臘茶)95) 1전을 손바닥에 놓고 침을 뱉어 갠 다음, 막 피려는 목화로 노를 꼬아 손바닥 위에 놓고 고루 비빈다. 비단[絹]으로 대(帶)를 만들어 그것을 싸서 허리춤에 매어 둔다. -『신은지』-

백부(百部)·진범(秦艽) 각 1냥을 합하여 찧어서 가루로 만들어 태워 연기를 낸다. 그리고 훈롱(燻籠) 위에 옷을 놓고 훈하면 이[虱]가 저절로 다 떨어진다. -『신은지』·『거가필용』, 『거가필용』에 "만약 위의 두 가지 약을 달인 탕으로 옷을 세탁하면 더욱 신묘하다." 하였다. -

머리 이[頭虱]를 없애는 방법은, 여로(藜蘆)를 가루로 만들어 머리카락 속에 뿌리고서 하룻밤이 지나면 이[虱]가 모두 떨어진다. -『신은지』, 『거가필용』에 "여노(藜蘆)·백부(百部)를 함께 찧어 가루로 만들어서 머리털 속에 뿌려주고 비벼준다." 하였다. -

약간의 경분(輕粉)을 머리 위에 1~2일 발라두면 이가 모두 죽는다. -『신은지』-

파리를 물리치는 방법은, 단오일(端午日) 오시(午時)에 백(白) 자를 써서 기둥 위의 네 곳에 거꾸로 붙여 놓으면 파리가 없어진다. -『신은지』-

납설수(臘雪水)로 우연히 책상과 상자[几楪]에 뿌리고 닦은 적이 있는데 파리가 저절로 제거되었다. -『신은지』-

납평일(臘平日)에 병기(甁器 병을 말함)에다 저방지(猪肪脂) 4~5냥을 담고 병아가리를 잘 봉하여 당상(堂上)과 방안과 부엌 안과 각 청에 1병씩 놓아두면 여름에 비록 파리가 있더라도 10에 8~9는 제거된다. -『거가필용』·『사시찬요』-

---

95) 납다(臘茶) : 작설차(雀舌茶)를 말한다. 납설수(臘雪水)를 말하기도 하나 여기에는 작설차를 말한 것이다.

납월(臘月) 8일에 돼지기름을 측간(厠間) 위에 달아두면 온 집에 파리가 없어진다. -『신은지』-

원일(元日 정월 초하루) 평조(平朝)에 염시(鹽豉 된장) 7립(粒)을 먹으면 일년 내내 식사하는 중에 파리를 먹지 않게 된다. -『신은지』-

부엌의 모든 벌레를 물리치는 방법, 3월 2일 계명시(鷄鳴時)에 격숙랭취탕(隔宿冷炊湯) - 묵은 숭늉 - 으로 병구(甁口)와 반증(飯甑)과 모든 주물(廚物)을 씻으면 영영 백충(百蟲)이 유주(遊走)하여 해를 끼치는 일이 없다. -『거가필용』-

3월 3일에 제채화(薺菜花)를 따서 부뚜막에 펴놓으면 벌레와 개미가 제거된다. -『신은지』-

우물[井甃]의 벌레를 물리치는 방법은, 청명 전(淸明前)의 2일 밤 계명시(鷄鳴時)에 서미(黍米)로 밥을 지어 익히고 솥 안의 탕(湯)으로 정구옹(井口甃 우물의 위로 올라오게 쌓은 부분)의 둘레를 두루 씻으면 마황(馬蟥)이 없어지고 백충이 정옹(井甃)에 가까이 오지 못하게 하는데 매우 효험이 있다. -『신은지』-

오적골(烏賊骨)을 우물에 넣어두면 벌레가 모두 죽는다. -『증류본초』-

모든 물건에서 좀벌레의 피해를 물리치는 방법은 망초(莽草)를 태워 연기를 내서 훈(熏)하면 좀벌레[蛀蟲]가 모두 없어진다. -『신은지』-

7월에 각호(角蒿)를 거두어 전욕(氈褥)이나 서적(書籍) 속에 넣어두면 좀벌레를 물리칠 수 있다. -『신은지』-

만여어(鰻鱺魚) - 배암장어 - 를 태워 전중(氈中)에 훈을 하면 주충이 없어진다. 골상(骨箱) 안에 두면 좀벌레[白魚]가 없어지고 모든 벌레가 의복을 좀먹지 못한다. 대나무를 태워 훈하면 좀벌레를 물리칠 수 있다. -『증류본초』-

운대(芸薹) - 평지 - 를 책 속에 넣어두면 좀먹을 걱정이 없어진다. -『증류본초』-

죽기(竹器)에 좀벌레가 생겼으면 생오유(生梧油 생 오동나무 기름)를

좀벌레가 있는 곳에 떨어뜨려 주면 즉시 없어진다. -『산거사요』-

의백(衣帛 옷과 비단)의 좀벌레를 물리치는 방법은, 단오일(端午日)에 상추잎[萵苣葉]을 채취하여 궤(櫃) 속에 넣어두면 좀벌레가 생기지 않는다. -『신은지』-

피물(皮物)에서 좀벌레를 물리치는 방법은, 7월 7일에 혁구(革裘)를 볕에 말리면 벌레가 없어진다. -『신은지』-

쑥을 가죽 안에 넣고 말아서 항아리에 넣은 다음 항아리 입을 단단히 봉하거나 화초(花椒)를 가죽 속에 넣고 말아서 저장해도 좋다. -『신은지』-

모의(毛衣)는 유칠(油漆)이 없는 판갑(板匣)에 넣어 두고 종이로 판갑 틈을 단단히 발라 바람이 통하지 못하게 하면 좀벌레의 피해를 입지 않는다. -『산거사요』-

녹반수(綠礬水)에 수건을 적시어 물건에 덮어놓으면 파리와 벌레가 가까이 하지 못한다.

모든 새똥에 옷이 더럽혀졌을 때는 "부라칠성(復羅七聲)"을 염(念)한다.

깊은 산에 들어갈 때에 뒤 치마의 주름[後裙褶] 세 가닥을 허리춤에 꽂아 두면 뱀이나 벌레가 근접을 못한다.

밤에 산속에서 자는 자가 가만히 머리 위의 비녀를 취(取)하여 숨을 쉬지 않고 백호(白虎 머리 꼭대기) 위에 꽂으면 범이 가까이 오지 못한다.[96]

---

96) 녹반수(綠礬水)에 …… 가까이 오지 못한다 : 이 부분은 한독본에 의하여 보충 번역하였다.

치약 治藥

[치약 서]

질병(疾病)이 생기는 것은 사람마다 면할 수 없으므로 약(藥)은 없을 수 없는 것이요, 그중에도 향촌(鄕村)에서는 더욱 절실한 문제이다.
각 지방에서 생산되는 약제가 많지 않은 것도 아니지만 사람들이 미리 재배하여 저장해 두고서 불시의 수용(需用)에 대비하지 않다가, 병이 들어 약을 써야 할 때에 이르러서야 급작스레 찾게 되니, 이것은 7년 병에 3년 된 약쑥을 구하는 것과 같다. 그러므로 치약법(治藥法)을 기록하여 제14편을 삼는다.

치약

조양(調養)을 잘하는 사람은 약을 사용하여 부지(扶持)하게 된다. 그리고 산중(山中)에서 생산되는 모든 약은 화엽(花葉)이 있을 때에 알 수 있으니, 그 밑에 표시해 놓았다가 가을과 겨울이 되면 포전(圃田) 안에 옮겨 심고 각각 목패(木牌)를 만들어 세우고 이름을 써서 표시해 놓아 불시의 사용에 대비해야 한다. -『신은지』-
무릇 약을 심은 밭에는 물도랑을 많이 만들어 물댈 통로를 내야하며, 약에 묵은 뿌리가 있으면 그 묵은 싹을 베 낸 다음 마른 소똥을 밭두둑에 골고루 펴주고 물을 대주면 오래지 않아 싹이 다시 난다. 그리고 묵은 약 뿌리가 없으면 다시 씨를 뿌려 심어야 한다. -『거가필용』-

연못 속에는 능감(菱芡)[1]을 많이 심고, 육지에는 마령서[薯]·토란[芋]·산약(山藥)·갈근(葛根)·백합(百合)을 많이 심어두면 흉년에 기황(飢荒)을 구제할 수 있다. -『신은지』-

호마(胡麻) 검은 참깨. 거승(勝)이라고도 한다. 심는 방법은 치농(治農) 조에 보이고, 복용하는 방법은 섭생(攝生) 조에 보인다

일어서 물에 뜨는 것을 버리고 반일(半日) 동안 술에 쪄 볕에 말렸다가 방아에 찧어 거친 껍질을 제거한 다음 살짝 볶아 복용한다. -『의학입문』-

여두(穭豆) 작은 검은콩. 심는 방법은 치농(治農) 조에 보이고, 복용법은 구황(救荒) 조에 보인다

빛깔이 검고 아주 작은 것을 웅두(雄豆)라 하는데, 약에 넣으면 더욱 좋다. -『증류본초』-

신병(腎病)에는 마땅히 먹어야 한다. -『의학입문』-

백편두(白扁豆) 변두콩. 연리두(沿籬豆)라고도 한다

청명(淸明)에 종자를 뿌리고 재로 덮어준다. 그리고 위를 덮어주는 것은 좋지 않다. 싹이 올라오면 갈라 심고 시렁을 매어 이끌어 올린다. -『한정록』-

울타리 가에 심고 덩굴을 이끌어 울타리로 뻗어 올라가게 한다. -『속방』-

---

1) 능감(菱芡) : 능(菱)은 마름으로 바늘꽃과에 속하는 일년생 수초(水草)이며, 감(芡)은 가시연으로 수련과(睡蓮科)에 속하는 일년생 수초다. 능·감 모두 식용이며 약용(藥用)으로 쓴다.

한열병(寒熱病)을 앓는 자는 먹어서는 안 된다. -『증류본초』-

청량미(青粱米) 심는 방법은 치농(治農) 조에 보인다

청량은 낟알 거죽도 푸르고 쌀알 빛도 푸른데 황백량(黃白粱) 보다 잘다. 여름에 먹으면 아주 시원하다. -『증류본초』-

부소맥(浮小麥) 죽은 밀. 심는 방법은 치농 조에 보인다

물로 소맥(小麥)을 씻을 때에 물 위에 뜬 것을 취(取)하여 살짝 볶아서 사용한다. -『증류본초』-

신국(神麴)

6월 6일을 여러 신(神)들이 집회(集會)하는 날이라고 한다. 그러므로 그날에 만든 누룩을 신국(神麴)이라 하는데 이날을 지나서 만든 것은 신국이 아니다. 어떤 사람은, 이날에 약료(藥料)를 장만했다가 상인일(上寅日)[2]에 이르러 누룩을 밟아도 좋다고도 한다.

대부백면(帶麩白麪 기울 섞인 메밀가루) 25근, 창이(蒼耳) - 도꼬마리 - 자연즙(自然汁) 1되, 야료(野蓼) - 여뀌잎 - 자연즙 1되 3홉, 청호(青蒿) - 제비쑥 - 자연즙 1되, 행인(杏仁)을 껍질·끝·쌍인(雙仁)을 제거하고 진흙같이 연(硏)한 것 1되 3홉, 적소두(赤小豆)를 삶아 진흙같이 찧은 것 1되를 함께 합하여 삼복(三伏) 안의 상인일에 누룩을 밟되 아주 단단해질 때까지 한다.

또는 혹 갑인일(甲寅日)·무인일(戊寅日)·경인일(庚寅日)에 누룩을

2) 상인일(上寅日): 그 달의 첫 번에 드는 인일(寅日). 즉 상순(上旬)에 드는 인일을 상인일이라 한다.

밟는다 하는데 이것은 바로 삼기(三奇)[3]이다.

신국(神麴)은 육신(六神)의 누룩이다. 백호(白虎)는 곧 백면(白麪)이요, 구진(句陳)은 창이(蒼耳)요, 등사(騰蛇)는 곧 야료(野蓼)요, 청룡(靑龍)은 곧 청호(靑蒿)요, 현무(玄武)는 곧 행인(杏仁)이요, 주작(朱雀)은 곧 적두(赤豆)다. 반드시 이 여섯 물건이 갖추어져야 신(神)이라 할 수 있다. -『단계심법』-

맥아(麥芽) 엿기름

대맥(大麥)을 물에 담가 싹이 나기를 기다려서 볕에 말려 사용한다. -『일용』-

약에 넣을 때는 노랗게 볶아서 절굿대로 가늘게 빻아 가루를 사용한다. -『탕액본초』-

의이인(薏苡仁) 율무. 심는 방법은 치농 조에 보인다

열매를 채취하여 쪄서 뜸 들여[氣餾] 햇볕에 말려서 갈면 알맹이를 빼낼 수 있다. -『증류본초』-

비록 찌지는 않더라도 벼 찧듯이 찧으면 알맹이를 빼낼 수 있다. -『속방』-

마자(麻子) 삼씨. 심는 방법은 치농 조에 보인다

이른 봄에 심는 것을 춘마자(春麻子)라 하는데 씨가 작으며 독(毒)이 있고, 늦봄에 심는 것을 추마자(秋麻子)라 하는데 이것이 약에 들어가면 좋다. -『증류본초』-

많이 먹는 것은 좋지 않다. 많이 먹으면 정기(精氣)가 허탈하게 되고

---

3) 삼기(三奇) : 홀수로 이루어진 간지(干支)를 지칭하는 것으로, 갑인(甲寅)·무인(戊寅)·경인(庚寅) 등이 그것이다.

양기(陽氣)가 위축된다. -『증류본초』-

마인(麻仁)은 껍질을 제거하기가 극히 어렵다. 물에 담가 2~3일을 두어 껍질이 벌어지게 하여 새 기왓장 위에 말렸다가 비벼 알맹이를 빼낸다. 또는 비단에 싸 비탕(沸湯) 속에 담갔다가 탕이 식으면 꺼내서 우물 속에 하룻밤 동안 물에 닿지 않게 달아 매둔다. 그랬다가 다음 날 한나절이 되면 꺼내어 기와 위에 말려 비벼 껍질을 까불러 버리고 알맹이를 채취하면, 알맹이가 모두 완전하다. -『증류본초』-

연실(蓮實) 연밥. 심는 방법은 양화(養花) 조의 우근(藕根)·연실(蓮實) 편에 보인다. 그리고 가루 내는 방법은 치선(治膳) 조에 보인다

껍질이 검고 물에 가라앉은 것을 석련(石蓮)이라 하는데 8~9월에 채취한다. 날것을 먹으면 사람의 뱃속을 붓게 하니 쪄서 먹어야 좋다. -『증류본초』-

무릇 백련(白蓮)을 사용하는 것이 좋다. -『동의보감』-

연화예(蓮花蘂)는 정기(精氣)를 거칠게 만든다. -『의학입문』-

감인(芡仁) 가시연밥. 또는 계두실(鷄頭實)이라고도 한다. 가루 만드는 법은 치선(治膳) 조에 보인다

가을에 열매가 익을 때 수확하여 열매를 쪼개어 연못 안에 뿌려두면 돌아오는 봄에 저절로 난다. -『신은지』-

8월에 채취하여 쪄서 뜨거운 햇볕에 말리면 그 껍질이 즉시 벌어지므로 찧어 가루를 낼 수 있다. -『증류본초』-

감인(芡仁)은 가루 내어 금앵자(金櫻子)의 즙에 볶아서 환약을 만든 것을 수륙단(水陸丹)이라 하는데 양기를 충실케 하는 효력이 있다. -『동의보감』-

능인(菱仁) 마름. 가루 만드는 방법은 치선(治膳) 조에 보인다

가을에 능인의 뿔이 검을 때 거두어서 연못에 뿌려두면 다음해에 저절로 난다. -『신은지』-

삶아서 알맹이를 채취하여 가루를 만드는데 아주 희고 미끄러우며 사람에게 좋다. -『증류본초』-

이것은 매우 냉하므로 많이 먹어서는 안 된다. 사람이 그것을 먹고 배가 부어오를 때에는 생강술을 먹으면 즉시 낫는다. -『증류본초』-

도인(桃仁) 심는 방법은 종수(種樹) 조에 보인다

7월에 복숭아씨를 채취하여 깨어 알맹이를 빼서 그늘에 말린다. -『증류본초』-

쌍인(雙仁)과 피첨(皮尖)을 제거하고 진흙처럼 갈아서 사용한다. -『동의보감』-

행인(杏仁) 심는 방법은 종수(種樹) 조에 보인다

산행(山杏 돌살구)은 약에 넣을 수 없고 모름지기 가원(家園)에 심는 나무에서 5월에 따서 씨를 깨어 알맹이를 빼낸 다음 탕(湯)에 담가 피첨(皮尖) 및 쌍인(雙仁)을 제거하고 밀기울과 함께 황색(黃色)이 되도록 볶아서 사용한다.

무릇 복숭아와 살구의 쌍인은 사람을 죽인다. -『의학입문』-

생것이나 익힌 것은 모두 먹어도 되지만 반생반숙(半生半熟)인 것은 사람을 죽인다. -『증류본초』-

매실(梅實) 심는 방법은 양화(養花) 조에 보인다

5월에 황색(黃色)의 매실(梅實)을 따서 불에 쬐어 말리거나 또는 연기에 쐬어 오매(烏梅 매실을 검은 빛이 나게 만든 것)를 만든다. 염쇄(鹽殺)하거나, 또는 볕에 말려 그릇 안에 저장하여 백매(白梅 매실을 변색이 되지 않게 말린 것)를 만든다. -『증류본초』-

생열매[生實]는 이[齒]와 뼈를 손상시키니 많이 먹는 것은 좋지 않다. -『증류본초』-

목과(木瓜) 심는 방법은 종수(種樹) 조에 보인다

9월에 따서 철(鐵)을 범접시키지 말고 동도(銅刀)로 껍질과 씨를 제거한 다음 얇게 썰어 볕에 말려서 사용한다. 또 불에 말리면 매우 향기롭다고 한다. -『증류본초』-

산사자(山査子) 아가위. 당구자(棠毬子)라고도 한다

산중(山中) 곳곳에 나는데 반쯤 익어 맛이 시고 떫은[酸澁] 것을 채취하여 약에 넣는다. 오래 묵은 것이 좋으며 물에 씻어 연하게 쪄서 씨를 제거하고 볕에 말린다. -『의학입문』-

복분자(覆盆子) 나무딸기. 또 봉류(蓬藟)가 있는데 '멍덕딸기'라 하며 공용(功用)은 복분자와 같다

5월이 채취할 때이다. 5~6분 익은 것을 따서 뜨거운 햇볕에 말렸다가 사용할 때에 껍질과 꼭지를 제거하고 술에 찌면 신정(腎精)을 보익하고 소변(小便)의 활리(滑利)를 그치게 한다. -『증류본초』-

송엽(松葉) 심는 방법은 종수(種樹) 조에 보이고, 먹는 방법은 구황(救荒) 조에 보인다

송화(松花) 송황(松黃)이라 하는데 바로 꽃 위의 황분(黃粉)을 가리킨다

4월 꽃 필 때에 즉시 채취해야 한다. 만약 조금이라도 지체하면 다 떨어진다. -『속방』-

몸을 가볍게 만들고 병을 치료하는 데는 송피(松皮)나 송엽(松葉)보다 낫다. -『증류본초』-

송지(松脂) 송고(松膏)라고도 하고 송방(松肪)이라고도 한다

6월에 채취한다. 저절로 흘러나온 것이, 구멍을 뚫거나 불에 태워 채취한 것보다 낫다. -『증류본초』-

연법(煉法 깨끗이 달이는 법)은 상회수(桑灰水)나 혹 술로 끓여서 연하게 만들어 찬물 속에 수십 번 넣어 희고 매끄러우면 사용할 수 있다. -『증류본초』-

석구(石臼 돌절구)에 찧어 가루로 만든다. 단복(單服)하면 안 된다. 그것은 장위(腸胃)가 막히기 때문이다. -『의학입문』-

참판(參判) 유대정(兪大禎)은 송지(松脂)를 복용하였고, 동지(同知) 송영구(宋英耉)는 송엽(松葉)을 여러 해 먹었는데 등창이 나서 죽었다. 그러니 약으로 먹는 자는 마땅히 경계해야 할 것이다. -『지봉유설』-

복령(茯苓) 복용하는 방법은 섭생(攝生) 조에 보인다

소나무는 베고 나면 다시 싹이 나오지 않으나 그 뿌리는 죽지 않고 진액(津液)이 아래로 흘러내리므로 복령이 생긴다. -『의학입문』-

송지(松脂)가 땅 속에 들어가 천 년이 되면 복령이 되는데 뿌리를 감싸고 있으면서 가볍고 허한 것을 복신(茯神)이라 한다. -『증류본초』-

복령은 겉껍질이 검고 가늘게 주름이 져 있으며 속이 단단하고 희면서 형상이 조수(鳥獸)와 귀별(龜鱉)처럼 생긴 것이 좋다. -『증류본초』-

적복령(赤茯苓)과 백복령(白茯苓) 두 종류가 있는데 백복령은 보(補)하고 적복령은 사(瀉)한다. -『증류본초』-

2월 8월에 캐어 모두 음건(陰乾)한다. -『증류본초』-

무릇 사용할 때는 껍질을 제거하여 가루로 만들어서 수비(水飛)하여 적막(赤膜)을 떠내 보내고 볕에 말려 사용해야 손목(損目)의 피해가 오는 것을 면하게 되며, 음허(陰虛)한 사람은 사용할 수 없다. -『동의보감』-

괴화(槐花) 괴아(槐鵝)라고도 한다. 심는 방법은 종수(種樹) 조에 보인다

6월이나 7월에 채취한다. -『속방』-

약에 넣을 때는 볶아서 사용한다. -『증류본초』-

괴실(槐實) 괴화열매. 괴각(槐角)이라고도 하는데 바로 협(莢)이다. 괴(槐)는 허성(虛星)의 정(精)이다. 잎은 낮에는 오므라지고 밤에는 펴진다. 그러므로 수궁(守宮)이라고도 한다. 먹는 방법은 섭생(攝生) 조에 보인다

10월 상사일(上巳日)에 채취하여 약에 넣을 때에는 약간 볶는다. -『증류본초』 심는 방법은 종수(種樹) 조에 보인다.[4] -

4) 심는 …… 보인다 : 이 부분은 한독본과 오씨본에 의하여 보충 번역하였다.

상백피(桑白皮) 심는 방법은 종수(種樹) 조에 보인다

수시로 채취한다. 처음 채취하여 동도(銅刀)로 겉의 거친 껍질을 긁어내고 속의 흰 껍질을 취하여 볕에 말린다. 동쪽으로 뻗은 뿌리의 껍질이 더욱 좋고 땅 위로 나온 것은 사람을 죽인다. -『증류본초』-

상엽(桑葉)

집에서 가꾼 뽕나무 잎은 독(毒)이 없다. 뽕잎이 가장귀가 난 것[椏]을 계상(鷄桑)이라 하는데 가장 좋고, 여름과 가을에 다시 나온 잎이 상품인데 서리 맞은 뒤에 따서 사용한다. -『증류본초』-

상심(桑椹) 오디

오디는 검은 것을 따서 볕에 말려 가루를 만들어 3홉씩 하루에 세 차례씩 물로 먹으면 배고프지 않다. -『신은지』-

오래도록 먹으면 배고프지 않은데 뽕나무의 정영(精英)이 모두 이것에 있기 때문이다. -『증류본초』-

산수유(山茱萸) [2] 석조(石棗)라고도 한다. 심는 방법은 양화(養花) 조에 보인다

9월과 10월에 열매를 따서 음건(陰乾)한다. 이미 마르면 껍질이 매우 얇아서 매양 1근에서 씨를 빼내고 살과 가죽만으로 4냥을 취할 수 있어야 정품(正品)이 된다. -『증류본초』-

술에 담갔다가 씨를 버리고 만화(慢火 뭉긋하게 타는 불)에 배건(焙乾 쬐어 말림)하여 사용한다. -『의학입문』-

정향(丁香) [2] 심는 방법은 양화(養花) 조에 보인다

정향(丁香)에는 자웅(雌雄)이 있다. 그래서 웅(雄)은 낟이 작고 자(雌)는 낟이 크다. -『증류본초』-

정향 중에는 추대(麤大)하기가 산수유(山茱萸)와 같은 것이 있는데, 세속에서 모정향(母丁香)이라 부르는 것으로 향기의 맛이 더욱 좋다. -『증류본초』-

지실(枳實)

가을에 열매를 따서 씻어 저장했다가 봄에 분(盆)에 심고 물을 주면 싹이 난다. 겨울에는 움[土宇]에 저장해 둔다. 이렇게 수년간 길러 옮겨 심는데, 이 나무는 가시가 많으므로 사면(四面)의 담장과 울타리 아래에 심으면 도둑을 방지할 수 있다. 가을에 열매가 노랗게 익으면 구경도 할 만하다. -『속방』-

봄에 흰 꽃이 피고 여름에 열매가 맺는다. -『증류본초』-

7월이나 8월에 열매를 따서 볕에 말린다. -『증류본초』-

오래 묵은 것이 좋다. -『증류본초』-

물에 담갔다가 속을 제거하고 밀기울과 볶아서 사용한다. -『의학입문』-

지실(枳實)은 속을 제거하지 않아야 그 효력 또한 신속하다. -『단계심법』-

오가피(五加皮) 닷둘흡. 금염(金鹽)이라고도 하며 문장초(文章草)라고도 한다. 복용하는 방법은 섭생(攝生) 조에 보인다

나무는 작은 무더기로 난다. 줄기 사이에는 가시가 있고 다섯 잎이 나오며 가지 끝은 복숭아와 같고 꽃은 향기가 있다. 3~4월에 흰 꽃이 피고 작고 푸른 열매가 맺는데, 6월에 가서는 점점 검어진다. -『증류본초』-

건땅[肥地]을 2척 깊이로 파고 뿌리를 갈라 심으면 쉽게 싹이 돋아 자란다. -『신은지』-

5월과 10월에는 나무줄기를 채취하고 10월에는 뿌리를 채취하여 음건(陰乾)한다. -『증류본초』-

봄에, 나무에 물이 오를 때 가지를 베어 껍질을 벗기고 거죽의 추피(麤皮)를 제거한 다음 볕에 말린다. -『속방』-

오가피는 위로 오거성(五車星)[5]의 정기를 받아 난 것이기 때문에 잎사귀가 다섯 개씩 난 것이 좋다. -『의학입문』-

어린아이가 세 살이 되도록 걷지를 못 하다가도, 이것을 먹이면 이내 곧 달음질친다. -『증류본초』-

합환피(合歡皮) 자귀나무 껍질. 야합피(夜合皮)라고도 하고 합혼(合婚)이라고도 한다

나무의 생김새는 오동나무와 비슷한데 가지가 매우 연약하고 잎이 잘고 번밀(繁密)하여 서로 엉겨 있으며 저녁에는 교합(交合)된다. 5월에 꽃이 피는데 황백색이며 꽃잎 위가 실털[絲茸]같이 되었다. 그러나 가을에 가서야 열매가 협자(莢子)를 이루는데 극히 얇고 잘다. -『증류본초』-

그 나무를 정원에 심으면 사람으로 하여금 분심(忿心)이 나지 않게 하며, 폐옹(肺癰)으로 농(膿)을 토하는 데에 주약(主藥)이 된다. 주로 오장(五臟)을 편안하게 하므로, 사람으로 하여금 즐겁고 걱정이 없게 한다. -『증류본초』-

때와 달을 가리지 않고 가지와 잎을 채취하여 사용한다. -『증류본초』-

---

5) 오거성(五車星) : 별의 이름. 천고성(天庫星)·천옥성(天獄星)·천창성(天倉星)·사공성(司空星)·경성(卿星)을 가리킨다.『史記 天官書』

측백(側柏) 측백나무. 심는 방법은 종수(種樹) 조에 보인다. 백탕(柏湯)은 치선(治膳) 조에 보인다

9월에 열매를 맺는데 성숙(成熟)하기를 기다려서 채취하여 쪄 말려 깍지를 제거하고 사용한다. -『증류본초』-

깍지를 제거하고 알맹이를 취하여 약간 볶아서 기름을 제거하고 사용한다. -『의학입문』-

잎사귀는 아무 때나 따서 음건(陰乾)하며 약에 넣을 때는 쪄서 사용한다. -『증류본초』-

황백(黃柏) 황백나무 껍질. 황벽(黃蘗)이라고도 한다

산중(山中) 곳곳에 난다. 5~6월에 껍질을 채취하여 주름진 추피(麤皮)를 제거하고 볕에 말린다. -『증류초본』-

선황색(鮮黃色)이면서 두꺼운 것이 좋다. -『단계심법』-

동도(銅刀)로 추피를 깎아 버리고 반나절 동안 꿀물에 담갔다가 꺼내어 구건(炙乾)하여 사용한다. 하부(下部)의 약에 넣을 때 염수(鹽水)로 볶고 화성(火盛)한 자에게는 동변(童便)에 담갔다가 쪄서 사용한다. -『의학입문』-

촉초(蜀椒) 초피나무 열매. 천초(川椒)·파초(巴椒)·한초(漢椒)라고도 한다

나무 모양은 산수유(山茱萸)나무와 비슷하나 작고 침 같은 가시가 있으며 잎은 단단하고 매끄럽다. 4월에 열매를 맺으나 꽃이 없고 잎사귀 사이에 소두(小豆)만 한 덩이가 둥글게 생기며 껍질은 자적색(紫赤色)이다. -『증류본초』-

씨를 따서 말려 빗물이 닿지 않는 땅 속에 한 자 깊이로 파서 묻고,

물에 젖어 싹이 나지 않게 했다가 다음 해 2월에 꺼내어 건땅에 깊이 갈고서 심는다. -『신은지』-

11월에 초토(焦土 불에 태운 흙)와 건분(乾糞)으로 북을 주고 풀로 덮어주어 얼어 죽지 않도록 하고 쌀뜨물을 촉촉하게 뿌려준다. -『신은지』-

6월 중복(中伏) 뒤에 맑게 갠 날을 만나면 이슬에 젖었을 때 거두어서 하루를 그늘에 말린 뒤에 3일 동안 햇볕에 말리면 붉게 되고 매워진다. 그러나 우기(雨期)를 만나서는 바람 타는 곳에 얇게 펴 널고 자주 뒤쳐주어야 한다. 만약 불에 쬐어 말리게 되면 빛깔이 검어지며 또 향기가 나지 않는다. -『신은지』-

8월에 열매를 채취하여 음건(陰乾)한다. -『증류본초』-

술에 적셔 쪄서 항아리에 넣어 음건하고 바람을 쐬지 않게 한다. -『의학입문』-

모름지기 눈과 입을 다문 것은 버리고 사용하지 말아야 한다. 입을 다문 것은 사람을 죽인다. -『증류본초』-

연교(連翹) 개나리나무 열매

2월과 10월에 옮겨 심으면 잘 산다. 가지를 뉘어 흙 속에 묻어 두어도 뿌리가 난다. -『속방』-

꽃이 노랗게 피는데 사랑스럽다. 가을에 열매를 맺어 씨방[房]이 생기나 늙은 나무라야 열매가 있기 때문에, 그 열매를 얻기가 어렵다. -『증류본초』-

구기(枸杞) 구기자나무. 지선(地仙)이라고도 하고 선인장(仙人杖)이라고도 한다. 줄기를 구기(枸杞)라 하고 뿌리를 지골(地骨)이라 하는데, 구기는 마땅히 경피(梗皮)를 써야 하고, 지골은 근피(根皮)를 써야 하고, 열매는 홍실(紅實)을 써야 한다

색깔이 희고 가시가 없는 것이 좋다. -『증류본초』-

잎이 두껍고 가시가 없는 것은 진품이고, 가시가 있고 잎이 작은 것은 백극(白棘)이라 하는데 먹을 수 없다. -『신은지』-

씨를 내어 물동이 안에 넣고 비벼 흩어지게 해서 볕에 말린다. 3월에 밭을 갈아 두둑을 만들고 두둑 가운데를 6~7촌 깊이로 흙을 파내고서 퇴비를 편 다음 또 거름흙으로 퇴비 위를 덮고 씨를 심는다. 그리고 잘 썩은 쇠똥으로 덮어준 다음 흙으로 한 겹을 덮어 밭두둑과 평평하게 만든다. 싹이 나기를 기다려서 물을 대준다. 채취할 때에는 부추를 베는 방법과 같이 하되, 해마다 다섯 차례 베어야 하고 지나치게 해서는 안 된다. -『신은지』-

종목(種木)을 채취하는 방법은 줄기가 달린 채 4촌쯤으로 잘라 갱완(羹盌) 크기로 하여 새끼줄로 느긋이 묶은 다음 7~8촌의 깊이로 갱을 파고 묻되 갱과 갱의 거리를 3촌으로 하고 거름과 흙 아래에 묶은 종목(種木)을 세워 심는다. 그리고 잘 썩은 쇠똥을 고루 섞어서 묶음 위에 가득히 부은 다음 비토(肥土)로 북을 주고 흙 위에 다시 쇠똥을 넣어 구덩이와 평평하게 만든다. 그다음 물을 주면 오래지 않아 싹이 나는데 매우 탐스럽고 연하게 나온다. 그리고 싹을 벨 때는 한낮의 더울 때와 비올 때를 피해야 한다. 맑게 갠 이른 새벽이 좋다. -『거가필용』-

오배자(五倍子) 붉나무 열매

어느 곳에서든 나는 것으로, 7월에 열매를 맺으며 꽃이 없다. 열매는 익지 않았을 때는 푸르고, 익었을 때는 노랗다. 그리고 큰 것은 주먹만 한데

안에는 벌레가 많다. 9월에 열매를 따서 볕에 말린다. - 『증류본초』 -

속에 있는 벌레를 긁어내고 탕에 씻어 생용(生用)하며, 환약(丸藥)에 넣을 때에는 약간 볶는다. - 『의학입문』 -

산조인(酸棗仁) 멧대추 씨

산중에서 나는데 생김새는 대추나무와 같다. 그러나 그리 크지 않고 그 열매는 아주 작다. - 『증류본초』 -

깊이와 너비가 2척(尺)이 되도록 구덩이를 파고 산조(酸棗)가 익을 때를 기다려 열매를 따서 구덩이 속에 심는다. - 『신은지』 -

8월에 열매를 따 씨를 채취하여 그 씨를 깨어 알맹이를 취한다. 그리하여 피첨(皮尖)을 제거하고 갈아서 사용한다. - 『증류본초』 -

욱리인(郁李仁) 산앵두 씨. 또는 산매자라 하고, 천금등(千金藤) 또는 하거리(下車李)라고도 한다

어디든지 난다. 가지와 꽃과 잎이 모두 오얏과 같으나 열매만은 앵두와 같은데, 빛깔은 적색이며 맛은 달고도 시다. - 『증류본초』 -

6월에 열매를 따는데 뿌리도 아울러 사용한다. - 『증류본초』 -

깍지를 제거하고 끓는 물에 담갔다가 피첨과 쌍인(雙仁)을 제거하고 꿀물에 하룻밤을 담갔다가 갈아서 사용한다. - 『의학입문』 -

만형자(蔓荊子) 순비기기무 열매

덩굴져 난다. 줄기의 높이는 4~5척이고 마디를 마주하여 가지가 친다. 그리고 잎은 살구나무 잎과 같고 가을에야 열매를 맺는데, 크기는 오자(梧子 오동나무 열매)의 크기와 같고 가벼우며 속이 비었다. - 『증류본초』 -

8월이나 9월에 채취한다. -『증류본초』-

술에 쪄서 볕에 말려 빻아서 사용한다. -『의학입문』-

조협(皁莢) 쥐엄나무 열매

간혹 나는 곳에만 난다. 9월이나 10월에 협(莢 꼬투리)을 따서 음건(陰乾)하는데 좀먹지 않고 탐스러운 것이 좋다. -『증류본초』-

껍질과 씨를 제거하고 수구(酥灸)[6]하거나 밀구(蜜灸)하여 사용한다. -『의학입문』-

조협(皁莢)에는 장조협(長皁莢)과 저아조협(猪牙皁莢)의 두 종류가 있다.[7]

풍기(風氣)를 소통시키는 환(丸)과 산(散)에는 장조협을 많이 사용하고, 이[齒]와 취적(聚積)[8]을 치료하는 약에는 저아조협을 사용한다. 대저 두 종류의 성미(性味)는 서로 비슷하다. -『증류본초』-

목욕하는 탕(湯)을 만들어 쓸 수도 있는데 그 물로 때를 씻으면 매우 신묘하다. -『증류본초』-

파고지(破故紙)

해묵지 않은 중원(中原) 파고지(破故紙)를 가져다 심어도 잘 나는데, 그 가지와 잎과 열매는 바로 우리나라의 지교목(紙膠木) - 닥풀 - 과 조금도 다를 것이 없다. -『문견방』-

---

6) 수구(酥灸): 우유(牛乳) 등속에 담갔다가 불에 구워낸 것. 주로 속을 온하게 하는 데 쓰기 위한 제약(製藥)의 방법이다.

7) 조협(皁莢)에는 …… 있다: 이 부분은 한독본과 오씨본에 의하여 보충 번역하였다.

8) 취적(聚積): 오장(五臟)과 육부(六腑)에 병적으로 덩이져 뭉쳐 있는 증세. 이 증세는 주로 희로(喜怒)와 풍습(風濕)의 부조(不調)로 일어난다. 그런데 적(積)은 움직이지 않고 한 자리에 박혀 있는 것이며, 취(聚)는 때때로 발작하여 자리를 옮겨 다니는 것이 특징이다.

생강(生薑) 심는 방법은 치포(治圃) 조에 보이고, 가루를 만드는 방법은 치선(治膳) 조에 보인다

항상 씹어도 좋으나 많이는 먹지 말아야 하며 밤에는 먹지 말아야 한다. 8~9월에 많이 먹으면 봄에 가서 눈병을 앓게 되며, 수명을 손상하고 근력(筋力)이 줄게 된다. - 『증류본초』 -

덥게 하려면 껍질을 벗기고 냉하게 하려면 껍질을 벗기지 말아야 한다. - 『증류본초』 -

건강(乾薑) 껍질이 있는 채 저절로 마른 것을 건생강(乾生薑)이라 하며, 껍질을 벗겼으나 경양(經釀 삭히는 일)하지 않은 빛깔이 흰 것을 백강(白薑)이라 하며 방법대로 만든 것을 건강(乾薑)이라고 한다

30일 동안 물에 담갔다가 껍질을 제거하고 흐르는 물속에 6일간을 두었다가 다시 긁어 껍질을 제거해서 볕에 말린다. 그리고 자항(瓷缸) 속에 넣어 20일간을 삭히면 곧 만들어진다. - 『증류본초』 -

쌀뜨물에 하룻밤을 담가 두었다가 죽도(竹刀 대나무를 깎아 만든 칼)로 긁어 껍질을 제거하고 또 하룻밤을 담갔다가 건져 볕에 말린다. 그리고 하룻밤을 또 담갔다가 쌀가루를 발라 볕에 말린다. - 『속방』 -

자소(紫蘇) 차조기

잎사귀 밑이 자색(紫色)이면서 주름져 있고 냄새가 매우 향기로운 것은 약에 들어갈 수 있다. 배면(背面)이 모두 자색인 것은 더욱 좋다. 그러나 자색이 없으면서 향기롭지 않은 것은 사용할 수 없다. - 『증류본초』 -

기름진 땅을 잘 갈아 오곡(五穀)을 심는 것처럼 4월에 심는다. - 『신은지』에는 "2월에 심는다."고 되어 있다. - 풀이 나면 즉시 매줘야 한다. - 『거가필용』 -

외밭 두둑에 골을 치고 씨앗을 뿌려 놓으면 두 가지의 이익을 얻을 수 있다. -『신은지』-

여름에는 줄기와 잎을 채취하고 가을에는 씨를 채취한다. -『증류본초』-

소자(蘇子)는 꽃이 지면 즉시 거두어야 한다. 만약 더디게 거두면 씨가 떨어지므로 누렇게 익도록 기다릴 수 없다. -『거가필용』-

씨를 거두어 기름을 짜서 등잔(燈盞) 기름으로 사용하면 매우 밝다. -『신은지』-

소자는 상기(上氣)·해역(咳逆)·지수(止嗽)의 주약(主藥)인데, 귤피(橘皮)와 서로 맞는다. 약간 볶아서 사용한다. -『증류본초』-

형개(荊芥) 정가

가을에 씨를 거두었다가 봄에 심는다. -『속방』-

처음 났을 때는 향기롭고 매콤하여 씹을 만하다. 나물을 만들어 먹고 차를 달여 먹으면 머리와 눈을 이롭게 한다. 그리고 꽃과 열매로 이삭이 된 것을 채취하여 볕에 말려 약에 넣는다. -『증류본초』-

향유(香薷) 노야기

가을에 씨를 거두었다가 봄에 심는다. -『속방』-

여름에 나물을 만들어 먹고 9월이나 10월에 이삭이 생긴 뒤에 채취하여 말린다. -『증류본초』-

박하(薄荷) 영생이

포전(圃田)에 모종하여 심는다. 생으로 씹을 만하며 또한 나물을 만들어 먹을 수도 있다. 여름과 가을에 줄기와 잎을 채취하여 볕에 말려

약에 넣는다. -『증류본초』-

촉규(蜀葵) 접시꽃. 심는 방법은 양화(養花) 조에 보인다.

꽃에는 적색과 백색이 있는데 적색인 것은 적대하(赤帶下 부인병인 냉증으로 붉은 냉이 흐르는 것)를 치료하고 백색인 것은 백대하(白帶下 부인병인 냉증으로 흰빛의 냉이 흐르는 것)를 치료한다. -『증류본초』-

적색과 백색의 꽃을 각각 채취하여 음건해서 가루로 만들어 술에 타 먹는다. -『사시찬요』-

동규자(冬葵子) 아욱씨. 심는 방법은 치포(治圃) 조에 보인다.

가을에 심은 아욱을 덮어서 길러 겨울을 지나 봄에 씨를 맺은 것을 동규(冬葵)라 하는데 약에 많이 들어간다. 춘규자(春葵子)는 약으로 쓸 수 없다. -『증류본초』-

사과(絲瓜) 수세미. 천라(天羅) 또는 천락사(天絡絲)라고도 한다

무릇 채소를 심을 때에 울타리 가에 심어서 덩굴을 이끌어 울타리에 올린다. -『속방』-

악창(惡瘡) 및 소아(小兒)의 두진(頭疹)과 아울러 유저(乳疽 젖에 생긴 종기) 정창(疔瘡)[9]을 치료하는 데 사용한다. 서리가 내린 뒤에 늙은 사과(絲瓜)를 껍질・뿌리・씨가 달린 완전한 것을 따서 소존성(燒存性)하여 가루로 만든 다음 밀탕(蜜湯)에 2~3전을 타먹으면 종기가 사라지고 독기가 흩어져서 내공(內攻)을 받지 않는다. -『의학입문』-

---

9) 정창(疔瘡) : 면부(面部)에 많이 생기는 부스럼으로 동통(疼痛)이 심(甚)하고 위험한 부스럼이다.

연한 것을 삶아서 생강과 초에 조미하여 먹는다. 그리고 마른 것은 껍질과 씨를 제거하고 속은 수세미로 사용한다. -『식법지』-

사삼(沙蔘) 더덕

산중에서 나는데 잎은 구기자나무 잎과 같고, 뿌리는 희고 단단한 것이 좋다. -『증류본초』-

2월과 8월에 뿌리를 캐서 볕에 말린다. -『증류본초』-

싹과 뿌리를 채취하여 나물을 만들어 먹는다. -『증류본초』-

길경(桔梗) 도라지

산중에서 나는데 2월과 8월에 뿌리를 캐서 볕에 말려 사용한다. -『증류본초』-

양하(蘘荷) 양하

잎은 감초(甘焦)[10]와 비슷하고 뿌리는 생강 같은데 살졌다. 그리고 뿌리와 줄기로 김치를 담아 먹는다. 적색과 백색의 두 종류가 있는데, 적색의 것은 먹을 만하고 백색의 것은 약에 들어간다. -『증류본초』-

고(蠱)의 중독과 학질(瘧疾)의 주약(主藥)이다.『주례(周禮)』에 '가초(嘉草)로 고를 제거한다.' 하였는데, 가초는 바로 양하이다. -『증류본초』-

제채(薺菜) 냉이

전야(田野)에 난다. 추운 겨울에도 죽지 않는다. 제채로 죽을 쑤어

---

10) 감초(甘焦) : 파초(芭焦)의 별칭(別稱)이다.

먹으면 피를 인도하여 간경(肝經)에 돌아가게 하고 눈을 밝게 한다. -『증류본초』-

그 씨로는 청맹(靑盲)[11]이 되어 보이지 않는 것을 치료한다. 4월 8일에 채취한다. -『증류본초』-

뿌리는 안질을 치료한다. -『증류본초』-

줄기와 잎을 태운 재는 적리(赤痢)나 백리(白痢)를 치료하는 데 좋은 효력이 있다. -『동의보감』-

백개자(白芥子)

해묵지 않은 중원(中原)의 백개자(白芥子)를 취하여 봄에 개채(芥菜)를 심는 방법에 따라 심으면 난다. 그 씨는 당개자(唐芥子)와 같다. -『문견방』-

인삼(人蔘) 신초(神草)라고도 한다

인형(人形) 같은 것이 신효(神效)가 있다. 이 약초는 세 가장귀에 다섯 잎사귀가 나며 깊은 산속의 남쪽을 등지고 북쪽을 향한 가(檟)나무나 옻나무 아래 가까운 습한 곳에 난다.

한 줄기가 중심(中心)에 나는 것이 길경(桔梗)과 비슷한데 3~4월에 꽃이 피고 가을이 된 뒤에 씨를 맺는다. -『증류본초』-

채소를 심는 방법으로 심되 다만 비토(肥土)로 두둑을 만들고 심어야 한다. -『심은지』-

2월·4월·8월 상순(上旬)에 뿌리를 캐어 죽도(竹刀)로 껍질을 긁어 볕에 말린다. -『증류본초』-

11) 청맹(靑盲) : 청맹과니. 보기에는 멀쩡하나 실지로는 조금도 보지 못하는 눈을 가리킨다.

복용할 때는 노두(蘆頭)를 제거해야 한다. 노두를 제거하지 않으면 토역(吐逆)을 일으킨다. -『증류본초』-

이 약물은 좀이 쉽게 먹는데 아직 그릇 속에 넣고 그릇 입을 밀봉(密封)해 두면 해가 지나도 좀먹지 않으며 세신(細辛)과 섞어서 밀봉해 두어도 오래도록 좀먹지 않는다. -『증류본초』-

석창포(石菖蒲) [2] 심는 방법은 양화(養花) 조에 보이고, 먹는 방법은 섭생(攝生) 조에 보인다

산중의 석간(石澗) 사적(沙磧) 위에 난다. 잎은 중심(中心)에 등마루가 있고 형상이 칼날 같은데 1촌에 9절(節)이 있다. 또 1촌에 12절이 있는 것은 바로 석창포(石菖蒲)이다. 또 이창(泥菖)·하창(夏菖)·수창(水菖)이 있는데 잎이 서로 비슷하나 중심에 등마루가 없다. 이것들은 약에 넣을 수 없다. -『증류본초』-

5월과 12월에 뿌리를 캐어 음건(陰乾)하는데 지금은 5월 5일에 캔다. 겉으로 드러난 뿌리는 약용으로 쓰지 못한다. -『증류본초』-

처음 캘 적에는 속이 비고 연하지만 볕에 말리면 곧 견실(堅實) 해진다.

꺾어보면 속의 색깔이 약간 붉고 씹어보면 맛이 맵고 향기로우며 찌꺼기가 적다. -『증류본초』-

감국(甘菊) 강정황. 심는 방법은 양화(養花) 조에 보이고 먹는 방법은 섭생(攝生) 조에 보인다

단엽화(單葉花)로서 작으면서 노랗고, 잎은 짙은 녹색이며 작고 얇은 것이 바로 진품(眞品)이다. 맛이 단 것은 약에 쓰이고 맛이 쓴 것은 쓰지 않는다. -『증류본초』-

붉은 줄기에 노란 꽃으로 덩굴진 것이 진품이요, 그 나머지는 모두

쑥이다. 쑥은 맛이 쓰고 국화는 맛이 달다. -『왕문산거록』-

꽃을 따서 온돌(溫堗) 위에 펴놓고 급히 말리면 빛깔이 손상되지 않는다. -『속방』-

지황(地黃) 변(苄) 또는 지수(地髓)라고도 한다

지황을 심는 시기는 3월 상순(上旬)이 상시(上時)이고, 중순(中旬)이 중시(中時)이고 하순(下旬)이 하시(下時)이다. -『거가필용』-

심을 밭을 3~4번 잘 갈아 -『본초』에 황토(黃土) 땅에 생산된 것이 좋다고 하였다. - 보드랍게 긁어 고랑을 치되 고랑의 너비를 1척으로 하여 두 고랑을 한 두둑[畦]으로 만들면 두둑의 너비가 4척이 된다. 그리고 조금 높게 만들되 평평하고 단단하게 만들어 물을 받지 않게 해야 한다. 싹이 나기 전에 물을 받으면 두둑 속에서 모두 썩어버린다.

또 골을 치되 골 깊이가 2~3촌 되게 하고 지황을 2촌 길이로 잘라 골 사이 두둑에 심고 숙토(熟土)로 3촌이 되게 덮어준다. 그리고 겨울을 지낸 썩은 풀로 덮어주었다가 싹이 조금 나오기를 기다려서 불을 놓아 그 풀을 태우면 싹이 다시 소담스럽게 나고 뿌리도 더욱 건장하게 된다.

봄부터 가을까지 5~6차례 매어 가꾸되 호미를 사용해서는 안 된다. -『신은지』-

밭두둑에 두어 개의 큰 구덩이를 넓고 둥글게 1장(丈)쯤 파되 깊이를 3척으로 하고, 그 밑에 벽돌을 촘촘히 깐 다음 거름과 사토(沙土)로 다시 메운다.

그리고 살진 지황을 10치 남짓으로 잘라 구덩이에 가득 심어두면 얼마 안 가서 구덩이에는 모두 지황의 뿌리로 꽉 차는데 매우 굵고 길다. 그것은 구덩이 바닥에 벽돌을 깔았기 때문이다. -『거가필용』-

또한 구덩이 깊이를 3척, 길이를 1장(丈)으로 파고 구덩이 바닥에 벽돌을 깐다. 그리고 구덩이 입구를 1척 너비로 하여 연목으로 간살을 대고 간살 위에 바자[笆籬]를 덮고 바자 위에 5촌 두께로 흙을 덮은 다음 가물 때는 물을 주곤 하면 3년 뒤에는 굵어진다. -『거가필용』-

2월이나 8월에 뿌리를 캔다. 물에 담가서 뜨는 것은 천황(天黃)이라 하고 반은 뜨고 반은 가라앉는 것은 인황(人黃)이라 하고 가라앉는 것은 지황(地黃)이라 하는데, 가라앉는 것이 힘이 좋으므로 약에 들어간다. 그리고 반쯤 가라앉는 것은 그다음이고, 뜨는 것은 약으로 쓰지 못한다. 캘 때에는 동철(銅鐵)의 그릇에 담아서는 안 된다. -『증류본초』-

8월에도 잔엽(殘葉)이 남아 있는 것은, 정기가 모두 뿌리로 내려가지 못해서이다. 2월에는 새싹이 이미 나고 뿌리의 정기가 이미 빠졌으므로 겨울에 캐는 것만 못하다. 그 잎은 매우 사람에게 유익하다. 이슬이 내린 뒤에 곁잎을 따먹고 중심의 정엽(正葉)은 손상하지 말아야 한다. -『신은지』-

건지황(乾地黃) 제조법(製造法)은 9월 순말(旬末)에 지황(地黃) 100근을 캐어 살찌고 좋은 것으로 60근을 가려서 수염을 뜯어내고 깨끗이 씻어 건져 낸다. 그다음 볕에 3~4일간 헤쳐 말려 조금 쭈글쭈글해지면 가릴 적에 버렸던 40근을 깨끗이 씻어서 백목구(柏木臼) 속에 넣어 익숙히 찧어 즙을 짜낸다. 즙이 다 나오면 술을 붓고 다시 찧어 나머지의 즙을 짜서 먼저 말렸던 60근에 부어 섞어서 햇볕에 말린다. 만약 날이 흐리면 바람이 통하는 곳에 얇게 헤쳐 놓고 밤에도 그대로 놓아두어 마를 때까지 한다. -『신은지』-

아주 따뜻한 온돌 위에 모래를 펴고 모래 위에 지황을 펴 널어서 급히 말리는 것이 좋다. -『속방』-

숙지황을 제조하는 방법은 물에 뜬 지황과 반쯤 뜨고 반쯤 잠긴 지황과 가는 뿌리를 짓찧어 즙을 낸다. 그 즙에다가 가라앉은 지황을 담갔다가 유목증(柳木甑 버드나무로 만든 시루)에나 와증(瓦甑)에 넣고 쪄서 볕에 말린다. 그리고 또 즙에 담가 하룻밤을 재웠다가 쪄서 볕에 말린다. 이렇게 아홉 번 찌고 아홉 번 말려야 한다. 찔 때에는 번번이 찹쌀로 빚은 청주(淸酒)를 뿌려서 찌는데 완전히 익었을 때에 빛깔이 오금색(烏金色)과 같으면 완성된 것이다. 이를 거두어 두었다가 약에 넣는다. -『동의보감』-

옛 법에는 아홉 번 쪘는데 지금은 즙(汁)이 다 되고 빛깔이 검은 것만을 보아 3~5번을 쪄도 좋다고 한다. 지황즙(地黃汁)은 밤을 지나면 쉴까 염려되니 그날그날 찧어 써야 한다. -『신은지』-

회향(茴香)

우리나라에서 재배하는 것으로 곳곳에 있다. -『동의보감』-

씨를 수확하여 음건(陰乾)한다. 3월에 양지쪽에다 분토(糞土 거름흙)를 씨에 섞어 심는다. 그러고 나서 마(麻)를 심어 햇빛을 가려주어야 한다. - 신은지』-

8월과 9월에 씨를 채취하여 음건시키되 술을 뿜어주면 좋다. -『증류본초』-

술에 담가 하룻밤을 재웠다가 황색이 나도록 볶아서 빻아 사용한다. -『의학입문』-

10월에 마른 가지를 베어 버리고 거름흙으로 뿌리의 밑을 북돋아 준다. -『신은지』-

또 한 종류는 팔각회향(八角茴香)인데 기(氣)와 맛[味]이 건조하고 매우며, 오로지 요통(腰痛)에 주약(主藥)이 된다. -『의학입문』-

구맥(瞿麥) 석죽(石竹)이라고도 하고 꽃과 씨는 보리와 거의 비슷하다. 그래서 구맥이라 한다. 심는 방법은 양화(養花) 조에 보인다

입추(立秋) 뒤에 열매와 잎을 합하여 거두어서 음건한다. -『증류본초』-

줄기와 잎은 쓰지 않고 실각(實殼)만을 쓴다. -『의학입문』-

향부자(香附子) 사초근(莎草根)이라고도 한다. 뿌리 가에 붙은 대추씨 같은 것을 따낸 것을 일러 향부자 또는 작두향(雀頭香)이라고도 한다

2월과 8월에 캐어 짚불[稈火]로 태워 털을 제거하고 돌절구에 넣고 깨끗이 찧어 사용한다. -『의학입문』-

향부자는 반드시 동변(童便)에 하룻밤을 담갔다가 배건(焙乾)하여 사용해야 한다. 그렇지 하지 않으면 약성(藥性)이 건조(乾燥)해진다. -『의학정전』-

기병(氣病)에는 약간 볶아서 쓰고 혈병(血病)에는 술에 달여 쓰고, 담병(痰病)에는 생강즙에 달여 쓰고, 하허(下虛)에는 소금물에 달여 쓰고, 혈허(血虛)하여 화(火)가 있을 때에는 어린애 소변에 달여 쓴다. -『의학입문』-

오미자(五味子) 피육(皮肉)은 달고도 시며 핵중(核中)은 맵도록 써서 도합하면 짠맛이 나기 때문에 오미자라고 한다

깊은 산중에서 나며 줄기는 붉고 만생(蔓生)한다. 잎은 살구나무 잎과 같고 꽃은 황백색(黃白色)이다. 줄기 끝은 생것일 때에 푸르고 익었을 때는 홍자색(紅紫色)이다. -『증류본초』-

뿌리로 심은 것은 당년에 왕성(旺盛)하고, 씨로 심은 것은 2월에 심었으면 다음해에 비로소 왕성하게 되니, 시렁을 매어 덩굴을 올려야 한다. -『신은지』-

8월에 씨를 채취하여 햇볕에 말린다. 맛이 단 것이 좋다. 약에 넣되 씨를 제거하지 않는다. -『증류본초』-

결명자(決明子) 초결명. 환동자(還瞳子)라고도 한다

7월에 꽃이 피는데 황백색이다. 그 열매는 이삭으로 되었는데 청녹두(靑綠豆)와 같으나 날카롭다. -『증류본초』-

봄에 씨를 밭두둑에 심고, 위에 거름을 주고 밑에는 물을 준다. 잎이 자라기를 기다려 나물로 먹는다. -『거가필용』-

10월 10일에 열매를 따서 100일 동안 음건(陰乾), 약에 넣을 때는 약간 볶아서 사용한다. -『증류본초』-

베개를 만들어 베고 자면 두풍(頭風)이 치료되고 눈이 밝아진다. -『증류본초』-

그 꽃을 차(茶)로 끓여 먹는 일은 아주 기휘한다. 많이 먹은 자는 풍을 앓지 않은 사람이 없다. -『거가필용』-

청상자(靑箱子) 맨드라미 씨. 바로 계관화(鷄冠花)의 씨이다. 심는 방법은 치포(治圃) 계관(鷄冠) 조에 보인다

6월과 8월에 열매를 약간 볶아서 빻아 사용한다. -『증류본초』-

차전자(車前子) 질경이 씨. 베짱이 씨라고도 하는데 바로 부이(芣苢)이다

종자를 받아 봄에 채소를 심는 방법과 같이 심고, 위에다는 거름을 주고 아래에다는 물을 준다. 그리고 묵은 뿌리는 잎을 베어 내면 도로 나므로, 그대로 매어 가꾸기만 하면 두어 해를 지낼 수 있다. -『거가필용』-

5월에 싹을 뜯고 9~10월에 열매를 채취하여 음건(陰乾)한다. -『증류본초』-

약초(略炒)하여 빻아서 사용한다. -『의학입문』-

우방자(牛蒡子) 우엉 씨. 어떤 사람은 악실(惡實) 또는 서점자(鼠粘子)라고도 한다

기름진 땅을 가려서 정월(正月)에 3~5번 잘 갈아 깊고 부드럽게 만든 다음, 2월 말에 종자를 심되 드물게 해서는 안 된다. 그리고 풀이 나면 매줘야 하는데 이것은 채소 중에 아름다운 것으로, 뿌리와 잎을 모두 먹을 수 있다. - 『거가필용』 -

심을 땅은 모름지기 거름을 섞어 걸게 해두었다가 비가 올 때를 타서 해야 한다. 만약 물이 있으면 비를 기다리지 않는다. 가물 때는 물을 준다. 싹·뿌리·줄기를 채취하여 먹으면 모두 사람에 유익하다. - 『신은지』 -

□월에 열매를 채취한다. - 『속방』 -

약에 넣을 때는 약간 볶아서 빻아 사용한다. - 『의학입문』 -

우슬(牛膝) 쇠무릎지기. 백배(百倍)라고도 하는데 학슬(鶴膝) 같은 마디가 있다. 또 소 무릎의 모양을 하고 있으므로 우슬이라 이름한다

가을에 씨를 거두었다가 봄에 심는다. 심는 땅은 하습(下濕)하고 기름진 땅이 마땅한데 깊이 갈고 평토(平土)에 골을 쳐 종자를 심고, 거름물[水糞]을 준다. 그리고 풀이 나면 호미로 매주고 가물면 물을 준다. 그리고 싹이 나기를 기다려서 베어 먹는다. - 『거가필용』·『신은지』 -

가을에 심어도 된다. - 『신은지』 -

싹을 베어낸 다음 거름을 주면 즉시 싹이 나므로 다시 심지 않아도 된다. - 『거가필용』 -

2월·8월·10월에 뿌리를 캐어 음건한다. - 『증류본초』 -

물에 담가 하룻밤을 재워서 깨끗이 씻어 볕에 말린다. - 『신은지』 -

상륙(商陸) 자리공뿌리. 장륙(章陸) 또는 장류근(章柳根)이라고도 한다

뿌리를 쪼개어 심지만 씨로 심어도 좋다. -『신은지』-

2월과 8월에 뿌리를 캐어 볕에 말리는데, 사람 모양으로 생긴 것이 신효가 있다. -『증류본초』-

동도(銅刀)로 껍질을 긁어버리고 얇게 썰어서 3일 동안 물에 담갔다가 건져서 녹두(綠豆)와 섞어 반나절 동안 쪄서 녹두를 제거하고 볕에 말리거나 불에 쬐어 말린다. -『의학입문』-

대독(大毒)이 있어서 고독(蠱毒)을 사하(瀉下)시키며, 악창(惡瘡)에 붙이기도 하고 태(胎)를 떨어뜨리는 데 쓴다. -『증류본초』-

적색과 백색 두 종류가 있다. 꽃이 흰 것은 뿌리가 희고 꽃이 붉은 것은 뿌리도 붉은데, 흰 것은 약에 들어가고 붉은 것은 독이 극심하므로 외용(外用)에만 붙인다. 복용하면 사람을 상해하는데, 이혈(痢血)[12]이 그치질 않아서 죽게 된다. -『의학입문』-

백합(百合) 개나리뿌리. 그 뿌리는 백편(百片)인데 포개져 붙어 있으므로 백합이라 한다

산과 들에 나는데 두 종류가 있다. 한 종류는 가는 잎에 꽃은 홍백색(紅白色)이고, 한 종류는 잎이 크고 줄기가 길며 뿌리는 굵다. 꽃이 흰 것은 약에 들어가지만, 꽃이 붉은 것은 산단(山丹)이라 이름하는데, 매우 좋지 않다.

또 한 종류는 꽃이 노랗고 흑반(黑斑)의 가는 잎이 있다. 그리고 잎 사이에 흑자(黑子)가 있는데 약에 들어가지 못한다. -『증류본초』-

비옥한 땅에 거름을 주고 잘 다루어 2월에 - 북쪽 지방은 3월에 한다. -

---

12) 이혈(痢血) : 설사(泄瀉)와 하혈(下血)을 가리킨다. 이것을 단지 하혈(下血)이라고만 하기는 이해가 부족하다.

뿌리를 채취하여 쪽을 갈라 심되 5촌 거리에 한 쪽씩 심고 이랑을 만들어 거름 물을 대준다. 싹이 나기를 기다려서 사변(四邊)의 풀을 매주고 봄이 지난 뒤에 드문가 빽빽한가를 보아서 옮겨 심어도 좋다. - 『거가필용』·『신은지』 -

2~8월에 뿌리를 캐어 볕에 말린다. - 『증류본초』 -

3년 뒤에 뿌리를 캐면 크기가 주먹만 한데, 볕에 말려 찧어 면(麪 국수를 말함)을 만들어 먹으면 사람에게 유익하다. - 『거가필용』·『신은지』 -

당귀(當歸) 승검초 뿌리. 심는 방법은 치포(治圃) 조에 보인다

산과 들에 난다. 모종하기도 한다. - 『증류본초』 -

2월과 8월에 뿌리를 캐어 음건한다. 살지고 윤택하여 물기가 마르지 않은 것이 좋다.[13] 또한 말꼬리처럼 생긴 것이 좋다. - 『증류본초』 -

당귀두(當歸頭)를 사용하면 파혈(破血) 되고 당귀미(當歸尾)를 사용하면 지혈(止血) 되고,[14] 당귀 전체를 사용하면 파혈되기도 하고 지혈되기도 하기 때문에 화혈(和血)이 된다. - 『탕액본초』 -

파혈이 필요할 때는 즉시 당귀두의 경실처(硬實處)를 사용하고, 지통(止痛)·지혈(止血)을 요할 때는 바로 당귀미를 사용한다. - 『증류본초』 -

당귀두는 지혈시키는 동시에 피를 상행(上行)케 하고, 당귀신(當歸身)은 양혈(養血)하여 중초(中焦)를 지켜주고, 당귀초(當歸梢)는 파혈하여 아래로 흐르게 한다. - 『의학정전』 -

상초(上焦 가슴에서 머리까지)를 치료할 때에는 술에 담갔다가 사용하고, 외부(外部)를 치료할 적에는 술로 씻어 사용하고, 혈병(血病)을 치

---

13) 살지고 …… 좋다 : 이 부분은 한독본과 오씨본에 의하여 보충 번역하였다.

14) 당귀두(當歸頭)를 …… 되고 : 이 부분은 내용상으로 뒤바뀐 것 같다. 『본초강목(本草綱目)』에는 당귀두는 지혈(止血)하고 당귀미는 행혈(行血)한다고 되었다.

료할 때에는 술에 쪄서 사용하고, 담(痰)에는 강즙(薑汁)에 볶아서 사용한다. -『의학입문』-

천궁(川芎) 바로 궁궁이이다

송비토(鬆肥土 거칠고 비옥한 땅)에 심고 퇴사(退沙)나 계자(鷄字 닭똥)로 덮고 물을 주면 비대해진다. -『신은지』-

3월과 9월에 뿌리를 캐어 볕에 말린다. 덩어리가 크고 빛이 희며 기름기가 없는 것이 좋다. -『증류본초』-

형상이 덩어리지고 무겁고 충실하며 참새머리 모양으로 된 것을 작뇌궁(雀腦芎)이라 하는데 이것이 가장 효력이 있다. -『증류본초』-

묘두(苗頭)의 작은 덩어리를 무궁(蕪芎)이라 한다. 울혈(鬱血)을 발산시키는 것이 작뇌궁과 동등한 공효가 있다. -『단계심법』-

미무(蘼蕪 어린 천궁)는 바로 궁궁이의 싹이다. 강리(江蘺)라고도 한다. 4월과 5월에 잎을 뜯어 볕에 말린다. -『증류본초』-

궁궁이를 만약 단복(單服)으로 오래도록 먹으면 진기(眞氣)가 흩어지게 되어 폭사(暴死)하는 수가 있으니, 모름지기 다른 약으로 진기를 머물러 놓아야 한다. 골증(骨蒸)의 증세가 있고 땀이 많은 사람은 더욱 오래도록 복용해서는 안 된다. -『증류본초』-

산약(山藥) 마. 산우(山芋)또는 서여(薯蕷)라고도 한다. 황독(黃獨)이라는 것도 있는데 그 맛은 산약(山藥)과 동일하다

3~5개의 큰 구덩이를 파되 너비는 3척, 길이는 1장(丈), 깊이는 5척이 되게 하여, 밑에 벽돌을 깔고 벽돌 위에 사토(沙土)를 쇠똥과 섞어 구덩이에 가득 차도록 메운다. - 인분(人糞)은 안 된다. - 그리고 지마(芝麻)의 줄기나 녹두 깍지나 썩은 풀이나 소변에 담갔던 짚신으로 싸서 심

는다. 뿌리 가에 백립(白粒)과 망자(芒刺)가 있는 것을 취하여 죽도(竹刀)로 3촌쯤 잘라서 3줄로 눕어 심는다. 그리고 사면에 재를 뿌려두면 벌레가 생기지 않는다. 5촌 두께로 흙을 덮고 가물면 물을 주고 싹이 나면 시렁을 만들어 덩굴을 올린다. 서리가 내린 뒤에 씨를 거두고 입동(立冬)이 지난 뒤에 뿌리를 캔다. 뿌리를 캔 다음 흙으로 구덩이를 다시 메운다. 씨를 심을 적에는 늘 이렇게 한다. 그리고 3년이 지난 뒤 캐면 뿌리가 매우 굵다. -『거가필용』·『신은지』-

도랑의 깊이를 3~4척으로 파고 벽돌을 깔고 노두(蘆頭)를 꽂되, 손을 대지 말고 가래[鍬钁]로 내려주면 뿌리가 크게 된다. 매년 심는 사람을 바꾼다. -『산거사요』-

2월과 8월에 뿌리를 캐서 노란 껍질을 긁어버리고 물에 담근다. 그리고 백반 가루 조금을 담근 물에 넣어 하룻밤을 재워 씻어 진[涎 느른하고 끈끈한 것]을 제거한 다음 배건(焙乾)한다. -『증류본초』-

황기(黃芪) 단너삼 뿌리

원야(原野) 곳곳에서 난다. 심는 방법은 채소를 심는 법과 같다. 다만 비옥한 땅에 두둑을 만들어서 심어야 한다. -『신은지』-

2월과 10월에 뿌리를 캐어 음건(陰乾)한다. -『증류본초』-

비백인(肥白人 뚱뚱하고 얼굴빛이 흰 사람)으로 땀이 많은 자가 먹으면 효력이 있고, 창흑인(蒼黑人 마르고 얼굴빛이 검은 사람)으로 기(氣)가 실(實)한 사람은 먹어서는 안 된다. -『의학정전』-

방풍(防風) 방풍나물 뿌리

산과 들 곳곳에 있다. -『증류본초』-

청호(菁蒿) - 제비쑥 - 와 비슷한데 왜소하다. 뿌리는 촉규(蜀葵)와

비슷한데 5월에 작은 흰 꽃이 핀다. -『신은지』-

심는 방법은 채소를 심는 법과 같다. 그리고 씨를 채취하여 심어도 좋다. -『신은지』-

2월과 10월에 뿌리를 캐어 볕에 말리고 노두(蘆頭)·차두(叉頭)·차미(叉尾)[15]인 것을 제거해야 한다. 차두는 사람을 미치게 하고, 차미는 고질(痼疾)을 발생케 한다. -『증류본초』-

싹은 나물을 만들어 먹을 수 있다. 입맛이 상쾌하고 풍질(風疾)을 없애준다. -『신은지』-

훤초(萱草) [2] 원추리. 넘너물 또는 의남(宜男)·녹총(鹿葱)·망우(忘憂)라고도 한다. 심는 방법은 양화(養花) 조에 보인다

인가(人家)에서도 심는데 부드러운 싹은 뜯어서 삶아 먹는 이가 많다. 또 꽃받침은 채취하여 침채를 만들어 먹으면 흉격(胸膈)을 통리(通利)시키는 데 매우 좋다. -『증류본초』-

봄에 베어 나물도 먹으면 구기(枸杞)와 같지만, 여름과 가을에는 먹을 수 없다. -『거가필용』·『신은지』-

임산부가 차고 다니면 아들을 낳는다. -『거가필용』·『신은지』-

양생론(養生論)에 '훤초(萱草)는 걱정을 잊게 한다.[忘憂]' 하였는데, 이를 가리킨 말이다. -『거가필용』·『신은지』-

청대(靑黛) 쪽[藍]으로 만든 것이다. 심는 방법은 치농(治農) 조에 보인다

홍화(紅花) [2] 잇꽃. 심는 방법은 치농(治農) 조에 보인다

15) 차두(叉頭)·차미(叉尾) : 약 뿌리의 머리부분이 서로 엇갈려 겹쳐진 것을 차두(叉頭)라 하고, 뿌리 부분이 서로 엇갈려 겹쳐진 것을 차미라 한다.

홍화(紅花)를 약에 넣되 2푼을 넣으면 양혈(養血)이 되고, 많이 넣으면 파혈(破血)이 된다. -『단계심법』-

자초(紫草) 지치

거친 모래땅에 심는 것이 좋다. 두둑마다 골고루 긁고 파종한다. 비옥한 밭은 1묘(畝)에 2되 반의 종자가 사용되고, 토박한 밭에는 1되 반이 사용된다. 싹이 난 뒤에 풀이 있으면 손으로 뽑아주어야 한다. 호미로 매다가 그 뿌리를 다치면 무성하게 자라지 않는다. -『신은지』-

3월에 뿌리를 캐어 음건해서 술에 씻어 사용한다. -『증류본초』-

두창(痘瘡)에는 모름지기 용(茸 자초(紫草)의 싹)을 사용한다. -『탕액본초』-

목단피(牧丹皮) 모란꽃 뿌리껍질. 심는 방법은 양화(養花) 조에 보인다

산중의 것은 단엽(單葉)으로 난 것이 좋다. -『증류본초』-

2월과 8월에 뿌리를 캐어 동도(銅刀)로 갈라 심을 제거하여 음건한다. -『증류본초』-

흰 것은 보(補)에 쓰이고, 붉은 것은 하리(下痢)에 쓰인다. -『의학입문』-

작약(芍藥) [2] 함박꽃 뿌리. 해식(解食)이라고도 한다

산골에 저절로 난 것을 사용하는 것이 좋고, 인가(人家)에서 건땅에 심은 것은 사용하지 않는다. 또 꽃이 홍색이며 단엽(單葉)인 것이 좋다고 한다. -『증류본초』-

2월과 8월에 캔다. -『증류본초』-

적색과 백색 두 종류가 있는데 적색은 소변을 이(利)하게 하여 기(氣)를 내리고, 백색은 통증을 그치게 하고 어혈(瘀血)을 발산시킨다. 또 적색은 사(瀉)하고, 백색은 보(補)하는 데 쓴다고 한다. -『증류본초』-

복통(腹痛)과 하리(下痢)가 있는 사람을 치료할 때는 반드시 볶아서 써야 한다. 후중증(後重症)에는 볶지 않고 쓴다. -『단계심법』-

창출(蒼朮)과 백출(白朮) 삽주뿌리. 산정(山精)이라고도 한다. 백출은 생김새가 굵고 짧으며, 창출은 생김새가 연주(連珠)와 같은데 길이는 큰손 가락이나 작은 손가락만 하다

산속 곳곳에 난다. 8월에 캐어 쌀뜨물에 하룻밤을 담가두었다가, 다시 쌀뜨물을 바꾸어 하루를 더 담가둔다. 그랬다가 건져 거죽의 거친 껍질을 제거하고 사용한다. -『증류본초』-

노(蘆 싹의 머리 부분)를 제거하고 빛이 희고 기름이 없는 것을 취하여 사용한다. -『의학입문』-

갈근(葛根) 칡뿌리. 분(粉)을 만드는 방법은 치선(治膳) 조에 보인다

산속에서도 나고 곳곳에 다 난다. 흙 속으로 깊이 들어간 것이 좋다. -『증류본초』-

5월 5일에 뿌리를 캐어 볕에 말린다. -『증류본초』-

생근(生根)을 짓찧어 즙을 내어 먹으면 소갈(消渴)·상한(傷寒)·온병(瘟病)·장열(壯熱)을 치료할 수 있다. -『증류본초』-

갈화(葛花)를 소두화(小豆花)와 똑같은 분량으로 가루를 만들어서 먹으면, 술을 마셔도 취하지 않는다. -『증류본초』-

과루근(瓜蔞根) 하늘타리 뿌리. 천화분(天花粉) 또는 천과(天瓜)라고도 한다

원야(原野)에서 나고 곳곳에 다 난다. 그리고 해묵어 땅 속 깊이 들어간 것이 좋다. -『증류본초』-

2월과 8월에 뿌리를 캐어 볕에 말린다. 30일이면 완성된다. -『증류본초』-

과루인(瓜蔞仁)은 천원자(天圓子)라고도 한다. 9월과 10월에 열매가 적황색(赤黃色)으로 익을 때 씨를 채취하여 볶아서 깍지를 버리고 기름기를 제거한 다음 사용한다. -『의학입문』-

과루분(瓜蔞粉)은 허열(虛熱)이 있는 사람이 먹으면 매우 좋다. 갈증을 없애고 생진(生津)하는 효력이 있다. -『증류본초』 분(粉)을 만드는 방법은 갈분(葛粉) 만드는 법과 같은데 치선(治膳) 조에 보인다. -

천화분(天花粉)은 인유즙(人乳汁)으로 쪄서 대의 진액을 뿌려 말리면 상초(上焦)의 담열(痰熱)을 제거할 수 있다. 또 해소(咳嗽)를 그치게 하고 폐부(肺部)를 윤택하게 할 수 있다. -『단계심법』-

반하(半夏) 끼무릇

전야(田野)에서 나고 곳곳에 다 난다. -『증류본초』-

5월과 8월에 뿌리를 캐어 볕에 말리는데 둥글고 희며 오래 묵은 것을 좋은 것으로 친다. -『증류본초』-

탕(湯)에 담갔다가 절편(切片)하여 7번을 물에 씻어 느른한 진액을 모두 제거하고 나서 생강즙(生薑汁)에 하룻밤을 담갔다가 말려서 사용한다. -『증류본초』-

섣달에 포세(泡洗)하여 한데에 내놓아 얼리었다가 또 포세하여 같은 방법을 7차 거듭하면 오래 두는 데 매우 좋다. -『의학입문』-

생강즙(生薑汁)과 백반탕(白礬湯)에 침제(浸制)하여 그 신미(辛味)를 줄인다. 그리고 누룩을 만들어 약에 넣으면 더욱 좋다. -『단계심법』-

임신부가 상한증(傷寒症)이 있을 때 사용하는 반하(半夏)는 포세(泡洗)한 횟수가 많아야 태기(胎氣)를 손상시키지 않는다. -『단계심법』-

반하국(半夏麴)을 만드는 방법은, 반하를 가루로 만들어 생강즙과 백반탕을 등분해서 골고루 섞어 누룩을 만든 다음, 닥나무 잎으로 싸서 바람에 말려 약에 넣는 것이다. -『단계 -심법』

풍담증(風痰症)에는 조각자(皁角刺)를 달여 찌꺼기를 버리고 그 즙으로 고약을 고아 타서 쓰고, 화담증(火痰症)에는 죽력(竹瀝)을 생강즙에 넣어 타서 쓰고, 습담(濕痰)과 한담증(寒痰症)에는 생강을 농전(濃煎)한 탕에 고백반(枯白礬) 3분의 1을 더하여 타서 쓴다. - 반하가 3냥이면 백반은 1냥으로 한다. - 그리하여 앞의 방법처럼 누룩을 만든다. -『단계심법』-

천남성(天南星) 두여머조자기

산과 들에서 난다. 2월과 8월에 뿌리를 캐어 약에 넣을 때는 구워서 사용한다. -『증류본초』-

섣달에 물속에 놓아두어 얼려서, 건조한 성질을 없애고 구워서 사용한다. 혹은 생강즙과 백반으로 중심(中心)에 백점(白點)이 없어질 때까지 익혀도 좋다. -『증류본초』-

우담(牛膽)으로 만든 것이 더욱 좋다. -『증류본초』-

우담남성(牛膽南星)을 제조하는 방법은 남성(南星)을 가루로 만들어 섣달에 우담의 황즙(黃汁)을 쏟아 골고루 섞어서 쓸개 껍질 속에 다시 넣고 꼭 봉한 다음 바람이 통하는 곳에 걸어 놓는다. 그리하여 음건되면 사용한다. -『단계심법』-

토사자(兎絲子) 새삼씨. 복용하는 방법은 섭생(攝生) 조에 보인다

곳곳에 난다. 주로 콩밭에서 많이 나는데, 뿌리가 없이 기(氣)를 빌려서 산다. -『증류본초』-

9월에 열매를 채취하여 볕에 말린다. 술에 배합하면 좋다. -『증류본초』-

사상자(蛇床子) 뱀도랏

곳곳에 난다. 하습(下濕)한 땅에서 나는데 소엽궁궁(小葉芎藭)과 같다. 꽃은 희고 열매는 기장알처럼 황백색이면서 지극히 가볍다. -『증류본초』-

5월에 열매를 따서 음건한다. -『증류본초』-

환(丸)이나 산(散)에 넣을 적에는 약간 볶아서 비벼 껍질을 제거하고 깨끗한 씨만을 취하여 사용한다. 만약 탕으로 만들어 병창의 부위를 씻을 적에는 생(生)으로 사용한다. -『의학입문』-

남녀의 음부(陰部)를 씻으면 풍(風)을 쫓고 냉(冷)을 없애며, 양사(陽事)에 크게 보익(補益)된다. -『증류본초』-

속수자(續隨子) 천금자(千金子)라고도 한다

수시로 채취할 수 있다. 껍데기를 제거하고 갈아서 종이에 싸 눌러 기름기를 없앤 다음 사용한다. -『의학입문』-

매우 신속히 하수(下水)시킨다. 그러나 독이 있어 사람을 손상시키니, 과다하게 사용해서는 안 된다. -『증류본초』-

대극(大戟) 버들옷. 택칠(澤漆)의 뿌리이다

가을과 겨울에 뿌리를 캐어 음건한다. -『증류본초』-
가늘게 썰어 찌거나, 약간 볶아서 사용한다. -『의학입문』-

산자고(山茨菰) 까치무릇. 꽃이 등롱(燈籠)과 같고 빛깔은 흰데 위에 흑점(黑點)이 있다. 그래서 금등롱(金燈籠)이라고도 한다

잎은 부추 같고 세모꼴의 씨를 맺는다. 2월에 싹이 자라고 3월에 꽃이 피며 4월에 싹이 마른다. 마른 즉시 뿌리를 캐야 한다. 만약 지체하면 잎이 썩어 문드러지고 뿌리 가에 털이 생겨 덮여 있으므로 사람들이 구분하지 못한다. 그러니 싹이 있을 적에 지점을 표시해 두었다가 캘 시기에 이르러 캔 다음 껍질을 긁어버리고 배건(焙乾)한다. -『동의보감』-

익모초(益母草) 암눈비앗. 야천마(野天麻)라고도 한다

곳곳에 난다. 잎은 대마(大麻) 같은데 줄기는 모가 났고 꽃은 자색이다. 어떤 데의 것은 잎은 참깨잎 같은데 줄기는 모가 났고 꽃은 마디 사이에 난다. -『증류본초』-
단오일(端午日)에 줄기와 잎을 채취하여 음건하되, 햇빛과 불빛을 피하고 철기(鐵器)를 금한다. -『증류본초』-
자식을 얻고 싶거나 월경(月經)을 고르게 하는 등등에 모두 효과가 있다. 그래서 부인(婦人)의 선약(仙藥)이라고 한다. -『의학입문』-

충위자(茺蔚子) 바로 익모초(益母草)의 열매다. 생김새는 계관자(鷄冠子) 같고 흑색이다. 9월에 채취한다

음양곽(淫羊藿) 삼지구엽풀. 선령비(仙靈脾)라고도 한다

산과 들에서 나는데 잎은 살구나무잎 같고 잎 위에는 열매가 있다. 줄기는 속한(粟稈 조의 짚)과 같은데 물소리가 들리지 않는 데에서 난 것이 좋다. -『증류본초』-

5월에 잎을 따서 볕에 말리는데, 술과 배합하면 더욱 좋다. 또 술에 씻어 가늘게 썰어서 배건(焙乾)하여 사용한다. 주로 남자가 절양(絶陽)되어 양(陽)이 일어나지 않거나, 여인이 절음(絶陰)되어 자식을 가지지 못하거나, 노인이 혼모(昏耄)하여 건망증이 있는 데 사용한다. 부인이 오랫동안 먹으면 자식을 가질 수 있다. 하부에 창(瘡)이 있을 적에 씻으면 충(蟲)이 나온다. -『증류본초』-

희첨(豨薟) 진득찰. 화염초(火枚草)라고도 한다

곳곳에 난다. 향기(香氣)가 저첨기(猪薟氣)와 같다. 볕에 말리면 향기가 없어진다. -『증류본초』-

5월 5일, 6월 6일, 9월 9일에 줄기와 잎을 채취하여 볕에 말려 풍비(風痹)를 치료하는 데에 사용한다. -『증류본초』-

중풍(中風)이 오래되어 백의(百醫)가 고치지 못한 것을 고친다. 5월 5일에 잎과 부드러운 가지를 따서 술과 꿀을 뿌려 아홉 번 찌고 아홉 번 말려서 빻아 가루를 만든다. 그리하여 오자(梧子)의 크기로 환을 지어서 따뜻한 술이나 미음(米飮)으로 50~70알씩 먹는다. 이렇게 오래 먹으면 눈이 밝아지고 근골(筋骨)이 강건(强健)해짐은 물론, 백발(白髮)이 다시 검어진다. -『증류본초』-

목통(木通) 으름덩굴. 통초(通草)라고도 한다

산속에서 나고 곳곳에 다 난다. 등나무 같이 덩굴진다. 크기는 손가락만 하다. 마디마다 2~3가지가 있고, 가지 끝에 5엽이 나고 줄기에는 가는 구멍이 뚫려 있어 아래위로 통하므로 한쪽 끝을 물고 불면 기운이 저쪽 끝으로 나가는 것이 좋다. -『증류본초』-

정월과 2월에 가지를 따서 음건한다. -『증류본초』-

강원도에서 한 종류가 나는데 이름을 목통(木通)이라 한다. 그 빛깔은 황색이고 맛은 쓰다. 습열(濕熱)을 사(瀉)하고 목도(木道 간장(肝臟)을 말함)를 통리(通利)시키는 데 효력이 있고 창(瘡)을 치료하는 데에도 효력이 있다. 이는 하나의 별품(別品)이다. 어떤 사람은 목방기(木防已)라고도 하면서 사습(瀉濕)에 최고의 약이라고 한다. -『동의보감』-

인동(忍冬) 겨우살이덩굴. 이 풀은 등나무처럼 덩굴져 나고, 고목(古木) 위를 감고 올라간다. 왼쪽으로 감아 나무에 붙으므로 좌전등(左纏藤)이라 한다. 또 추운 겨울에도 죽지 않기 때문에 인동이라 한다

곳곳에 난다. 12월에 채취하여 음건한다. -『증류본초』-

금은화(金銀花) 바로 인동(忍冬)의 꽃이다. 꽃에는 황색과 백색이 있다. 그래서 금은화라고 한다

5월에 채취하여 음건한다. -『속방』-

옹저(癰疽)를 치료할 수 있다. 그리고 성열(盛熱)·번갈(煩渴)·감한(感寒)을 발산시키는 데 모두 효력이 있다. -『동의보감』-

모근(茅根) 띠 뿌리. 바로 백모근(**白茅根**)이다

곳곳에 있다. 6월에 뿌리를 캐어 볕에 말린다. -『증류본초』-

시호(柴胡) 멧미나리

곳곳에 난다. 2월에 싹이 나는데 매우 향기롭다. 줄기는 청자색(靑紫色)이고 잎은 댓잎 같기도 하고 맥문동(麥門冬) 잎 같기도 한데 짧다. 7월에 노란 꽃이 핀다. -『증류본초』-

서미(鼠尾)같이 한 포기로 나와 길게 뽑아 오른 것이 좋다. 줄기는 길고도 부드럽고 껍질이 황적색인 것이 좋다. -『의학입문』-

2월과 8월에 뿌리를 캐어 볕에 말린다. -『증류본초』-

노(蘆)를 제거하고 사용한다. 동철(銅鐵)은 피해야 한다. 외감(外感)에는 생으로 사용하고, 내상(內傷)으로 승기(升氣)될 때는 술에 섞어 볶아서 쓰고, 해소(咳嗽)와 땀이 있는 자에게는 밀수(蜜水)에 섞어 볶아 쓰고, 간담화(肝膽火)를 사하시킬 때에는 저담즙(猪膽汁)을 발라 볶아 쓴다. -『의학입문』-

전호(前胡) 바디나물 뿌리

곳곳에 난다. 2월에 뿌리를 캐어 볕에 말린다. -『증류본초』-

싹으로 나물을 만들어 먹으면 맛이 매우 좋다. -『속방』-

승마(升麻) 끼절가리 뿌리. 잎이 삼처럼 생겼으므로 승마(**升麻**)라고 한다

산과 들에서 난다. 2월과 8월에 뿌리를 캐어 볕에 말린다. 그리고 검은 껍질과 썩은 것을 긁어버리고 가늘게 썰어서 사용한다. 계골(鷄骨)

같고 청록(靑綠)의 색깔인 것이 좋다. 양기(陽氣)가 떨어진 자가 사용해야 한다. 만약 땀을 내게 하려면 생으로 쓰고, 보중(補中)하려면 술에 섞어 볶아 쓴다. -『의학입문』-

택사(澤瀉) 쇠귀나물 뿌리

수택(水澤)에서 난다. 곳곳에 다 난다. 8월과 9월에 뿌리를 캐어 볕에 말린다. -『증류본초』-

약에 넣으려면 술에 담가 하룻밤을 재웠다가 건져내어 볕에 말려 사용한다. 중경팔미환(仲景八味丸)에는 주증(酒蒸)하여 사용한다고 되었다. -『의학입문』-

습증(濕症)을 제거하는 성약(聖藥)이다. 그러나 신기(腎氣)를 사(瀉)하기도 하므로 많이 복용해서는 안 된다. 많이 복용하면 눈병이 생긴다. -『탕액본초』-

원지(遠志) 애기풀 뿌리. 잎의 이름은 소초(小草)이다

산속에서 난다. 잎은 푸르고 뿌리는 누르다. 4월과 9월에 뿌리와 잎을 채취하여 볕에 말린다. 먼저 감초(甘草) 달인 물에 씻어서 뼈를 제거하고 생강즙을 섞어 볶아서 쓴다. -『득효방』-

용담(龍膽) 과남풀. 맛이 쓰기가 쓸개 같아서 세속에서는 초룡담(草龍膽)이라 부른다

뿌리는 황백색이다. 아래로 뻗은 뿌리가 10여 본(本)인데 우슬(牛膝)처럼 생겼다. -『증류본초』-

2월 · 8월 · 11월 · 12월에 뿌리를 캐어 음건한다. 뿌리를 캔 뒤에 동도(銅刀)로 수염과 흙을 제거하고 나서 감초탕(甘草湯)에 하룻밤을 담갔다가 볕에 말려 사용한다. 그리고 빈속에는 먹지 말아야 한다. 사람으로 하여금 오줌을 금치 못하게 만든다. -『증류본초』-

술에 담그면 약 기운이 상행(上行)한다. 허(虛)한 사람에게는 술에 담가 검도록 볶아서 써야 한다. -『탕액본초』-

세신(細辛)

산과 들에서 난다. 뿌리는 가늘고 맛은 매우 맵다. -『증류본초』-

2월과 8월에 뿌리를 캐어 음건하여 사용하되 머리 마디를 제거한다. -『증류본초』-

단용(單用)할 때는 가루를 내어 쓰는데 반 전(半錢)이 넘게 먹어서는 안 된다. 많이 먹으면 숨이 막혀서 통하지 않는다. -『증류본초』-

포황(蒲黃) 부들꽃가루

수택(水澤)에서도 나고 곳곳에 다 난다. 포황이 생길 때를 보아서 채취한다. -『증류본초』-

생으로 사용하면 파혈(破血)하고, 익혀서 사용하면 보혈(補血)한다. -『의학입문』-

향포(香蒲)는 바로 포황의 싹이다. 봄에 처음 날 적의 연한 싹은 홍백색인데 생으로 씹으면 달고 연하다. 고주(苦酒)에 담갔다가 먹으면 죽순을 먹는 것 같이 대단히 맛이 좋다. 김치를 만들기도 한다. -『증류본초』-

백지(白芷) 구리때 뿌리

곳곳에 난다. 2월과 8월에 뿌리를 캐어 볕에 말린다. 빛이 노랗고 윤

택한 것을 좋은 것으로 친다. -『증류본초』-

습지(濕地)에서도 잘 자란다.

황금(黃芩) 속서근풀

원야(原野)에서 나고 곳곳에 다 난다. 3월 3일에 2월과 8월이라고도 한다. 뿌리를 캐어 볕에 말린다. 짙은 색깔에 견실(堅實)한 것을 좋은 것으로 친다. -『증류본초』-

위에 허(虛)한 것을 꺾어 폐화(肺火)를 내리게 하고, 아래 실한 것을 꺾어서 대장(大腸)의 불을 쏟게 한다. -『의학정전』-

술에 섞어 볶으면 약 기운이 상행(上行)하고 변에 섞어 볶으면 약 기운이 하행(下行)한다. 보통 때에는 생(生)으로 사용한다. -『의학입문』-

천마(天麻) 수자해좆. 바로 적전(赤箭)의 뿌리이다

생김새는 황과(黃瓜) 같고 연달아 10~20매(枚)가 난다. 2~3월이나 5~8월에 뿌리를 캐어 볕에 말린다. -『증류본초』-

삼릉(三稜) 매자기 뿌리

곳곳에 나고 얕은 물속에서도 많이 난다. 잎은 모두 세모꼴이고 황색이며, 몸은 무겁다. 모양은 붕어와 같으나 작다. -『증류본초』-

싹이 나지 않고 나는 뿌리가 즉시 난다. 손톱같이 굽은 것을 계조삼릉(鷄爪三稜)이라 하고, 가는 뿌리가 나지 않고 형상이 오매(烏梅) 같은 것을 흑삼릉(黑三稜)이라 하는데, 모두 같은 것이다. -『증류본초』-

상강(霜降) 뒤에 뿌리를 캐어 껍질을 깎아버린다. 그리고 몸이 무거운 것을 좋은 것으로 친다. -『증류본초』-

초(醋)에 삶아서 썰어 배건(焙乾)하여 사용하거나, 혹 화포(火炮)하여 사용한다. -『의학입문』-

울금(鬱金) 심황

나는 곳에만 난다. 모양이 매미의 복부같이 생긴 것이 좋다. 이것은 매우 향기롭지는 못 하나 그 기운이 가벼워 주기(酒氣)를 높은 데까지 이르게 하므로 신을 내려오게[降神] 할 수 있다. -『의학입문』-

□월에 뿌리를 캔다. -『속방』-

물에 씻어 배건(焙乾)해서 사용한다. -『의학입문』-

현호색(玄胡索)

나는 곳에만 난다. 뿌리는 반하(半夏) 같고 빛깔은 누렇다. -『증류본초』-

□월에 뿌리를 캔다. -『속방』-

대황(大黃) 장군풀

나는 곳에만 난다. 2월과 8월에 뿌리를 캐어 검은 껍질을 제거하고 화건(火乾)한다. 비단 무늬가 있는 것이 좋다. -『증류본초』-

술에 섞어 볶아서 사용하면 위로 두정(頭頂 정수리)에 달(達)하고 술로 씻어 사용하면 중간의 위완(胃脘)[16]에 이르고, 생용(生用)하면 아래로 행(行)한다. -『만병회춘』-

---

16) 위완(胃脘) : 위(胃)를 가리킨다. 『영추경(靈樞經)』에 "음식이 내려가지 않고 흉격(胸膈)이 막혀 통하지 않는 것은 사(邪)가 위완(胃脘)에 있어서이다." 하였다.

위령선(威靈仙) 위령선 뿌리

산과 들에 난다. 9월 말기에서 12월 사이에 캐어 음건한다. 나머지 달에는 캐지 않는다. 철각(鐵脚)으로 된 것이 좋다. 또는 물소리를 듣지 않은 것이 좋다고도 한다. -『증류본초』-

술에 씻어서 배건하여 사용한다. -『단계심법』-

마두령(馬兜鈴) 쥐방울

곳곳에 난다. 모양은 방울 같다. 4~5조각으로 되어 있고, 잎이 떨어졌을 때도 방울은 오히려 드리워 있다가 익으면 저절로 터진다. -『증류본초』-

8~9월에 열매를 따서 볕에 말려 속에 있는 씨만을 취하고 껍데기와 혁막(革膜)은 버린다. 약간 볶아서 사용한다. -『증류본초』-

하고초(夏枯草) 제비풀

곳곳에 난다. 겨울에 나서 죽지 않으며 봄에는 흰 꽃이 피고 5월에 가서는 마른다. -『증류본초』-

4월에 채취하여 음건한다. -『증류본초』-

이 풀은 순양(純陽)의 기(氣)를 받았다. 목동증(目疼症 눈이 아픈 증세)을 치료하면 귀신같이 낫은 것은 양으로 음을 다스리기 때문이다. -『본초강목』-

등심초(燈心草) 골풀

이것은 자리를 엮는 사람이 쪼개어 그 속을 채취하여 사용한다. -『증류본초』-

등잔 심지를 만들어 쓰면 아주 묘하다. -『속방』-

호장근(虎杖根) 호장근 뿌리. 대충장(大蟲杖)이라고도 한다

곳곳에 난다. 줄기는 죽순(竹笋)처럼 생겼다. 위에는 붉은 반점이 있고 2월과 8월에 캔다. -『증류본초』-

포공영(蒲公英) 앉은뱅이 또는 민들레라고도 하며 지정(地丁)이 라고도 한다

곳곳에 난다. 3~4월에 노란 꽃이 피는데 국화와 비슷하다. 줄기와 잎을 자르면 백즙(白汁)이 나오는데 사람마다 모두 그것을 먹는다. -『증류본초』-

정종(疔腫) - 정창(疔瘡)과 같다. - 을 치료하는 데 가장 효력이 있다. -『의학입문』-

봉선화(鳳仙花) [2] 금봉화(金鳳花)라고도 한다

장창(杖瘡 곤장을 맞아 창이 난 것)을 치료한다. 뿌리와 잎이 달린 채 짓찧어서 붙인다. -『동의보감』-

흰 것은 육독(肉毒 고기를 먹고 중독이 된 것)을 치료한다. -『속방』-

애엽(艾葉)

곳곳마다 난다. 길에 덮어져 있는 것을 가품(佳品)으로 친다. -『증류본초』-

바닷가에서 나는 것으로 줄기가 짧은 것이 가장 좋다. -『속방』-

3월 3일이나 5월 5일에 잎을 채취하여 볕에 말린다. 오래 묵은 것이

라야 사용할 수가 있다. -『증류본초』-

단오일에 해가 뜨지 않았을 때 말하지 않고 채취한 것이 좋다. 찧어서 체로 내려 푸른 찌꺼기를 제거한 다음, 흰 것을 취하여 유황(硫黃)을 조금 넣어서 심지를 만들어 뜸을 뜬다. -『의학입문』-

현삼(玄蔘)

들에서 나고 곳곳에 다 난다. 싹과 잎은 지마(脂麻)와 같은데 7월에 청벽색(靑碧色) 꽃이 핀다. 8월에 흑색의 열매를 맺고 뿌리는 뾰족하고 길다. 생것일 때는 청백색이지만 말리면 자흑색(紫黑色)이 된다. -『증류본초』-

3~4월과 8~9월에 뿌리를 캐어 볕에 말린다. 어떤 사람은 쪄서 햇볕에 말린다고도 한다. -『증류본초』-

주증(酒蒸)하는 것도 좋다. -『의학입문』-

독활(獨活) 멧두릅

산과 들에서 난다. 한 줄기가 곧게 올라온다. 바람이 불면 흔들리지 않고 바람이 없으면 저절로 움직인다. -『증류본초』-

2월과 3월, 9월과 10월에 뿌리를 캐어 볕에 말린다. -『증류본초』-

강활(羌活) 강호리

자색(紫色)으로 마디가 촘촘한 것은 강활이라 하고, 황색에 덩이진 것은 독활(獨活)이라 한다. 주치(主治)는 대동소이하다. -『증류본초』-

강활과 독활은 모두 풍(風)을 치료하는 것이다. 그러나 겉과 속의 증세를 다스리는 것이 다르다. -『탕액본초』-

우리나라에서는 강원도만이 독활과 강활이 함께 생산된다. -『동의보감』-

마황(麻黃)

눈이 5척이 쌓여도 마황이 있는 곳에는 눈이 쌓이지 않는다. 이는 양기(陽氣)가 통하여 외부의 추위를 물리치기 때문이다. -『동의보감』-

입추 때에 줄기를 채취하여 음건해서 청색이 되게 하여 사용한다. 그리고 먼저 뿌리와 마디를 제거해야 한다. 그것은 뿌리와 마디는 땀을 그치게 하기 때문이다. 먼저 1냥을 달여 위에 뜨는 거품을 제거해야 한다. 위의 거품은 사람을 번민하게 만들기 때문이다. -『증류본초』-

중원(中原)의 것을 우리나라의 여러 고을에 옮겨다 심었지만 번식하지 않았다. 오직 강원도와 경상도에서만 번식되었다. -『동의보감』

지모(知母)

원야(原野)에서 난다. 뿌리는 창포(菖蒲) 같으나 매우 부드럽고 윤택하다.

4월에 푸른 꽃이 피는데 부추꽃 같고 8월에 열매를 맺는다. -『증류본초』-

2월과 8월에 뿌리를 캐어 볕에 말려서 수염을 제거하고 사용한다. 황백색으로 윤택한 것이 좋다. -『증류본초』-

보약(補藥)에 넣으려면 소금물이나 꿀물로 찌거나 볶는다. 약효가 상행하게 하려면 술에 섞어 볶아야 하고 철(鐵)을 가까이 해서는 안 된다. -『의학입문』-

우리나라 황해도에서 많이 생산된다. 품질도 좋다. -『동의보감』-

고본(藁本)

잎은 백지(白芷) 같고 향기는 또 궁궁이 같다. 다만 고본(藁本)은 잎이 가늘고 뿌리 위와 싹 아래가 짚[藁]과 비슷한 것이 특징이다. -『증류본초』-

정월과 2월에 뿌리를 캐어 볕에 말려 30일이면 완성된다. 노(蘆)를 제거하고 사용한다. -『증류본초』-

우리나라에는 경상도 현풍(玄風) 지역에만 있다. -『동의보감』-

하수오(何首烏)

관동(關東)에서는 은조롱이라 하고 해서(海西)에서는 새박뿌리라 한다. 본명(本名)은 야교등(夜交藤)인데 구진등(九眞藤)이라고도 한다. 먹는 방법은 섭생(攝生) 조에 보인다

덩굴지고 자주 꽃에 황백색의 잎이다. 서여(薯蕷 마·산약) 같으나 광택이 없고 반드시 상대(相對)하여 나는데 뿌리는 주먹만 하다. 그리고 적색과 백색의 두 종류가 있는데, 적색은 웅(雄 수컷)이고 백색은 자(雌 암컷)이다. 뿌리 형상이 짐승이나 산악(山嶽)의 모양처럼 생긴 것이 진품이다. -『증류본초』-

춘말(春末)·하중(夏中)·추초(秋初)의 청명한 날을 기다려서 자웅(雌雄 꽃이 적색인 것과 백색인 것)을 모두 캔다. 그리하여 죽도(竹刀)나 동도(銅刀)로 껍질을 제거하고 얇게 썰어 쪄서 볕에 말리되 결코 철(鐵)을 가까이하지 말아야 한다. 무릇 약은 수합(修合)할 때에 모름지기 자웅을 상합(相合)해야 한다. 그렇지 않으면 효험이 없다. -『증류본초』-

쌀뜨물에 담가 하룻밤을 재웠다가 절편(切片)하여 볕에 말린다. 만약 환약을 지으면 흑두즙(黑豆汁)을 섞어서 찐 다음 볕에 말려 사용한다. -『의학입문』-

천문동(天門冬) 먹는 방법은 섭생 조에 보인다

정월~2월에 싹을 내어 심되 모름지기 비옥한 땅에 심어야 한다. 그리고 뿌리는 2척가량의 거리에 한 구덩이씩 심어야 하고 촘촘히 심어서는 안 된다. 오래지 않아서 그 뿌리가 매우 무성해지기 때문이다. 만약 뿌리를 채취할 때는 즉시 1분의 작은 것을 남겨 제자리에 심되 항상 위에 거름을 주고 풀을 즉시 매주어야 한다. 이것은 종자를 심기가 매우 어려워서이니 만약 모두 따내면 살지 못할 염려가 있다. -『거가필용』·『신은지』-

2월과 3월, 7월과 8월에 뿌리를 캐어 볕에 말린다. 사용할 때에는 탕(湯)에 담갔다가 쪼개어 심(心 뿌리 속에 든 단단한 힘줄)을 제거해야 한다. -『증류본초』-

우리나라에는 충청도와 전라도에만 있다. -『동의보감』-

맥문동(麥門冬) 겨우살이 뿌리

맥문동(麥門冬)은 흑색 땅과 황사(黃沙) 땅이 가장 적지인데 모두 비옥해야 좋다.

4월 초에 종자를 채취하여 그 뿌리를 머리에서 반 촌(半寸)가량 길이로 자른 다음, 약 1촌 거리로 한 구덩이를 만들어 심고 1촌 반쯤 실하게 흙을 넣어서 사방(四方)을 단단히 밟아 놓는다. 매년 6월·9월·11월 세 차례 거름을 주고 항상 물을 준다. 풀이 나면 즉시 매주어야 한다. -『거가필용』·『신은지』-

2~3월과 9~10월에 뿌리를 캐어 음건하고 탕(湯)에 담갔다가 심을 제거하고 사용한다. -『증류본초』-

채취는 하지(夏至) 하루 전에 종자를 취하여 볕에 말려야 한다. -『거가필용』·『신은지』-

우리나라에는 충청도 · 전라도 · 경상도에만 있다. -『동의보감』-

황정(黃精) 죽대뿌리. 선인반(仙人飯)이라고도 한다. 먹는 방법은 섭생 조에 보인다

3월에 싹이 나는데 높이가 1~2척이다. 잎은 댓잎과 비슷하지만 짧고 둘씩 상대되어 있다. 줄기는 부드러운 것이 복숭아나무 가지와 매우 비슷하고, 뿌리 부분은 황색에 끝은 적색이다. 4월에 미세한 청백색의 꽃이 핀다. -『신은지』에 "미세한 청색 꽃이 피는데 소두(小豆)의 꽃과 같다." 고 했다. - 씨는 흰색인데 기장 같고 또 씨가 없는 것도 있다. 뿌리는 연한 생강 같고 황색이다. 잎이 상대로 난 것은 황정(黃精)이라 하고, 상대로 나지 않은 것을 편정(偏精)이라 한다. 약의 효력은 편정이 황정만 못하다. -『증류본초』-

잎이 들쭉날쭉한 것이 바로 진품이다. -『거가필용』-

10월에 뿌리를 캐어 길이가 2촌가량 되도록 쪼개어 지황(地黃)을 심는 법처럼 드물게 심어 1년이 되면 아주 촘촘하게 된다. -『거가필용』·『신은지』-

2월과 8월에 뿌리를 캐어 볕에 말린다. 뿌리 · 잎 · 꽃 · 열매가 모두 먹을 만하다. -『증류본초』-

캐어 우선 흐르는 물에 푹 담가 놓아 고미(苦味)를 제거한 다음 아홉 번 찌고 아홉 번 말린다. -『의학입문』-

황정은 태양의 정(精)을 받아 난 것으로 약에 넣을 때는 생으로 사용한다. -『의학입문』-

우리나라에서는 평안도에만 있다. -『동의보감』-

철장(鐵漿) 무쇠를 담가 우려낸 물. 철액(鐵液)을 먹는 방법은 섭생 조에 보인다

철(鐵)을 물에 담가 오래 지나면 빛깔이 푸르게 되고 거품이 나오면서 검게 물드는 것을 철장(鐵漿)이라 한다. 뱃속에 들어간 모든 독기를 해독할 수 있다. -『증류본초』-

경분(輕粉) 홍분(汞粉) 또는 수은분(水銀粉)이라고도 한다

식염(食鹽)과 녹반(綠礬)을 등분하여 함께 노구솥에 넣고 황색이 나도록 볶아서 가루로 만든 것을 이름하여 황국(黃麴)이라 한다. 이 황국 1냥에 수은(水銀) 2냥을 넣어 골고루 섞어서 와관(瓦罐)에 함께 넣고 와관 위에는 철등잔(鐵燈盞)을 덮은 다음 밖에는 황니(黃泥)로 굳게 발라 기가 새지 않게 한다. 이것이 마른 다음 숯불로 와관 주위를 달구고 자주자주 철등잔에 물을 붓는다. 그리하여 관(罐) 전체가 붉게 되면 안에 있는 약이 모두 관구(罐口)로 올라온다. 이것을 식힌 다음 열면 바로 경분(輕粉)이 된다. -『의학입문』-

창(瘡)에는 잘 치료되지만 위장(胃腸)을 손상시키고 이를 흔들리게 하니 많이 사용해서는 안 된다. -『동의보감』-

활석(滑石) 곱돌

활석(滑石)은 물같이 백청색(白靑色)이고 돌 위에 그으면 흰 기름진 무늬가 있는 것을 진품(眞品)으로 친다. -『증류본초』-

가늘게 갈아서 수비(水飛)하여 사용한다. 사용할 때에는 반드시 감초를 넣어야 한다. -『의학입문』-

우리나라에서는 충주(忠州)에서 나는 것이 사용할 만하다. -『동의보감』-

석고(石膏)

석고(石膏)는 돌의 볕에 난다. 바둑알 같으면서 희고 투명한 것이 가장 가품(佳品)이다. 자연적으로 맑은 것이 옥(玉)과 같고 가는 결에 희고 윤택한 것이 좋다. 황색은 사람에게 임질(淋疾)이 걸리게 한다. -『증류본초』-

빻아 가루를 만들어서 생감초수(生甘草水)로 수비(水飛)하여 볕에 말려 사용한다. 혹 불에 달구어 빻아서 수비하여 사용한다. -『의학입문』-

초석(硝石) 초(硝)의 총명(總名)이다

박초(朴硝)는 지상(地霜)[17]을 소득(掃得)해서 한 번 달여 이루어지고, 재차 달이지 않은 것을 박초라 한다. 그 맛이 혹삽(酷澁)하여 생우마(生牛馬)의 가죽도 익힐 수 있으므로 피초(皮硝)라고도 한다. -『증류본초』-

망초(芒硝)는 박초에서 취한 것이다. 박초를 따뜻한 물로 즙을 내어 반이 줄도록 달여 동이에 펴 담아 하룻밤을 재우면 가는 가시가 생긴다. 이것이 곧 망초이다. 또 분초(盆硝)라고도 한다. -『증류본초』-

마아초(馬牙硝)도 박초에서 나온 것이다. 박초를 진하게 달여 엉긴 것으로 깨치면 4~5모서리가 나며 맑고 투명한 백색이다. 그리고 그 형상에 따라서 마아초(馬牙硝) 또는 영초(英硝)라고도 한다. -『증류본초』-

즉어(鯽魚) 붕어. 부어(鮒魚)라고도 한다

연못과 수택에 모두 있다. 빛깔은 검고 몸은 짧다. 그리고 배는

---

17) 지상(地霜) : 소석(消石)의 별명(別名). 바로 망초(芒硝)로서 적열(積熱)을 내리게 하고 소변을 잘 보게 하며 오림(五淋 : 다섯 가지의 임질)을 치료한다.

크고 등마루는 높다. 또 1종(種)이 있는데 등마루는 높고 배는 협소(狹小)한 것으로 바로 붕어다. 효능은 좋지 못하다. -『증류본초』-

모든 고기는 모두 오행(五行 수(水)·화(火)·목(木)·금(金)·토(土))의 화(火)에 소속되었으나 붕어만은 토(土)에 소속되었다. 그래서 조위(調胃)하고 실장(實腸)하는 공효(功效)가 있다. -『의학입문』-

순채와 합하여 국을 끓여 먹으면 위가 약해져서 밥이 내려가지 않는 데 주로 좋다. 회(膾)를 만들어 먹으면 오래된 적백리(赤白痢)에 주로 좋다. -『증류본초』-

이어담(**鯉魚膽**) 잉어 쓸개

강·호수·연못·택지 등 어느 곳에나 있다. 등마루 가운데에 비늘이 있는데 머리에서 꼬리까지 세어보면 모두 36개의 비늘이 있다. 식품으로 상미(上味)이다. 그리고 등마루 위의 양쪽 힘줄과 검은 피는 제거해야 한다. 그것은 독이 있기 때문이다. -『증류본초』-

잉어의 쓸개는 이롱(耳聾)과 청맹에 주치약인데, 눈에 넣어 주면 적종(赤腫)이 되어 열통(熱痛)이 있는 데 주약이다. 장예(障瞖)를 제거하기도 한다. -『증류본초』-

역린(逆鱗)이 있는 것은 먹으면 죽는다. -『문견방』-

오적어골(**烏賊魚骨**) 오징어 뼈. 해표초(**海螵蛸**)라고도 한다

동해와 서해에서 산다. 무시(無時)로 잡는다. 오징어는 뼈가 하나뿐인데 두께가 3~4푼이며 작은 배 같고 가볍다. 부인의 누혈(漏血)에 주치약이다. -『증류본초』-

한동안 황색이 되도록 물에 삶아 껍질을 제거하고 가늘게 갈아서 수비(水飛)한 다음 햇볕에 말려 사용한다. -『의학입문』-

여어(蠡魚) 가물치. 동어(鮦魚)또는 예어(鱧魚)라고도 한다

연못과 수택에서 산다. 어디든지 있다. -『증류본초』-

나병(癩病)을 치료하는 데 이것을 사용하며 화사(花蛇)로 대신하여 쓰기도 한다. 이 또한 거풍(去風)의 효력이 있기 때문이다. -『단계심법』-

창병(瘡病)이 있는 자가 먹어서는 안 된다. 사람으로 하여금 반백(瘢白)이 생기게 한다. -『증류본초』-

만여어(鰻鱺魚) 뱀장어

강호(江湖)에서 살고 어디든지 있다. 선어(鱔魚) 같으나 배가 크고 비늘이 없으며, 청황색이다. 대개 뱀 종류이다. 5색이 갖추어진 것이 공효가 더욱 좋다. 악창(惡瘡) 및 부인의 음호(陰戶)가 충(蟲)으로 가려운 것을 치료한다. -『증류본초』-

석수어(石首魚)

서해(西海)에서 산다. 개위(開胃)하고 익기(益氣)한다. 말린 것은 숙식(宿食)을 사라지게 한다. 고기 머리에 바둑알만 한 돌이 있는데 그것을 갈아서 먹으면 임질(淋疾)을 치료할 수 있다. 그리고 순채와 함께 국을 끓여 먹으면 매우 좋다. 오래 묵은 것일수록 좋다. -『수양총서유집』-

모려(牡蠣) 굴조개

동해에서 산다. 무시로 채취한다. 11월에 채취하는 것이 좋다고도 한다. 그 껍데기는 배가 쳐들려 남으로 향하여 보이고 입은 동으로 향하여 기울어져 있으면, 이것은 좌고(左顧)이다. 어떤 사람은 첨두(尖頭)

를 좌고라고도 한다. 그런데 좌고된 것이 약에 들어간다.

대저 큰 것을 좋은 것으로 친다. 먼저 염수(鹽水)로 1일을 달여 화하(火煆)하여 연분(硏粉)해서 사용한다. 설정(泄精) 및 여자의 적백대하(赤白帶下)를 치료한다. -『동의보감』-

귀갑(龜甲) 남생이의 등껍질. 신옥(神屋)이라고도 한다

강하(江河)와 호수(湖水)에서 사는데 무시로 잡는다. 그리고 습기(濕氣)에 닿지 않게 해야 한다. 습기에 닿으면 바로 독이 생긴다. -『증류본초』-

무릇 귀갑을 사용하는 데는 생으로 벗긴 것을 상품으로 친다. 수구(酥炙)하거나 주구(酒炙)하여 사용한다. -『의학입문』-

귀판(龜板) 거북배 껍데기

상갑(上甲)은 바로 귀갑(龜甲)이고 하갑(下甲)은 바로 귀판(龜板)이다. 성질과 맛은 동일하고 모두 음허(陰虛)를 치료하는 데 좋다. -『의학입문』-

배 밑이 10찬(鑽)을 할 만큼 넓은 것을 패구라 하는데, 방서(方書)에는 패구를 많이 쓴다. 또는 누천기(漏天機)라고도 한다. -『증류본초』-

남생이는 곧 음(陰) 중에 지음(至陰)한 물건으로 북방(北方)의 기(氣)를 받고 생겼기 때문에 크게 보음(補陰)에 공(功)이 있다. -『단계심법』-

별갑(鱉甲) 자라등 껍데기

강호(江湖)에서 살고 무시로 잡는다. 생으로 갑(甲)을 벗기고 살을 베어 낸 것을 좋은 것으로 친다. 삶아서 빠진 것은 사용하지 않는다. 다만 회염(會厭 목젖)이 달려 있는지와 말랐는지를 보는 것이 좋다. 만약 양편의 뼈가 나왔으면 이미 삶았던 것임을 알 수 있다. 그리고 녹색(綠色)에 구륵(九肋)으로서 주름이 폭[裙] 수가 많고 무게가 7냥인 것이 상품이다. -『증류본초』-

무릇 사용할 때에는 초에다 황색이 나도록 끓인다. 노열(勞熱)을 제거하려면 동뇨(童尿)에 하루를 끓인다. -『증류본초』-

자라를 먹을 때는 비름[莧]을 먹어서는 안 된다. -『증류본초』-

상표초(桑螵蛸) 뽕나무 위의 사마귀의 집. 식우당랑자(蝕疣螳螂子)라고도 한다

뽕나무 위에서 난다. 2월과 3월에 채취하여 쪄서 화구(火灸)해야 한다. 그렇게 하지 않으면 설사를 하게 된다. -『증류본초』-

살짝 쪄서 사용한다. -『증류본초』-

남자의 신(腎)이 쇠(衰)하여 정(精)이 새서 정액이 저절로 나오는 것을 치료하고, 소변이 잦은 것을 그치게 한다. -『증류본초』-

선각(蟬殼) 매미 허물

5월에 채취한다. 소아의 간기(癎氣)와 말을 못하고 눈이 어두워 물건이 보이지 않는 것을 치료한다. 또 두창(痘瘡)이 쾌하게 낫지 않는 것을 치료하는 데 매우 좋다. -『증류본초』-

잠사(蠶砂) 바로 누에똥이다

5월에 거둔 것이 좋다. 깨끗이 거두어 볕에 말려 황색이 나도록 볶

아서 사용한다. -『증류본초』-

혹 술에 담갔다가 복용하거나 볶아서 뜨거울 때에 환부에 눌러 준다. -『증류본초』-

풍비증(風痺症)으로 불인(不仁)한 것을 치료한다. -『증류본초』-

더위 먹은 것을 치료하는 데 묘효(妙效)가 있다. -『속방』-

잠퇴지(蠶退紙) - 또는 잠련(蠶連)이라고도 한다. - 는 바로 맨 처음 누에가 나온 껍데기가 종이 위에 있는 것을 말한다. 약에 넣을 때는 약간 볶아서 써야 한다. 부인의 약으로 많이 사용된다. -『증류본초』-

섬여(蟾蜍) 두꺼비

몸집이 크고 등이 검고 점이 없으며, 딱지처럼 울퉁불퉁한 것이 많고 뛰지 못한다. 그리고 알지 못할 소리를 내면서 행동이 더디고 느리다. 인가의 습처(濕處)에 많이 있다. -『의학정전』-

5월 5일에 잡아 말린다. 동쪽으로 가는 놈을 잡으면 더욱 좋다. 갈라서 껍질과 발톱을 제거하고 하룻밤을 물에 담갔다가 음건하여 수구(酥灸)해서 뼈를 제거하거나 소존성(燒存性)하여 사용한다. -『증류본초』-

섬수(蟾酥)[18]를 내는 법은, 5월 5일에 두꺼비를 산 채로 잡아 묶어놓은 뒤에 침(鍼)으로 눈썹 사이를 찔러 갈라놓고서 물건으로 가볍게 그 등을 치면 백즙(白汁)이 저절로 나온다. 이것을 대칼로 긁어내려서 유지(油紙) 위에 발라 음건하여 사용한다. -『본초강목』-

해분(海粉)

자해합(紫海蛤) - 바다 굵은 조개 - 1근을 붉게 화하(火煆)하여 동변

---

18) 섬수(蟾酥) : 두꺼비의 눈썹 사이에서 짜낸 흰 독약을 밀가루에 반죽한 약인데 감병(疳病)·정창(疔瘡)·악종(惡腫) 등의 치료에 쓰인다.

(童便)에 3차례를 담갔다가 가루를 만들어 사용한다. 그리고 노랗게 익은 하눌타리와 함께 난도(爛擣)하여 떡을 만들어서 삼끈으로 꿰어 바람이 통하는 곳에 달아매어 바람에 말린 다음 가루를 만들어서 사용한다. -『동의보감』-

환약(丸藥) 만드는 데에만 넣는다. -『증류본초』-

사태(蛇蛻) 뱀허물. 용자의(龍子衣)라고도 한다

전야(田野)에 있다. 5월 5일이나 15일에 채취하는데 모두 돌 위에 완전히 있는 것만이 좋다. 그리고 희기가 은색 같은 것을 사용한다. -『증류본초』-

흙 속에 하룻밤을 묻어놓았다가 초에 담근 다음 구건(炙乾)하여 사용하거나, 혹 소존성(燒存性)하여 사용한다. -『의학입문』-

오사(烏蛇)

빛깔이 옻칠같이 검고 성질이 순하여 물지 않는다. 그리고 꼬리가 길어 엽전(葉錢) 100전(錢)을 꿸만한 것이 좋다. 대풍(大風)을 앓는 집에서 마침 오사가 술동이 안에 빠진 것을 모르고 그 술을 마셔 마침내 병이 낫기도 했다. -『문견방』-

계육(鷄肉)

흰 털에 검은 뼈를 가진 것이 좋다. -『의학입문』-

빛깔이 희고 눈이 검은 것이 바로 진짜 백오계(白烏鷄)이다. -『동의보감』-

오장(五臟)을 편안히 하고 소갈(消渴)을 그치게 하고 소변을 잘 통하게 하고 단독(丹毒)을 제거하는 데 주약이다. -『증류본초』-

오자계(烏雌鷄)는 털과 뼈가 모두 검은 것이 상품이다. -『의학입문』-

모든 금조(禽鳥)는 눈이 검은 것은 반드시 뼈도 검어야 곧 진품 오계(烏鷄)이다. -『증류본초』-

반위증(反胃症)을 치료하고 태아(胎兒)를 편안히 한다. 산후(産後)에 허하고 파리한 것을 보해주고, 옹저(癰疽)를 치료하면 고름을 없애고 신혈(新血)을 보한다. -『증류본초』-

황자계(黃雌鷄 노란 암탉)는, 빛깔이 노랗고 다리가 황색인 것이 좋다. -『의학입문』-

소갈(消渴)과 설사 이질에 주약이 된다. 오장을 보하여 골수(骨髓)를 더해주고 정액(精液)을 보해주며 양기를 도와준다. -『증류본초』-

계란(鷄卵)은 노란 암탉이 낳은 것을 좋은 것으로 치지만, 검은 암탉이 낳은 계란이 더 좋다. -『증류본초』-

계자단(鷄子丹)을 만드는 방법은, 순백색인 암탉과 수탉을 따로 길러서 그 닭이 계란을 낳으면 구멍을 뚫어 흰자와 노른자를 빼낸 뒤 단사(丹砂)를 가늘게 갈아 섞는다. 이것을 다시 노른자와 흰자를 빼냈던 계란에 넣고 뚫은 구멍을 밀[蠟]로 봉한다. 그리하여 흰 닭 안긴 둥우리에 넣어 앉게 하면 병아리가 깰 때쯤에 약이 완성된다. 이것을 꿀에 타서 먹되 황두대(黃豆大)만큼씩 두 알을 만들어 하루에 세 차례씩 먹으면 오래 살 수 있다. -『신은지』-

손괘(巽卦)는 닭도 되고 바람도 되는데 닭이 오경(五更)에 우는 것은 손위(巽位)에 감동(感動)되었기 때문이다. 그러므로 풍기(風氣)가 있는 사람은 먹어서는 안 된다. -『증류본초』-

작육(雀肉) 참새

10월 뒤와 정월 전에 먹으면 사람에게 유익하다고 한다. 대개 음양이 고요히 안정되어서 터져 새나가지 않는 뜻을 취한 것이다. -『증류

본초』 -

기를 보하고 정력을 더해주며 소변을 줄이고 양도(陽道)를 일어나게 하여 자식을 두게 한다. -『증류본초』 -

야명사(夜明砂) 박쥐 똥. 바로 복익(伏翼)이다. 편복(蝙蝠)이라고도 한다

박쥐[蝙蝠]는 산골이나 인가의 지붕 사이에서 산다. 그 똥은 눈을 밝게 하고 내외장(內外障)을 치료한다. 그리고 볶아서 먹으면 누력(瘻癧 연주창 등속의 부스럼)을 치료할 수 있다. -『증류본초』 -

편복이 유석굴(乳石窟) 속에 살면서 그 정즙(精汁)을 먹는다. 빛깔이 하얗고 비둘기와 까치처럼 큰 것은 모두 1천 세를 산다. 이것이 선경(仙經)에 이른바 육지(肉芝)라는 것이다. 그것을 먹으면 사람이 살찌고 건장해지며 오래 살 수 있다. 지금은 편복이 고옥(古屋)에서 많이 산다. 그중에 빛깔이 하얗고 큰 것은 대개 드물게 있는데, 유석굴 속에서 나오는 것을 헤아려 보면 이와 같다. -『증류본초』 -

사향(麝香) 사향노루의 배꼽

춘분(春分)에 생것을 취하면 더욱 좋다. 그 향(香)은, 바로 사(麝)의 음경(陰莖) 앞 피육(皮肉)에 별도로 막(膜)이 있어 싸고 있다. -『증류본초』 -

사(麝)는 세 종류가 있다. 제1의 것은 향사(香麝)가 새끼를 낳으면 추운 계절에 이르러 향이 가득해지는데, 봄에 접어들면서 급작스럽게 아프므로 발톱으로 긁어 떼어 내버린다. 그러면 그것이 떨어진 근처에는 풀과 나무가 모두 누렇게 탄다. 때문에 이것은 아주 얻기가 어렵다. 그다음은 제향(臍香)으로, 곧 잡아 죽여서 취하는 것이요, 그다음은 심결향(心結香)으로, 곧 추격을 받아 도망하다가 저절로 죽은 것인데 품질이 좋지 않아 약으로 사용하지 않는다. -『증류본초』-

사향은 가짜가 많다. 그러니 한 조각을 쪼개 보면 털이 싸인 속에 함께 있는 것을 좋은 것으로 친다. -『증류본초』-

무릇 사향을 사용할 때는 자일(子日)에 갈라 너무 가늘게 갈지 않고 다만 체로 쳐서 사용한다. -『증류본초』-

우리나라에는 사향이 함경도와 평안도에서 나는 것을 좋은 것으로 친다. 그러나 달자(㺚子 서북변 오랑캐) 지방에서 나는 것에는 미치지 못한다. -『동의보감』-

사향은 우리나라에서 생산되는 것이 가장 좋다. 사향을 포획하거든 그 즉시 가는 노끈으로 제근(臍根)을 단단히 묶고 향을 베어내어 3일 동안을 술에 담가둔다. 그리고 구덩이를 2척 깊이로 파고 진흙으로 그 안을 바른 다음 상시(桑柴)에 불을 지폈다가 불을 제거하고 뜨거울 때 나무를 갱구(坑口)에 십자(十字)로 걸쳐 놓고는 아래로 늘어지게 달아 맨다. 그다음 질동이[瓦盆]를 엎어 놓고 하룻밤을 두었다가 마른 다음 꺼낸다. 그리하여 사태피(蛇蛻皮)로 싸서 저장해 두면 향이 특수하게 좋아진다. -『이용재경험방』-

웅담(熊膽) 곰의 쓸개

웅담은 꺼내어 음건한다. 그러나 역시 가짜가 많다. 진가(眞假)를 시험하려면 밤만큼 떼어 온수(溫水)에 한번 넣어 보는데, 솜같이 흩어지지 않는 것이 진짜다. -『증류본초』-

고질(痼疾)이 있는 자는 - 적취(積聚) 한열(寒熱)이라고도 한다. - 곰의 고기를 먹어서는 안 된다. 만약 먹으면 고질이 죽을 때까지 낫지 않는다. -『증류본초』-

녹용(鹿茸) 사슴의 갓 난 뿔

5월에 뿔이 처음 나올 때의 용(茸)을 잘라서 불에 말린다. 모양이 작은 가지만 한 것을 상품으로 친다. 어떤 사람은, 가자용(茄子茸)은 너무 어려서 혈기(血氣)가 갖추어지지 못했으므로, 말안장처럼 가지가 갈라진 것을 채취한 것만큼 효력이 없다고 한다. -『증류본초』-

우유를 발라 불에 말리고 털을 제거한 다음 약간 구워서 약에 넣는다. -『증류본초』-

코로 냄새를 맡아서는 안 된다. 용(茸) 속에는 작은 벌레가 있는데 그것이 코로 들어가 사람을 해치기 때문이다. -『증류본초』-

허로(虛勞)하고 수척하여 사지(四肢)와 허리가 아픈 것을 치료한다. 남자의 신기(腎氣)가 허하여 몽설(夢泄)하거나, 여인이 대하(帶下)로 누혈(漏血)하는 것을 치료하고 태(胎)를 편안케 해준다. -『증류본초』-

녹각(鹿角)은 사슴의 뿔이다. 사슴은 1000세를 사는데 500세가 되면 털이 변하여 하얗게 된다. 사슴의 나이가 오랜 것일수록 그 녹각이 단단하고 좋으며, 그것이 약에 들어가면 더욱 좋다. -『증류본초』-

혹 초자(醋煮)해서 썰거나 혹은 황색이 되도록 굽거나, 혹 태운 재를 가루로 만들어 사용한다. -『의학입문』-

저절로 떨어진 뿔은 약으로 사용하지 않는다. 뇌골(腦骨)에 연결된 것을 잡아서 채취한 것이어야 약으로 쓸 수 있다. -『의학입문』-

녹각은 옹저(癰疽)의 주약(主藥)이다. 악혈(惡血)과 심복통(心腹痛)을 제거한다. 그리고 절상(折傷)과 요척(腰脊)의 통증을 치료한다. -『증류본초』-

녹각교(鹿角膠)와 녹각상(鹿角霜)을 달이는 방법은, 뇌골에 달린 녹각을 채취하여 톱으로 1촌 길이로 잘라 흐르는 물속에 3일간 담가둔다. 그 다음 때를 씻어버리고 사와(砂鍋) 안에 넣고는 맑은 물을 - 강물이면 더욱 좋다. - 녹각이 푹 잠기도록 붓는다. 그리고선 뽕잎으로 사와의 입을 막고 뽕나무 장작을 때어 달인다. 3일간 조금씩 열수(熱水)를 부어주고 불이 꺼지지 않도록 관리한다. 그리하여 녹각이 연한 우유처럼 문드러졌으면 즉시 불을 끄고 뿔을 건져내어 볕에 말린다. 이것을 일러 녹각상(鹿角霜)이라 한다. 그 즙을 맑게 걸러 맑은 것만을 취하고 이것이 엉긴 다음 조각을 내어 바람에 말린 것을 녹각교(鹿角膠)라 한다. -『의학입문』-

우황(牛黃)

황(黃)이 든 소는 털에 광택(光澤)이 있고 눈이 핏빛같이 붉으며 수시로 소리를 지른다. 그리고 물에 비치기를 좋아한다. 그러므로 사람이 물동이에 물을 담아 소가 비치도록 소 앞에 갖다 놓고 소가 토하려 할 때 소리치며 다가가면 즉시 한 개의 계란만 한 황(黃)을 거듭거듭 떨어뜨린다. 그것을 쪼개 보아서 가벼우면서 속이 비어 있고 꽃다운 향기가 나는 것이 좋다. -『증류본초』-

소를 놀라게 하여 얻은 것을 생황(生黃)이라 하는데, 매우 얻기 어려운 것이다. 지금은 모두 도살장(屠殺場)에서 잡은 소의 간(肝)과 담(膽)에서 인출하고 있다. 우황을 얻으면 100일 동안 음건하되 햇빛과 달빛이 들지 않게 한다. -『증류본초』-

우황은 가짜가 많다. 손톱 위에 문질러 보아서 그 황색이 노랗게 물드는 것을 진품으로 친다. -『증류본초』-

우유(牛乳)

흑우(黑牛)의 젖이 황우(黃牛)의 젖보다 좋다. 우유를 먹으려면 반드시 1~2번 끓였다가 식혀서 먹어야 한다. 생으로 마시면 설사를 하고 뜨거울 때 먹으면 즉시 막힌다. 또 한꺼번에 많이 먹지 않는 것은 점차적으로 소화시키려는 때문이다. -『증류본초』-

모든 유락(乳酪)은 신 것과는 상극이다. -『증류본초』-

아교(阿膠)

빛깔이 노랗고 투명한 것을 사용한다. 소가죽을 삶아서 만든다. -『의학입문』-

노새 가죽으로 만든 아교는 풍증(風症)의 주약(主藥) 가운데 제일이다. -『증류본초』-

호경골(虎脛骨)

범의 빛깔은 황색인 것이 좋다. 그리고 숫호랑이를 좋은 것으로 친다. 따라서 경골(脛骨 정강이뼈)을 사용하는 것은 호랑이의 모든 근력이 전부 앞발의 경골 속에서 나오고, 성기(性氣)가 그 속에 저장되어 있다. 때문에 그것을 약에 넣어 사용한다. -『의학입문』-

호두골(虎頭骨)로 베개를 만들어 베고 자면 악마를 물리치고, 문 위에 달아두면 귀신을 물리칠 수 있다. -『증류본초』-

구육(狗肉)

황색 수캐가 상품이고 백색과 흑색이 그다음이다. 살진 것은 피도 향기로운 법이니 피를 제거할 필요가 있겠는가? 피를 제거하면 전혀 효력이 없다. -『증류본초』-

봄에 눈이 벌겋고 코가 마르면서 미치려는 개의 고기를 먹어서는 안 된다. -『증류본초』-

구정(狗精)은 바로 수캐의 음경(陰莖)이다. 6월 상복일(上伏日 초복(初伏)을 말함)에 잡아 100일 동안 음건한다. 음위(陰痿)되어 발기되지

않는 경우와 여자의 대하에 주약이다. -『증류본초』-

개 쓸개를 상복일에 취하여 뜨거운 술에 타서 먹으면 오래 묵은 어혈(瘀血)이 죄다 풀린다.

구보(狗寶)는 개 쓸개 속의 황(黃)을 말한다. 달을 보고 짖으면서 발광하는 개에게 많이 있다. 7월에 취하는 것이 진품이다.

마른 두부에 구멍을 뚫고 그 속에 황(黃)을 넣은 다음 구멍을 막는다. 그다음 물에 넣어 반나절 동안 삶아서 곱게 갈아 사용한다. 폐경(肺經)의 풍독(風毒)과 담화(痰火)와 옹저(癰疽)를 치료한다. -『의학입문』-

백구(白狗)의 젖을 취하여 눈 속에 넣어주면 10년 된 청맹(靑盲)도 치유된다. -『증류본초』-

백구(白狗)의 똥은 심복(心腹)의 적취(積聚)와 낙상(落傷)하여 어혈(瘀血)된 것이 풀리지 않는 것을 치료한다. 소존성(燒存性)하여 술에 타서 먹으면 신효가 있다. -『동의보감』-

소아의 열병에는 물에 적셔 짜서 먹이면 매우 효력이 있다. -『속방』-

저육(猪肉)

기르는 돼지는 뇌(腦)를 제거한다. -『증류본초』-

돼지고기는 풍기(風氣)를 발동시킨다. 그러므로 오래 먹어서는 안 된다. -『증류본초』-

야저육(野猪肉 멧돼지)은 풍기를 일으키지 않는다. -『증류본초』-

돼지 간의 성질은 온(溫)하므로, 냉설(冷泄)과 오래된 적백리(赤白痢)와 습증(濕症)의 제거와 각기(脚氣)의 치료에 주약이 된다. -『증류본초』-

돼지기름은 섣달 해일(亥日)에 채취하여 물에 닿지 않게 하면 해를 넘겨도 썩지 않는다. -『증류본초』-

수고(手膏 손에 바르는 고약을 말함)를 만들어 바르면 손이 트지 않는다. 모든 악창(惡瘡)과 살충의 주약이 된다. -『증류본초』-

오달(五疸)을 치료한다. 포의(胞衣)를 내리게 하여 해산을 쉽게 한다. -『의학입문』-

돼지 담은 성질이 미한(微寒) - 대한(大寒)하다고도 한다. - 하다. 상한(傷寒)과 열갈(熱渴)·골열(骨熱)·대변불통(大便不通)의 주약이다. -『증류본초』-

돼지 똥은 동쪽으로 가면서 눈 수퇘지의 똥을 좋은 것으로 친다. 물에 하룻밤을 담가두었다가 찌꺼기를 제거하고 먹는다. 성질이 한(寒)하므로 유행되는 열병과 황달(黃疸)·습비(濕痺)·고독(蠱毒)을 치료한다. -『증류본초』-

돼지 똥의 물은 습독(濕毒)을 치료하는 극품(極品)이다. -『증류본초』-

토저육(土猪肉) 오소리 고기. 단육(猯肉), 또는 환돈육(貛豚肉)이라고도 한다

개와 비슷하나 왜소하다. 주둥이는 뾰족하고 다리는 검은데 갈색으로 아주 살졌다. 잡아서 쪄 먹으면 맛이 매우 좋다. 오랜 수창(水脹)으로 죽게 된 경우의 주약이다. -『증류본초』-

국을 끓여 먹으면 수종(水腫)이 내려가고, 수척한 사람이 먹으면 살이 붙어 비백(肥白)하게 된다. 오래된 이질(痢疾)을 치료하는 데 큰 효력이 있다. -『의학입문』-

위육(蝟肉) 고슴도치 고기

오소리처럼 생긴 짐승으로 다리가 짧고 가시가 많다. 사람이 접근하면 문득 머리와 다리를 감추는데 이때의 겉모습은 모두 가시뿐이다. -『증류본초』-

위기(胃氣)를 잘 열어주고 구역(嘔逆)을 그치게 하여, 식사를 할 수 있게 한다. -『의학입문』-

고슴도치 가죽은 약에 넣으려면 태워 재로 만들거나 노랗거나 검게 볶거나 물에 삶아서 사용한다. 술을 배합하면 더욱 좋다. -『의학입문』-

오치(五痔)·음식(陰蝕)·장풍(腸風)·사혈(瀉血)의 주약이다. 또 복통(腹痛)과 산적(疝積)도 치료한다. -『증류본초』-

토육(兎肉) 토끼 고기

토끼 중에는 흰 토끼가 있다. 그것은 서방(西方)은 금기(金氣)를 전득(全得)하였으므로 약에 넣으면 더욱 좋다. 토끼는 1000년을 사는데 500년이 되면 털이 희게 변한다고 한다. 다만 토끼는 가을이 깊어져야 먹을 만한데 그것은 금기가 온전해지기 때문이다. -『증류본초』-

8월에서 10월까지는 고기를 주구(酒炙)하여 단석(丹石)과 먹으면 발열(發熱)이 있는 사람에게 좋다. 그것은 고기의 성질이 냉하기 때문이다. -『증류본초』-

섣달에 토끼 고기로 장(漿)을 만들어 먹이면 어린아이의 완두창(豌豆瘡)을 제거할 수 있다. -『증류본초』-

갈증을 치료하고 비위(脾胃)를 건강케 한다. 그러나 많이 먹으면 원기(元氣)를 손상시켜 방사(房事)를 약하게 만든다. -『증류본초』-

임신 때 먹지 못하게 하는 것은, 아이가 언청이가 될 뿐만 아니라 입으로 나오기 때문이다. -『증류본초』-

토끼 간은 눈이 어두운 데 주약이다. 눈을 밝게 만들고 허로(虛勞)를 보한다. -『증류본초』-

토끼 똥은 완월사(玩月砂)라고도 한다. 창(瘡)과 치질을 치료한다. -『증류본초』-

온눌제(膃肭臍) 바로 해구(海狗)의 외신(外腎)이다

무시로 잡아서 불알이 달린 채로 채취한다. 온눌제(膃肭臍)는 자홍색(紫紅色)이고 그 가죽 위에는 살덩어리가 있다. 살덩이 위에 노란 털 세 가닥이 한 구멍에 나 있다. -『증류본초』-

그리고 외신(外腎) 위에 홍자색(紅紫色)의 반점이 있고 양쪽에 거듭 막이 있어 살덩이를 싸고 있다. -『의학입문』-

그 외신을 취하여 100일 동안 음건하여 밀기(密器) 속에 저장해 두면, 항상 윤습(潤濕)한 것이 새 것 같다. -『증류본초』-

진품인지를 시험하려면 잠자는 개 옆에 놓아두는데, 자던 개가 갑자기 놀라 미친 듯이 뛰는 것이 좋은 것이다. 또 섣달에 바람이 통하는 곳에다가 물 대야에 담가 놓으면 얼음이 얼지 않는 것이 진품이다. -『증류본초』-

하루 동안 술에 담갔다가 종이에 싸서 괄지 않은 불에 구워 향기롭게 만든 다음 가늘게 썰어 그것만을 찧어 사용한다. -『증류본초』-

불에 태워 털을 제거하고 하루 동안 술에 담갔다가 끄느름한 불에 구워 향기롭게 만든 다음 가늘게 썰어서 따로 갈아 사용한다. -『의학입문』-

정력이 손상되어 음위(陰痿)되는 데에 주약이다. 양기를 돕고 허리와 무릎을 따뜻하게 해준다. -『증류본초』-

우리나라에서는 강원도 평해군(平海郡)에서 나는데 매우 귀하여 얻기가 어렵다. -『동의보감』-

달담(獺膽) 수달 쓸개

흑화(黑花)가 생겨 눈이 흐리고 위아래로 파리가 나르는 듯하여 물건을 보면 분명히 보이지 않는 데의 주약이다. 그리고 결핵과 나력(瘰

癧)을 치료하는 데 매우 효험이 있다. -『동의보감』-

옛말에 '수달의 쓸개로 술잔의 술을 양쪽으로 가를 수 있다.' 하였으나, 시험해 보니 사실이 아니었다. 오직 배면(杯面)에 발라 보았더니 잔에 담긴 술이 조금 솟아올랐을 뿐이었다. -『증류본초』-

모서육(牡鼠肉)

뼈를 발라내고 술에 쪄서 약에 넣는다. -『증류본초』-

소아가 감질(疳疾)로 배가 커지고 음식을 탐하는 데의 주약으로, 구워서 먹인다. 끊어진 근골(筋骨)을 치료하여 접속시킬 적에 찧어 붙인다. -『증류본초』-

숫쥐의 쓸개는 눈이 어둡고 귀먹은 데의 주약이다. 단, 쥐는 죽자마자 쓸개가 바로 녹아버린다. 그러므로 얻을 수가 없다. -『증류본초』-

쥐의 쓸개는 인신(人神)이 있는 곳에 있는 쥐에만 있다. 그리고 매월 초에만 있으므로 초3일 전에 잡으면 얻을 수 있다고 한다. -『의학입문』-

자하거(紫河車) 자식 낳은 태. 바로 부인의 포의(胞衣)인데 혼돈피(混沌皮) 또는 혼원피(混元皮)라고도 한다

남자를 낳은 태로서 초산(初産)의 것이 좋다. 만약 없으면 장성(將盛)한 부인의 다음 태도 좋다. -『의학정전』-

고방(古方)에는 남녀를 구분하지 않았다. 세상에 전해지기는, 남자는 여아를 낳은 태를 사용하고 여자는 남아를 낳은 태를 사용하되 모두 초산의 태가 좋다고 하는데, 이것은 이치가 있는 듯하다. -『의학정전』-

준기(竹器)에다 흐르는 물을 담아 1각(刻)을 담가두었다가 생기(生氣)가 들 때에 건져 내어 깨끗이 씻은 다음 힘줄과 막을 제거한다. 이를 멸롱(篾籠)에 담고 바깥을 종이로 발라 기가 새나가지 않도록 하여

배건(焙乾)한다. 그랬다가 사용할 때에 미초(米醋)에 하룻밤을 담갔다가 배건한다. -『의학정전』-

또 다른 방법은 씻어서 나무시루에 넣고 묘시부터 유시까지 찌면 풀처럼 문드러진다. 그다음 꺼내어 돌절구에 넣고 여러 약과 함께 찧어서 환약을 만들어 사용한다. -『만병회춘』-

이 약은 혈약(血藥)에 넣으면 음(陰)을 자양(滋養)하여 열(熱)을 퇴치하고, 기약(氣藥)에 넣으면 양기를 강장하게 하여 자식을 낳을 수 있다. 그리고 담약(痰藥)에 넣으면 담을 치료하고, 풍약(風藥)에 넣으면 풍을 치료하고, 심약(心藥)에 넣으면 전광(癲狂)과 실지(失志) 등의 증세를 치료한다. 병세가 위중하여 죽게 되었더라도 한 번 먹으면 다시 1~2일은 산다. -『의학입문』-

포수(胞水) - 안깨 사근물. - 를 땅에 7~8년간 묻어두면 변하여 물이 된다. 모든 열독(熱毒)과 소아단독(小兒丹毒)을 치료하는 주약이다. -『증류본초』-

인유즙(人乳汁) 젖

남아를 초산한 부인의 젖은 눈이 핏발이 서고 아프며 눈물이 많이 나오는 증세를 치료하고 말의 간과 쇠고기의 독을 풀어준다. -『증류본초』-

젖 중에는 우유가 상품이고 양유(羊乳)가 다음이며, 마유(馬乳)가 또 그다음이다. 이상의 젖의 효과는 모두 인유(人乳)를 따르지 못한다. 옛날에 장창(張蒼)이란 사람은 이[齒]가 없어서 유부(乳婦) 10여 명을 두고 식사 때마다 배부르게 먹었다. 그리하여 100여 세에도 살결이 비백(肥白)하기가 박속같았고 정신이 소년보다도 나았다. 그리하여 2인의 아들도 낳았다. -『식물』-

인뇨(人尿) 오줌

요(尿)란 소변이다. 화기(火氣)를 아주 신속히 내리게 한다. -『단계심법』-

오줌은 모름지기 동남(童男)의 것이어야 좋다. -『증류본초』-

일찍이 한 노부(老婦)를 만났는데 나이가 80이 넘었으나 용모는 40된 부인과 같았다. 그래서 까닭을 물어보았더니, 그의 대답은 다음과 같다.

"전에 악질(惡疾)을 앓았는데 사람들이 오줌을 먹으라 하기에 마침내 40여 년을 먹었습니다. 그랬더니 늙을수록 건강해지고 다른 병도 없습니다." -『단계심법』-

인중백(人中白) - 오줌버캐 - 또는 추백상(秋白霜)이라고도 한다. 바로 오줌통 밑에 가라앉은 결백(潔白)한 오줌찌꺼기이다. 모름지기 오줌통을 바람 치고 이슬 맞는 데에 놓아 둔 2~3년이 지난 것이어야 사용할 수 있다. 그러나 급하면 그런 것에 상관없이 무릇 오줌찌꺼기를 긁어다가 새로 만든 기와 위에다 놓고 화하(火煆)해서 가루로 만들어 사용한다. -『의학입문』-

간화(肝火)를 사하시키고 음화(陰火)를 내리게 한다. -『의학입문』-

토혈(吐血)·이수(羸瘦)·갈질(渴疾), 끓는 물이나 불에 데어 창(瘡)이 난 것을 치료한다. -『증류본초』-

추석(秋石) 오줌 많이 가라앉힌 찌꺼기

음련법(陰煉法)은, 오줌을 큰 동이에 많이 받아놓고서 우물물을 타서 100번 저어 가라앉도록 놓아두었다가 맑은 물은 쏟아버리고 다시 찌꺼기만을 남겨 놓는다. 그리고 또 우물물을 붓고 함께 젓되 물을 많이 붓는 것을 묘수로 삼는다. 또 맑은 물을 쏟아 버린다. 이렇게 10여 차례를 거듭하여 직접 냄새를 맡아도 냄새와 물 향기가 없으면 중지한다. 두꺼운 종이를 체에 깐 다음 종이 위에 쏟아 맑은 물을 흘려버리고 볕에 말려 가루로 만든다. 그리하여 첫아들을 낳은 산모(産母)의 젖으로 고루 버무려 고약같이 만들어서 뜨거운 햇볕에 말린다. 이런 방법을 아홉 번 되풀이 하면 빛깔이 백분(白粉)과 같아진다. 이것은 태양의 기운에 의해서 그렇게 된 것이다. 이것을 일러 음련추석(陰煉秋石)이라 하는 것으로 자음강화(滋陰降火)의 효능이 있다. -『의학입문』-

양련법(陽煉法)은 오줌을 동이에 많이 붓고 조각자(皂角刺)의 즙을 조금 넣어 더러운 오줌 기운을 죽인다. 그다음 100여 번 젓고 소변의 백탁(白濁)이 모두 가라앉아 맑게 되기를 기다려서 맑은 물은 쏟아버리고 찌꺼기만 남겨 놓는다. 그리고 또 물을 붓고 1백여 번 저어 다시 가라앉혀서 물은 버리고 찌꺼기만 남긴다.

그리고 다시 베[布]에 여과(濾過)하여 찌꺼기는 버리고 농즙(濃汁)만을 취한다.

그다음 깨끗한 솥에 넣고 볶아 말려서 긁어내어 빻은 다음 체로 친다. 이것을 다시 솥에 넣어 물을 붓고 달여서 녹인다. 녹으면 키나 대그릇에 두꺼운 종이를 두 겹으로 깔고 그 즙을 부어 임과(淋過 물기가 서서히 새어 내려가게 하는 것)시켜서 물기를 제거한 다음, 다시 솥에 넣고 볶아 말린다.

또는 탕으로 달여 녹으면 키에 종이를 깔고 부어 즙을 새나가게 하되 만일 빛깔이 결백하지 못하면 다시 임과하여, 빛깔이 서리나 눈처럼 희어지면 즉시 중지한다. 인하여 밑바탕이 단단한 사합(砂盒 사기로 된 뚜껑 있는 그릇)에 가득 넣고 화하(火煆)하여 즙이 되거든 쏟아내어 백옥색(白玉色)이 나기를 기다려서 백옥색이 나면 중지한다. 그리고 가늘게 갈아서 사합에 넣은 다음 그 밑 부분에 불을 땐다. 그러면 4냥(兩)의 추석(秋石)이 만들어지는데, 7일 동안 불을 때야 만들어진다. 불을 오래 땔수록 더욱 좋은데 이것을 일러 양련추석(陽煉秋石)이라 한다.

이 추석은 여러 가지의 냉질(冷疾)과 오래된 허손증(虛損症)을 치료한다. -『의학입문』-

동남동녀(童男童女)로서 나이가 13~14세나 15~16세의 병이 없고 아직 파음(破陰)과 파양(破陽)이 되지 않은 자들을 가려서 사기 항아리에 오줌을 받는다. 그리하여 1~2석(石)이 될 때 달여 사용하면 효과가 매우 크다. 그래서 동남동녀를 택하는 것이다. 병 없는 사람의 오줌만을 받아 달여서 쓸 수도 있다. -『의학입문』-

월수(月水) 여자의 월경수

월경의(月經衣)를 물에 빨아 즙을 취한다. -『증류본초』-

음열(陰熱)을 치료하는 데 가장 좋다. -『동의보감』-

홍연(紅鉛)은 바로 병 없는 실녀(室女 처녀)가 첫 번 행한 월경을 말하는 것으로, 남녀의 기혈(氣血)이 쇠약하여 담화(痰火)가 상승함을 치료한다. 그리고 음식을 조금씩 먹고 목이 쉬고 몸이 아프거나 여자의 경도가 막히는 등의 증세에도 효력이 있다. -『의학입문』-

여자는 14세가 되면 천계(天癸 월경을 말함)가 오는데 이것은 음(陰) 속의 진양(眞陽)으로 기혈(氣血)의 원품(元稟)이다. 월경이 올 때가 되면 뺨이 먼저 도화색처럼 되는데, 그 뒤 반 달 안에 반드시 경도(經道)가 온다. 초경(初經)이 있을 때엔 모름지기 흰 명주를 사용하여 경의(經衣)를 만들어 띠게 한다.

그러면 경도가 나와 모두 명주에 물들게 된다. 처음으로 경도가 올 때에 홍연(紅鉛)한 덩이를 취할 수 있는데, 그것은 크기가 고기눈만 하며 홍색으로서 명량(明亮)하기가 주옥같다. 이것은 생명을 연장시켜 주는 지극한 보배이다. 이것을 좋은 술 1잔에 타서 먹고 한참 뒤에 취하면 젖을 마셔야만 하루가 지난 뒤에 스스로 깨어나게 된다. 깨어난 다음에 방사(房事)를 끊은 자는 일기(一紀 일기는 12년)의 수명을 더 살

수 있다. 그리고 다시 명주를 바꾸어 경의(經衣)를 만들어서 나머지의 경도를 받아 음건, 상백(上白 찌꺼기가 가라앉은 위의 맑은 부분)된 동변(童便)에 한동안 담가두면 경의에 말라붙은 경도가 저절로 우러나게 된다. 그 경도가 우러난 물은 자기(磁器)에 넣고 용도에 따라 사용한다. 이것은 승련(昇煉)하지 않은 것과 같으므로 분홍연(坌紅鉛)이라 한다. 이 역시 허로(虛勞)를 보하고 명맥(命脈)을 접속시키는 데 좋다.

그리고 이 차경(次經 홍연(紅鉛)을 받고난 다음의 경도) 다음에는 파신(破身 파음(破陰)과 같음)되지 않은 자의 것만을 모아서 음건하여 자기(磁器)에 넣고 승련(昇煉)하여 빛깔이 자상(紫霜)과 같아지면 보통 것과 합하여 삼원단(三元丹)에 넣고 젖으로 먹으면, 생명을 오래 연장시킬 수 있고 문득 백병(百病)을 제거할 수 있다.

홍연을 취할 여자에게는 먹고 입는 것을 때에 맞게 해야 하고, 구속하지 않는 것이 좋다.

신선태을자금단방(神仙太乙紫金丹方) 당(唐)나라의 진자명(陳自明)과 송(宋)나라의 이신실(李迅實)은 모두 신선퇴독원(神仙退毒元), 또는 성원단(聖援丹) 또는 신선해독만병원(神仙解毒萬病元)이라고도 하였다. 그런데 명(明)나라 함허자(涵虛子) 구선(臞仙)[19]은 옥추단(玉樞丹)이라 했고, 지겸도인(止謙道人) 왕응의(王應椅)가 지금의 이름을 지었다

산자고(山茨菰)의 껍질을 제거하고 깨끗이 씻어 배건한 것 2냥.

『본초』에, 산자고(山茨菰)의 뿌리는 약간의 독이 있다. 옹종(癰腫)·창위(瘡痿)·나력·결핵 등의 주약으로 초(醋)에 불려 찧어 붙인다. 또 사람의 얼굴에 발라주면 검은 기미가 제거된다. 그것은 습지에서 나는 것으로 금등롱(金燈籠)이라고도 하고 녹제초(鹿蹄草)라고도 하는데 잎은 차전(車前)과 비슷하고 뿌리는 자고(玆菰)와 비슷하다. 영릉(零陵) 사이에 또 단자고(團茨菰)란 것이 있는데 소산(小蒜 작은 마늘)과 비

19) 함허자(涵虛子) 구선(臞仙) : 다 명태조(明太祖) 제16자 주권(朱權)의 자호(自號)이다.

슷하고 주치(主治)하는 약효도 이것과 대략 같다.' 하고, 구선(臞仙)은 다음과 같이 말하였다.

"사람들이 산자고를 모르고 노아산(老鴉蒜)을 그것으로 오인하기 때문에 약을 써도 효력이 없다. 산자고는 속명(俗名)이 금등롱(金燈籠)으로 잎이 부추와 비슷하고 꽃은 등롱(燈籠)과 비슷하다. 빛깔은 흰 바탕에 검은 점이 있고 세모꼴의 열매를 맺는다. 2월에 싹이 돋고 3월에 꽃이 피고 4월에 잎이 마른다. 빈 땅에 그것이 있으면 땅 위에 흰 털이 싸고 있으므로 사람들이 모른다. 그래서 싹이 있을 적에 그곳을 표시해 두었다가 가을에 가서 캐야 한다."

지금 상고해 보니, 노아산(老鴉蒜)은 시골 이름이다. 까마귀무릇이라 하는 것으로 산과 들에 많이 난다. 그것은 바로 지금 민가(民家)에서 삶아먹는 것이다. 그런데 뿌리가 작은 것을 서로 비슷하다 하여 중국 사람들이 잘못 사용하고 있었으니, 이미 본래의 산자고는 잃어버린 셈이다. 그리고 우리나라의 의가(醫家)에서도 다시 마산(馬蒜)을 사용하고 있으니 더욱 우스운 일이다. 마산은 잎의 크기가 띠[帶]와 같아서 길이가 1~2척이나 되고, 뿌리의 크기는 주먹만 한데 작은 것은 까치 머리만 하다. 2~3월에 싹이 돋고 6월에 잎이 마르고 7월에 붉은 꽃이 핀다. 높이는 두어 자[數尺] 남짓하다. 따라서 구선이 말한 것과는 아주 다르다. 그런데 세상의 의원(醫員)들이 잘못 사용했고, 또 책에 기록까지 하여 『구급간이방(救急簡易方)』의 산자고 아래에 언문 글씨로 ᄆᆞᆯ무웃이라 썼다. 때문에 뒷사람들 중에는 이를 변증하려는 사람조차 없으니 매우 한심스러운 일이다.

내가 약을 감정하던 겨를에 『본초』·『외과정요(外科精要)』·『활인심방(活人心方)』 등의 책을 뒤적이다가 그것이 잘못된 것임을 알게 되었다. 그 뒤로 산과 들을 수색하여 찾아보았는데, 그것은 바로 지금 농촌의 아이들이 까치마늘이라고 하면서 캐어서 날로 먹는 것으로 생김새는 소산(小蒜) 같았고 맛은 맵지 않았다.

그것은 거친 껍질에서부터 털과 섞여 여러 겹으로 싸여 있었다. 싹이 자랄 때부터 꽃이 피고 열매가 맺고 잎이 마를 때까지 털에 싸여 있는 것이 한결같이 구선의 말과 같았다. 그래서 처방(處方)에 따라 취하여 제약(劑藥)해서 시험해 보니, 증세에 따라 문득 효험이 있었다. 그제야 스스로 믿었으므로 내가 잊지 않고 있다가 비로소 전하는 것이다. 그러나 『본초』에는, "잎은 길경과 같고 뿌리는 자고와 같다." 한 것을 보면 내가 얻은 산자고는, 뿌리는 소산 같고 부추 같다는 말과는 다르다. 그러니 이것은 구선이 말한 바와 같다는 것을 알겠다. 그리고 또 『본초』에 이른바 영릉(零陵)의 단자고(團茨菰)라는 것임이 의심할

바 없다. 그러나 그 꽃에 있다는 흑점만은 있기도 하고 없기도 하였다. 또한 어찌 풍토가 달라서 그런 것이 아니겠는가? 그에 대해서는 우선 물리(物理)에 넓은 학자의 변증이 있기를 기다린다.

천금자(千金子)는 속수자(續隨子)라고도 하는데 껍데기를 제거하고 갈아서 기름기를 뺀 것 1냥. - 두문방(斗門方)에는 껍데기를 제거하고 종이로 싸서 무거운 물건으로 눌러 기름을 빼낸 다음 다시 빻아 분말을 만든다 했다. -

『본초』에 다음과 같이 말하였다.

"천금자는 맛이 맵고 성질은 온(溫)하며 독이 있다. 부인의 혈결월폐(血結月閉)·징가(癥瘕 속병)·현벽(痃癖)·어혈(瘀血)·고독(蠱毒)·귀주(鬼疰)·심복통(心腹痛)·냉기(冷氣)로 오는 창만(脹滿)을 치료하는 주약이다. 대소장(大小腸)을 이롭게 하고 담음(痰飮)과 적취(積聚)를 제거함은 물론 악체물(惡滯物)을 내려가게 한다. 그리고 그 줄기 속에서 나오는 백즙(白汁)을 사람의 얼굴에 바르면 검은 기미가 사라진다. 이것은 어디든지 난다. 싹은 대극(大戟) 같고 무시로 캘 수 있다."

이제 상고해 보니 그 이름을 '연보(聯步)'라고도 하고 '보살두(菩薩豆)'라고도 하는 것으로 역시 대극(大戟)과 같았다. 처음 돋을 때는 한 줄기로서 줄기 끝에 잎이 나고 줄기 중간에 두 줄기가 다시 나와 서로 (원문 1자 빠짐) 마주보고 있다. 그러므로 속수자(續隨子)라 한다 했고, (원문 1자 빠짐) 심으면 겨울에 자라고 봄에 이삭이 나오고 여름에 열매가 맺는다. 그러므로 거동(拒冬)이라고도 한다 했다.

그러나 서울은 기온이 한랭하기 때문에 많이 나지 않고, 영남과 호남 지방의 바닷가에 있기는 하다. 그러나 열매의 수확이 매우 적어서 얻기가 아주 어렵다. 내가 시험 삼아 가을에 수십 낱을 심어 길러 보았다. 겨울이 되자 얼어 죽은 것이 많았고, 또 굼벵이가 뿌리를 즐겨 먹으므로 굼벵이를 잡아 죽이고서 거두어 움에 두었더니, 살아난 것이 겨우 9~7개였다. 파란 것이 매우 사랑스러웠다.

가을에 종자를 받았으나 역시 수량이 적어서 1냥에 껍질을 제거하면 무게가 6~7전에 지나지 않고 기름을 빼내면 겨우 3전뿐이다. 한 제(劑)의 약을 짓는 데 들어가는 수량은 3냥 5전을 사용하여야 껍질을 제거하고 기름을 빼내고서 1냥쭝을 얻을 수 있다. 그런데 기름기 빼기가 매우 곤란하다. 껍질을 제거하고 갈아서 종이에 싼 다음 생포(生布)로 또 싸서 비틀어 짜내야 한다. 내가 두어 가지 방법을 시험해 보았고, 또 옛사람이 종이에 싸서 무거운 물건으로 눌러 놓는 방법도 시험해 보니, 위의 방법만은 못하였다.

문합(文蛤)은 오배자(五倍子)라고도 한다. 방망이로 쳐서 깨어 깨끗이 씻은 것 3냥.

『본초』에 다음과 같이 말했다.

"문합(文蛤)은 맛이 쓰고도 시며 성질은 독이 없다. 그것은 너리 먹는 잇몸과, 폐장(肺臟)에 풍독이 넘쳐흘러서 피부에 풍습(風濕)과 선창(癬瘡)이 일어 소양증(瘙痒症)으로 농수(濃水)가 생긴 것과, 오치(五痔)로 하혈(下血)이 온 것과, 소아(小兒)의 얼굴과 코에 감창(疳瘡)[20]이 생긴 것을 치료한다. 9월에 따서 볕에 말리는데 진액이 나오는 것이 가장 좋다."

이제 상고해 보니 백충창생부목(百蟲倉生膚木)이라고도 하는 것으로 시골 이름으론 붉나무이다. 잎 위에 생기는데 큰 것은 주먹만 하다. 빛깔이 푸른 것을 가려서 취해야 한다. 익을 때가 되면 황색이 되는데 쭈그러지고 검은 것은 사용할 수 없다. 그러나 매우 가벼워서 생것 1두(斗) 남짓이어야 깨끗한 것 3냥을 얻을 수 있다. 모름지기 한두 차례 서리를 맞힌 뒤에 많이 따서 저장해 두어야 한다.

홍아(紅芽)는, 대극(大戟)이라고도 한다. 묵은 싹은 제거하고 깨끗이 씻어 배건한 것 1냥 반.

『본초』에는,

"맛은 쓰고도 달다. 성질은 대한(大寒)하고 약간의 독(毒)이 있다. 고(蠱)와 12수종(水腫)의 창만(脹滿)·급통(急痛)과 적취(積聚)·중풍(中風)·피부동통(皮膚疼痛)·토역(吐逆)·항액 옹종(項腋癰腫)·두통(頭痛)·발한(發汗)과 대소장(大小腸)을 이(利)하게 하는 주약이다."

하였고, 『약성론(藥性論)』에는,

"맛은 쓰고도 맵고 성질은 대독(大毒)이 있다. 그리고 악혈벽(惡血癖)은 오래된 것이나 새 것이나를 막론하고 덩이를 깨쳐 사하(瀉下)시켜, 뱃속의 뇌명(雷鳴)을 치료하고 월경(月經)을 통하게 한다. 어혈(瘀血) 치료에 좋고 잉태(孕胎)를 떨어지게 하고 독약을 사(瀉)하게 한다. 유행병인 황병(黃病)과 습학(濕瘧)을 설리(泄利)시키고 옹결(癰結)을 깨친다. 12월에 캐어 음건한다."

하였고, 『도경(圖經)』에는 다음과 같이 말했다.

---

20) 감창(疳瘡): 어린아이의 감병(疳病)으로서 피부에 결핵성 또는 피부 영양(營養)의 장애로 헌 데가 생기는 병. 또는 매독(梅毒)으로 음부에 헌 데가 생기는 병이다.

"2월에 캔다."

이제 상고해 보니, 『이아(爾雅)』에서는 교거공(蕎鉅邛)이라고도 했고 은진풍(癮疹風)·풍독(風毒)·각종(脚腫)을 치료한다고 하였다. 내가 시험 삼아 납설(臘雪)을 헤치고 연한 싹을 채취해보니, 붉은 싹이 사랑스러웠다. 8월에 채취하는 것도 역시 홍아이다. 그러나 섣달에 채취한 것만큼은 좋지 않다. 2월은 채취할 시기가 늦은 듯한데 지금의 약캐는 사람들은 싹이 있을 때 캐기 쉬운 것만 편리하게 여겨, 캐는 시기를 맞추지 않고 캔다. 때문에 약으로 써도 효력이 없으니 매우 한심스럽다. 곁가지는 가려서 버리고 쓰지 말아야 한다.

사향(麝香) 3전을 따로 갈아서 쓴다.

『본초』에,

"맛은 맵고 성질은 온(溫)하고 독도 없다. 악기(惡氣)를 내쫓고 귀정물(鬼精物)을 죽이고 온학(溫瘧)·고독(蠱毒)·간질(癎疾)을 치료한다. 삼충(三蟲)과 사독(蛇毒)을 제거하고 모든 흉사(凶邪)와 귀기(鬼氣)와 중악(中惡)·심복폭통(心腹暴痛)과 창급비만(脹急痞滿)·풍독(風毒)을 치료한다. 부인의 난산(難産)과 낙태(落胎)에 사용한다.

그리고 얼굴의 검은 기미와 눈 속에 생긴 부예(膚瞖)를 제거한다. 오래 장복하면 사기(邪氣)를 제거하여 몽압(夢壓)이 없어진다. 춘분 때에 생긴 것을 채취하면 더욱 좋다."

하고, 『약성론(藥性論)』에는 다음과 같이 말했다.

"백 가지의 사매(邪魅)·귀주(鬼疰)·심통(心痛)·소아경간(小兒驚癎)·객오(客忤)를 제거한다. 마음을 진정시키고 정신을 안정시킨다. 또 귀독(鬼毒)·고독(蠱毒)·학질(瘧疾)을 죽이고 생도(生道)를 촉진시킨다. 태를 떨어지게 하고 장부(臟腑)의 충(蟲)을 죽이고 사기를 제거한다. 누에 독과 이[虱]에 물린 독과 시내의 장독(瘴毒)을 치료한다.

그렇지만 이 약재는 아주 얻기가 어렵다. 만인(蠻人)들이 이것을 얻으면 한 마리의 향(香)을 가지고 피막(皮膜)의 잡육(雜肉)과 여물(餘物)을 긁어서 사족(四足)과 무릎의 가죽으로 싸서 다섯 마리의 것으로 만드는데, 그것을 그 지방 사람이 사서 또 그 하나를 가지고 2~3개를 만드는 형편이고 보면 그것이 가짜임을 알만 한 일이다. 그러므로 오직 생으로 얻은 것이어야 아주 진품이라고 할 수 있다. 그리고 가짜는 사용하지 않는 것만도 못하다. 다른 약과 병용할 적에는 자일(子日)에 쪼개어 쓴다. 너무 가늘게 빻아서 쓰지 말고 체로 받쳐서 사용하는 것이 좋다."

지금 상고해 보니 중국 사람들이 한 마리의 사향을 여러 개로 갈라 위조해 온 지가 오래다. 내가 일찍이 중국에 갔다가 조회하러 온 달자부(㺚子部)[21]에서 사왔는데, 그것은 진품이었다. 그러나 역시 우리나라에서 생산되는 것만큼 좋지는 못했다. 사향은 암석(巖石)이 험조(險阻)한 산이면 어디든지 있다. 그런데 성질이 본래 놀라지 않으므로 사람을 보고도 달아나지 않기 때문에 보기만 하면 반드시 잡을 수 있다. 잡으면 즉시 가는 노끈으로 배꼽 밑을 단단히 잡아맨 다음 베어서 술에 3일간 담가 놓았다가 땅을 2척쯤 파고 그 안을 진흙으로 바른 다음 뽕나무로 불을 지핀다. 그러다가 불을 제거하고 뜨거운 때에 나무를 십자형(十字形)으로 구덩이 입구에 가로 걸쳐 놓고 아래로 늘어지게 달아맨다. 그리고 질동이로 덮어 하룻밤을 재웠다가 마른 다음 꺼내어 사태피(蛇蛻皮)로 싸서 보관하면 향(香)이 매우 좋다.

서북(西北) 지방에서 더욱 많이 생산된다. 사향은 세 종류가 있다. 제일 좋은 것은 생향(生香)이다. 사향이 여름에는 뱀과 벌레를 많이 잡아먹으므로 겨울이 되면 향(香)이 가득 찬다. 봄이 되면 갑자기 아파서 제 스스로 발톱으로 긁어내어 똥과 오줌을 묻혀서 묻어두는데 모두 정해진 곳이 있다. 그래서 사람이 그것을 발견하면 1두 5되까지 얻을 수가 있다. 이 향을 사용하면 죽여서 취한 것보다 낫다. 또한 그것이 떨어진 곳에는 근처의 풀이 노랗게 타는데, 이것은 지극히 얻기가 어렵다.

그다음은 제향(臍香)인데 포획(捕獲)하여 죽여서 취한 것이다.

그다음은 심결향(心結香)이다. 사향노루가 큰 짐승의 추격을 받고 놀라서 정신없이 달아나다가 언덕 아래로 떨어져 죽은 것을 사람이 주어다 배를 갈라보면 피가 흘러나오면서 덩어리가 지는 것이 이것이다. 이 향(香)은 성질이 건조하므로 사용하지 못한다.

이상의 약 중에서 천금자(千金子)와 사향(麝香)을 제외한 세 가지 약(산자고(山茨菰)·문합(文蛤)·홍아(紅芽))을 곱게 빻아 연약(硏藥 천금자(千金子)와 사향(麝香)을 빻아 가루로 만든 것)과 고루 섞어 나미(糯米)로 죽이 되게 쑤어 풀을 만들어서 함께 나무절구에 넣고 천 번 찧는다. 그것을 나누어 40날을 만들어서 사용하되 약을 합할 시기는 단오(端午)·칠석(七夕)·중양일(重陽日)이나 천덕(天德)·월덕일(月德日)을 사

---

21) 달자부(㺚子部) : 달단국(韃靼國)을 가리킨다. 달자는 우리나라 사람들이 달단국 사람을 지칭한 것이다.

용하는 것도 좋다. 약을 만들 적에는 깨끗한 방에 분향(焚香)하고 지성을 드려 만들되 부인이나 닭과 개가 보지 못하게 해야 한다.

이제 상고해 보니 가루를 합하면 무게가 7냥 8전이다. 그러나 바람에 날아가는 등의 결손이 생기므로 나머지는 7냥 5전에 지나지 않는다. 매제(每劑)에 나미(糯米) 2홉을 깨끗이 씻어 진밥을 지어 사용하는데 무게가 6냥 6전으로, 풀과 합한 약의 무게는 14냥이 좀 더되고, 찧은 다음 무게는 14냥 3~4전이다. 이것은 대개 찧을 때 공이에 붙거나 마르면 물을 첨가했기 때문이다. 진자명(陳自明)·구선(臞仙)·왕응의(王應椅)가 모두 한 제(劑)를 나누어 40개로 만든다고 하였다. 그러나 나는 기력(氣力)의 강약(强弱)과 노유(老幼)를 헤아리지 않고 모두 1개씩 먹는다는 것이 마음에 걸려, 이제 나누어서 80개로 만들었다. 이는 왕응의가 이른바 '매번 반 개씩 먹는다.' 한 것도 이 같은 뜻일 것이다. 음건 한 1개의 무게는 1전이고 한 제(劑) 80개의 무게는 8냥이다. 이것이 신선태을자금단(神仙太乙紫金丹)을 만드는 법의 대략이다.

그런데 지금의 의가(醫家)에서는 이미 산자고(山茨菰)를 잘못 알고 쓰는데다가 다시 웅황(雄黃)과 주사(朱砂)를 첨입(添入)해서 그 진성(眞性)을 어지럽혔고, 또 근량도 우리나라와 아주 다르기 때문에 약의 효력이 전혀 없으니, 계산 없는 것이 너무 심하다. 그리고 별도로 탕(湯)을 갖추어 뒤에 붙였다. 이 약은 매우 견강(堅剛)하므로 창졸간에 갈기가 쉽지 않으니, 모름지기 곱게 깎아서 물에 타 먹으면 된다.

매양 1개를 빈속에 먹되 새벽에 일찍 먹으면 더욱 신속한 효력을 본다. 통리(通利)시킬 때는 1냥을 먹어도 무방하지만 따스한 죽으로 먹어야 한다. 그리고 이 약을 가지고 다니면 손쉽게 응변(應變)할 수 있어 만에 하나도 실수가 없을 것이다. 그러나 임산부는 먹지 말아야 한다.

여러 가지 약독(藥毒)과 고독(蠱毒)·장기(瘴氣)·호리독(狐狸毒)을 치료하고, 악균(惡菌)·복어·소·말·낙타·노새 등의 고기를 먹고 생긴 일체의 음식독을 치료한다. 냉수 – 무릇 냉수를 사용한다는 것은 모두 정화수(井華水)를 사용함을 말하는데 혹은 장류수(長流水)도 사용한다. - 를 사용하여 갈아서 문질러주고 아울러 먹인다.

뱀·개·지네 등 일체 독충(毒虫)에게 물린 경우에 모두 냉수를 사용하여 갈아서 상처(傷處)에 문질러주고, 끓는 물이나 불에 덴 자는 동쪽으로 흐르는 물을 갈아서 상처를 문질러준다.

높은 곳에 올라갔다가 떨어졌거나 타박상에는 송절(松節)을 볶아서 빚은 무회주(無灰酒)[22]로 먹는다. - 옛사람들이 술을 빚을 때에는 반드시 잿물을 사용했으나 지금은 사용하지 않는다. -

만약 송절주(松節酒)가 없으면 송절을 볶아서 주탕(酒湯)에 넣어서 사용한다.

옹저(癰疽) - 가죽이 얇고 종기(腫氣)가 높은 것은 옹(癰)이라 하고, 가죽이 두껍고 딱딱한 것은 저(疽)라 한다. -·발배(發背)·정종(疔腫)과 일체 무명의 악창(惡瘡)이 터지지 않았을 때에는 냉수를 사용하여 갈아서 아픈 데에 발라 주고 아울러 갈아서 먹이면 얼마 있다가 가려운 것이 즉시 사라진다.

모든 풍증(風症)·은진(癮疹)·적종(赤腫) 및 모든 멍울[瘤]·소아의 만급성 경풍(慢急性驚風)·팔감(八疳)·오리(五痢)·비병(脾病)으로 생긴 황종(黃腫)에는 모두 꿀물에 생박하(生薄荷) 잎 하나와 함께 갈아서 먹인다. 그리고 발라주기도 한다. - 만약 생박하가 없으면 마른 것을 진하게 달여서 갈아 먹여도 좋다. - 만약 소아가 아관(牙關)이 긴급(緊急)되었을 때는 환약 1개를 갈아서 세 번으로 나누어 먹인다. 환약이 작으면 둘로 나누어 먹이되 대인(大人)인지 소인(小人)인지를 헤아려서 먹여야 한다.

이가 아플 때에는 술에 갈아서 바르고 합약(合藥) 조금을 먹인다.

음독(陰毒)·양독(陽毒)·상한(傷寒)으로 가슴이 답답하여 횡설수설

---

22) 무회주(無灰酒) : 다른 물질을 일체 가미하지 않은 진국의 술이다.

하여 흉격(胸膈)이 막혀서 사독(邪毒)이 발산(發散)하지 못하는 것과, 사시(四時)의 온역(瘟疫)과 풍한(風寒)에 감모(感冒)되었을 때와, 두풍(頭風)과 한열(寒熱), 고창(鼓脹)과 부종(浮腫), 급후폐(急喉閉 급성 목병으로 지금의 디프테리아), 전후풍(纏喉風)[23]에는 냉수에 박하 잎 하나를 넣고 함께 갈아서 먹인다.

여러 가지 학질(瘧疾)은 처음과 오램을 따질 것 없이 시작할 때에 복숭아나무나 버드나무 달인 탕에 먹이는데 여러 번 시험하여 낫지 않은 적이 없었다.

다만 기학(氣瘧)과 모학(牡瘧)[24]에는 모름지기 두 개만 먹으면 곧 낫는다. 혹 복숭아나무와 버드나무 달인 탕으로 먹으면 낫지 않고 술로 먹어야 곧 낫는다.

남자와 부인의 급중(急中)과 전사(顚邪 미친 증세)로 소리 지르면서 마구 날뛸 때나 귀태(鬼胎)·귀기(鬼氣)로 인하여 정신이 희미하고 헛소리할 때는 모두 무회주(無灰酒)를 따뜻이 데워 먹인다.

목매어 의식을 잃은 사람이나 물에 빠져 죽은 사람이 가슴에 따뜻한 기운이 있는 경우와, 몽압(夢壓)으로 놀라서 죽었거나 귀(鬼)에 홀린 경우 시간이 오래되지 않은 자에게 모두 냉수에 갈아서 먹이면 얼마 있다가 다시 살아난다.

여러 가지 간질과 졸중풍(卒中風)·중서(中暑)·중악(中惡)으로 흉복(胸腹)이 갑자기 아프고 입과 눈이 삐뚤어지고 입술과 눈이 땅기거나 처지고 밤에 자면서 침을 많이 흘리고, 말이 잘 나오지 않고 구금(口噤)되고 협차가 어긋나고 아관(牙關)이 긴급(緊急)되고, 힘줄이 오그라들고, 골절(骨節)의 풍종(風腫)으로 손발이 아파서 걷고 앉기가 어

---

23) 전후풍(纏喉風) : 목젖이 붓는 급성의 염증(炎症). 심하면 외부에까지 붓게 된다.

24) 모학(牡瘧) : 빈학(牝瘧)의 와전이다. 학질(瘧疾)에 한기(寒氣)가 많은 것을 빈학이라고 한다. 『金匱瘧疾脈證篇』

려운 것은 바로 풍기이다. 이런 증세에는 모두 갈아서 뜨거운 술에 타서 먹인다. 유양능(喩良能)[25]은 다음과 같이 말했다.

"원승상전(袁承相傳)에 '이 약은 제세(濟世)와 위생(衛生)의 보배이다. 무릇 사람은 집에 있을 때나 외출했을 때에 이 약이 없어서는 안 된다. 독약은 영표(嶺表)[26]에 많이 있으며 만약 영표에 있을 때 속이 불쾌하게 느껴지거든 이 약을 먹으면 즉시 안정된다. 그리고 이광산(二廣山)의 골짜기에 풀이 있는데 호만초(胡蔓草)라 한다. 만약 그 풀에 중독(中毒)된 사람이 급히 물을 먹으면 빨리 죽고 느리게 먹으면 천천히 죽는다. 또 독사를 죽여 물에 수일 동안 담가놓으면 그 위에서 버섯이 생긴다. 이것을 취하여 가루를 만들어 술에 타서 사람에게 중독 시키면 처음에는 환(患)이 없는 것 같으나 재차 술을 마시면 독이 발하여 즉시 죽는다. 만약 중독되어 사지가 순조롭지 못한 것이 느껴지면 즉시 이 약을 먹는다. 그리고 혹 닭・돼지・물고기・양・거위・오리 등의 고기 속에 약을 넣고 이것을 다시 먹으면 독기를 촉발시키게 된다. 급히 이 약 한 개를 먹이면 토하기도 하고 설사하기도 하여 즉시 낫는다.

옛날 어떤 여자가 오래도록 노찰(勞瘵 피로하여 앓는 증세)로 앓아 누워 곧 죽게 된 자가 있었다. 이것은 혈시충(血尸蟲)에게 물려서 그렇게 된 것이다. 그런데 이 약 한 개를 갈아 먹이자 1시간 동안에 소충(小蟲) 천여 마리를 토했는데 그 가운데 큰 것은 아주 단단하였다. 토하고 난 뒤에 다시 소합향원(蘇合香元)을 먹였는데 반달 만에 드디어 나았다.'고 했다."

---

25) 유양능(喩良能) : 송(宋)나라 의오인(義烏人)으로 자(字)는 숙기(叔奇)이며 소흥(紹興 : 남송<南宋> 고종<高宗>의 두 번째 연호) 때의 진사(進士)이다.

26) 영표(嶺表) : 중국(中國) 오령(五嶺 : 산 이름으로, 대유<大庾>·시안<始安>·임하<臨賀>·계양<桂陽>·게양<揭陽>임)의 바깥 땅을 지적하는 것으로, 영남(嶺南)을 가리킨다.

이제 상고해 보니, 이 약의 공효는 일일이 셀 수가 없기에 우선 몇 가지만을 열거한 것이다.

내가 처음 이 약을 만들 적에 내종제(內從弟) 권숙균(權叔均)이 수년 동안 손바닥에 풍종(風腫)을 앓고 있었는데, 이 약을 먹자 즉시 사라졌다. 흥해백(興海伯) 강진(康珍)은, 옆구리 밑에 폭종(暴腫)이 나서 하루저녁에 술잔만큼 커졌다. 달구리에 이 약을 갈아 4~5차례 연달아 먹였더니 아침이 되기 전에 나았다. 손만호(孫萬戶)란 사람은 나이 80이 다 되어 갑자기 중풍에 걸렸다. 말도 잘 못하고 정신이 멍했었는데 이 약을 먹고는 즉시 나았다. 영천 군수(永川郡守) 윤수천(尹壽泉)의 첩은 속병을 앓았는데 의원들도 속수무책이었다. 그래서 시험 삼아 이 약을 먹여 보았더니 즉시 나았다. 나의 얼족(孼族) 남미종(南美終)은 끓는 물에 온몸을 데었고, 고을 아전 김견(金堅)의 아들은 손가락과 팔뚝을 불에 데어 모두 죽게 되었었는데, 처방에 따라 이 약을 갈아서 발라 주었더니 얼마 있다가 노란 물이 흐르면서 모두 나았다. 늙은 아전 전춘(全春)이 중풍에 걸려 구금(口噤)이 되고 전신불수(全身不遂)가 된 지 3년이었다. 시험 삼아 이 약을 먹였더니, 아주 낫지는 않았으나 말의 음(音)이 통하여 소리 내어 노래할 수 있었고, 일어나 걸어 다녔다. 기관(記官) 김계장(金戒章)은 배종(背腫)이 나서 사발만큼 크고 거죽은 두껍고 색깔은 검었다. 이 약 두 개를 먹였더니 즉시 나았다.

얼족(孼族) 권인(權寅)의 아내가 갑자기 중악(中惡)이 되어 기절(氣絶)하였는데, 이 약을 먹이니 소생되었다. 그 밖에 현벽(痃癖)·창종(瘡腫)·가학(瘕瘧)을 앓는 사람들이 나에게 치료를 받고 완전히 나은 자가 매우 많았다. 집에 있으나 외지에 나가거나 이 약이 없어서는 안 된다는 말은 진실이다. 그러므로 이것을 전하지 않으면 안 되겠기에 책 끝에 기록하고, 아울러 산자고(山茨菰)의 그림을 그려 인쇄해서 유포하는 바이다.

홍치(弘治) 정사년(연산군 3, 1497) 단양절(端陽節)에 용재 병수(慵

齋病叟) 이종준 중균(李宗準仲鈞 중균은 종준의 자)은 기록한다.

<산자고(山茨菰)의 그림>

① 싹이 돋을 때

② 꽃이 필 때

③ 꽃이 질 때

④ 잎이 말랐을 때[27]

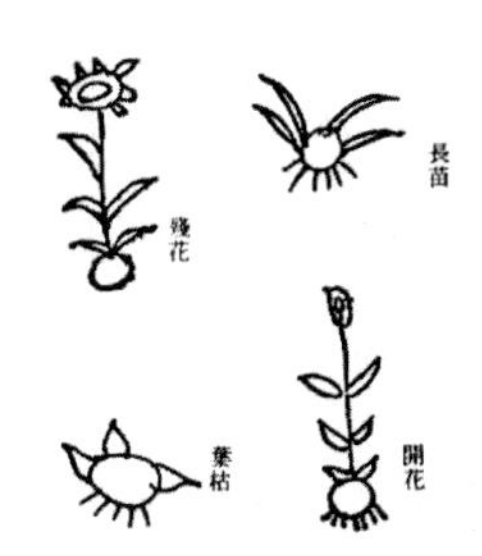

약 캐는 법(法)

약 캐는 시기는 2월과 8월로 잡는 경우가 많다. 약 캐는 사람들의 말에 의하면 초봄에는 물기가 올라 처음 싹이 돋으므로 가지와 잎이 충실하지 못하여 그 세력(勢力)이 순농(淳濃)하고, 가을이 되어 가지와 잎이 말랐을 때는 물기가 아래로 흘러 뿌리로 돌아간다. 그러므로 봄에는 일찍 캐는 것이 좋고 가을에는 늦게 캐는 게 좋다. 그러나 꽃·열매·줄기·잎은 각각 성숙했을 때 채취해야 한다고 한다. 하지만 세월(歲月) 또한 이른 때와 늦은 때가 있으니 일체 본문(本文)만 따를 필요는 없다. -『증류본초』-

약 말리는 법

폭건(暴乾)은 볕에 내 말리는 것이고, 음건(陰乾)은 그늘진 곳에다 말리는 것이다. 이제 상고하건대 초목(草木)의 뿌리와 싹은 음건하면 다 좋지 않다. 녹용(鹿茸) 같은 것은 음건한다고는 하나 음건하려면 다 썩어 문드러진다. 오직 불에 말려야 만이 쉽사리 완품을 얻을 수 있고, 또 우량품이 된다. 대개 8월과 9월 이전에 캐는 것은 모두 햇볕에 말

---

27) 싹이 …… 말랐을 때: 이 부분의 내용과 그림은 한독본에 의하여 보충 번역하였다.

린 것이나 불에 말린 것이 좋고, 10월 이후 정월 사이에 캐는 것은 곧 음건할 수 있다. 그리고 근육(筋肉 녹용 등속)이 있는 것들은 12월에 채취한 게 아니면 모두 불에 말리는 것이 좋다. -『증류본초』-

무릇 볕에 말리는 약은 모두 시렁 위에 얇은 발을 펴고 널어 바람 기운을 통하게 해야 한다. -『신은지』-

묵혀야 좋은 여섯 가지 약재

낭독(狼毒)・지실(枳實)・귤피(橘皮)・반하(半夏)・마황(麻黃)・오수유(吳茱萸)를 육진(六陳)이라 한다. 이것은 오래 묵은 것이 좋다. 그 나머지는 모름지기 깨끗하고 새로운 것이 좋다. -『증류본초』-

지각(枳殼)・형개(荊芥)・향유(香薷)도 오래 묵은 것을 사용하는 것이 마땅하다. -『의학입문』-

구리나 철과 상극인 약재

현삼(玄蔘)은, 구리나 쇠붙이로 다루거나 그 그릇에 담아 먹으면 목구멍을 메게 하고 눈을 상하게 한다. 지황(地黃)도 그렇게 하면 신기(腎氣)를 소멸시키고 머리를 희게 만든다. 하수오(何首烏)는 쇠붙이로 다루거나 그 그릇에 담아 먹으면 반드시 삼소(三消)[28]를 앓게 된다.

시호(柴胡)와 몰석자(沒石子)는 모두 철과 상극이다. 때문에 죽도(竹刀)를 사용해야 한다. -『의학입문』・『증류본초』-

육두구(肉豆蔲)는 구리붙이로 다루지 말아야 한다. -『증류본초』・『의학입문』-

상백피(桑白皮)는 철이나 납[鉛]과는 상극이다. 쇠붙이로 다루거나

28) 삼소(三消) : 소갈병(消渴病)으로 양의(洋醫)에서 말하는 당뇨병(糖尿病)의 세 단계 증세를 말한다. 즉 상소(上消)・중소(中消)・하소(下消)이다.

그 그릇에 담아 먹으면 삼소를 앓게 된다.

상지(桑枝)·목과(木瓜)·천근(茜根)은 모두 철이나 납과는 상극이므로 동도(銅刀)를 사용해야 한다. -『증류본초』·『의학입문』-

창포(菖蒲)는 쇠붙이로 다루어 사용하면 토역(吐逆)이 오게 만든다. 동도나 죽도를 사용해야 한다.

향부자(香附子)는 일체 쇠붙이로 다루지 말아야 한다. 따라서 돌절구에 넣고 찧어야 한다.

두충(杜沖)은 쇠붙이와 상극이다. 기와 위에 말리거나 나무절구에 넣고 찧어야 한다. 천문동(天門冬)·맥문동(麥門冬)·지모(知母)는 쇠붙이로 다루어 사용하면 삼소를 앓게 된다.

황백(黃柏)·목단피(牧丹皮)·익모초(益母草)·인동초(忍冬草)·상기생(桑寄生)·석류피(石榴皮)·엽(葉)·근(根)·초룡담(草龍膽)·도노(桃奴)·지골피(地骨皮)·저령(猪苓)·골쇄보(骨碎補)·백마경(白馬莖)은 모두 쇠붙이와 상극이다. -『증류본초』·『의학입문』-

불을 가까이 해서는 안 되는 약재

상기생(桑寄生)·인진(茵蔯)·사함초(蛇含草)·정향(丁香)은 불을 가까이 하지 않아야 한다. 어떤 데는, 향(香)이 있는 모든 약은 모두 불을 가까이 해서는 안 된다고 하였다. -『증류본초』·『의학입문』-

빈랑(檳榔)은 불을 가까이 하지 않아야 한다. 그것은 효력이 없을까 꺼려서이다. 그러므로 푹 익은 것은 사용하지 않는 것만도 못하다. -『증류본초』·『의학입문』-

약 제조법

약(藥)을 불에 굽고 끓이고 재 속에 묻어 굽고 볶는 것은 독을 없애려는 것이다. 초에 담그고 강제(薑製 생강즙을 넣어 말리거나 볶은 것)와 우유를 섞어 굽는 것은 경락(經絡)을 순행(順行)케 하려는 것이다. -『의학입문』-

약 기운을 폐경(肺經)에 들어가게 하려면 꿀을 섞어야 하고 비경(脾經)에 들어가게 하려면 강제를 하고 신경(腎經)에 들어가게 하려면 소금을 사용해야 하고 간경(肝經)에 들어가게 하려면 초를 사용해야 하고, 심경(心經)에 들어가게 하려면 동변(童便)을 사용해야 한다. -『의학입문』-

머리와 얼굴 밑 손끝과 피부의 병을 앓는 자에게 사용할 때는 모름지기 술에 섞어 볶아서 사용해야 한다. 이는 약 기운이 위로 오르게 하기 위해서다. 목구멍 아래에서 배꼽 위에 있는 병에 사용할 때는 모름지기 술에 담그거나 술에 씻어서 사용한다. 하부(下部)에 병이 있는 자에게 사용할 때는 생약(生藥)을 사용하고, 승강(升降)을 겸행시키려 할 때는 반생반숙(半生半熟)으로 써야 한다. -『의학입문』-

약의 성질은 생것은 올라가고 익은 것은 내려간다. -『동원십서』-

황금(黃芩)·황련(黃連)·치자(梔子)·지모(知母)의 유(類)를 사용하는 법은 이러하다. 머리와 면상, 손과 피부에 병이 난 자에게는 모름지기 술에 섞어 볶아서 쓰고, 중초(中焦)에 병이 난 자에게는 모름지기 술에 씻어 써야 하고, 하초(下焦)에 병이 난 자에게는 생것으로 써야 한다. -『동원십서』-

울화병에는 황련을 주(主)로 삼는다. 실화(實火)에는 박초탕(朴硝湯)을 섞어 볶아서 사용하고, 가화(假火)에는 술을 섞어 볶아서 사용하고, 허화(虛火)에는 초를 섞어 볶아서 사용한다. 또 담화(痰火)에는 생강즙에 푹 담갔다가 볶아서 사용하고, 기체화(氣滯火)에는 오수유(吳茱萸)

물에 볶아서 사용하고, 식체설(食滯泄)에는 황토 물에 볶아서 사용한다. 하초(下焦)의 복화(伏火)에는 소금물이 푹 배도록 담갔다가 불에 쬐어 말려서 사용한다. -『단계심법』-

대황(大黃)은 모름지기 잿불에 묻어 굽고 황백(黃柏)과 지모(知母)는 술에 담갔다가 볕에 말린다. 숙지황(熟地黃)을 술에 씻어서 쓰는 것은 차면 위기(胃氣)를 손상시킬까 해서이다. 천오(川烏)와 부자(附子)를 모름지기 통째로 굽는 것은 독을 없애려는 것이고, 당귀(當歸)를 술에 담그는 것은 발산(發散)을 돕기 위해서이다.

당귀는 모름지기 술에 섞어서 사용하지만, 담(痰)에는 생강즙에 담갔다가 사용한다. 이는 피를 인도하여 심장으로 가게 하려는 이치이다. 숙지황도 그렇다. -『의학입문』-

당귀와 지황은 술에 씻고 흙을 없애면 창만(脹滿)과 민심(悶心)의 증세가 없게 되고, 인삼(人蔘)·길경(桔梗)·상산(常山)은 싹과 노두(蘆頭)를 제거하면 구토가 나지 않는다.

마황(麻黃)을 물에 담가 거품을 제거하면 번심(煩心)되지 않는다. 복숭아씨와 살구씨 가운데 겹씨[雙仁]인 것과 피첨(皮尖)을 제거하는 것은 정절(疔癤)이 생기지 않게 하기 위해서다. -『의학입문』-

원지(遠志)·파극(巴戟)·맥문동(麥門冬)·연자(蓮子)·오약(烏藥)의 유(類)는 속을 제거하지 않으면 번조(煩燥)하게 만든다.

백자인(柏子仁)·대마자(大麻子)·익지인(益智仁)·초과(草果)의 유는 껍질을 제거하지 않으면 심비증(心痞症)을 생기게 한다.

복령(茯苓)·저령(猪苓)·후박(厚朴)·상백피(桑白皮)의 유는 껍질을 제거하지 않으면 원기를 소모시킨다.

복령의 막(膜)을 제거하지 않으면 눈을 손상시킨다.

천궁(川芎)은 모름지기 볶아서 기름기를 제거해야 한다. 만약 생(生)으로 사용하면 기비통(氣痺痛)이 생긴다. -『의학입문』-

원화(芫花)는 이수제(利水劑)이나 초가 없으면 통하지 못하고 녹두

(綠豆)는 해독제(解毒劑)이지만 껍데기 채 사용하면 효과를 못 본다.

초과(草果)는 소팽제(消膨劑)이지만 껍데기를 연결하여 사용하면 도리어 창만(脹滿)된다.

지유(地榆)는 지혈제(止血劑)이다. 그러나 끝머리가 달린 채 사용하면 지혈되지 않는다.

진피(陳皮)는 이기제(理氣劑)이지만 백피(白皮)를 그대로 두면 보위(補胃)한다.

초오(草烏)는 요비제(療脾劑)이지만 생으로 사용하면 혼미하게 만든다. -『의학입문』-

창출(蒼朮)과 진피를 탕으로 포세(疱洗)하면 그 조성(燥性)이 제거된다. -『의학입문』-

신국(神麴)·대두황권(大豆黃卷)·택란(澤蘭)·무이(蕪荑)·강잠(殭蠶)·건칠(乾漆)·봉방(蜂房)은 모두 약간 볶아서 약에 넣는다. -『증류본초』-

망충(蝱蟲)·반묘(斑猫)의 유는 모두 머리를 제거하고 약간 볶아서 약에 넣어야 한다. -『동원십서』-

모든 석약(石藥)은, 불에 달구어 초에 담가서 가루로 만들어야 한다. -『의학입문』-

비상(砒霜)은 태워서 사용해야 한다. -『의학입문』-

탕중(湯中)에 서각(犀角)·녹각(鹿角)·영양각(羚羊角)·주가(朱砂)·사향(麝香)·우황(牛黃)·포황(蒲黃)을 사용할 때는 모름지기 고운 가루로 만들어 탕약을 먹을 때 탕중(湯中)에 넣고 흔들어 먹어야 한다. -『증류본초』-

일체의 뿔을 수치(修治)할 때 소금은 아주 상극이다. -『증류본초』-

주사(朱砂)를 환약(丸藥)의 겉에 묻히는 방법은, 환약 1냥에 주사(朱砂) 1전의 비율로 한다. -『동원십서』-

견우자(牽牛子) 1근을 맷돌에 갈아 두말(頭末)을 취하면 4냥을 사용

할 수 있다. -『동원십서』-

파두(巴豆)의 씨 2전을 취하여 막(膜)·심(心)·유(油)를 제거하고 나면 파상(巴霜 파두 가루) 1전쯤을 취하는 것이 바로 정법(定法)이다. -『동의보감』-

군약(君藥)은 10푼을 사용하고 신약(臣藥)은 7~8푼을 사용한다. 좌약(佐藥)은 5~6푼을 사용하고 사약(使藥)은 3~4푼을 사용한다. -『의학입문』-

1자(字)는 2푼 반을 말하는 것이다. -『의학입문』-

무릇 약(藥) 한 움큼은 2냥을 정법으로 삼는다. -『오방』-

약 달이는 법

모름지기 은 석기(銀石器)를 사용하여 끄느름한 불에 삶아야 하고, 너무 센 불을 사용해서는 안 된다. -『득효방』-

병이 상초(上焦)에 있을 때는 약을 세찬 불에 달여야 하고, 병이 하초(下焦)에 있을 때는 약을 약한 불에 달여야 한다. -『동의보감』-

발표(發表)·발한(發汗)·사하(瀉下)의 약(藥)은 매양 8푼이 되도록 달여 먹는다. 그리고 병에 대한 약은 7푼이 되도록 달이고, 자보(滋補)할 약은 6푼이 되도록 달인다. -『득효방』-

보약(補藥)에는 물 2잔을 8푼이 되도록 달이거나 3잔의 물로 1잔이 되도록 달이기도 한다. 이약(利藥)은 1잔 반의 물로 1잔이 되도록 달이거나 3잔의 물로 8푼이 되도록 달여야 한다. 보약은 익히고자 하므로 물을 많이 부어도 즙은 적게 취하게 되고, 사약(瀉藥)은 생생하게 하고자 하므로 물은 적게 부어도 즙은 많이 취하게 된다. -『동원십서』-

약(藥) 5전에 물 1잔 반이 적당한 비율이다. -『활인방』-

만약 지극히 높은 부위에 있는 병을 치료하는 데에는 술을 더하여 달이고, 습(濕)을 제거하려면 생강을, 원기를 보(補)하는 데는 대추를,

풍한(風寒)을 발산(發散)시키는 데는 총백(蔥白)을, 가슴의 병을 제거하는 데는 꿀을 써야 한다. -『동원십서』-

주병약(主病藥 그 병에 주장이 되는 약)은 먼저 달여야 한다. 만약 발한(發汗)시키려면 마황(麻黃)을 먼저 1~2번 끓도록 달인 다음 나머지 약을 넣어 함께 달이고 지한(止汗)에는 계지(桂枝)를 먼저 달인다. 그리고 화해(和解)에는 시호(柴胡)를 먼저 달이고 상풍(傷風)에는 방풍(防風)을 먼저 달인다. 상서(傷暑)에는 향유(香薷)를 먼저 달이고 상습(傷濕)에는 창출(蒼朮)을 먼저 달인다. 나머지도 이것에 의한다.

비단으로 걸러 찌꺼기를 버리고 청즙(淸汁)을 취하여 먹고, 찌꺼기가 많으면 재탕(再湯)하여 먹는다. -『득효방』-

물 1되라는 것은 지금의 큰 잔으로 1잔을 말한다. -『동원십서』-

물 1잔은 약 반근(半斤)의 수량이 된다. -『의학정전』-

1되라고 말하는 것은, 지금의 2홉 반을 사용한다면 비슷할 것이다. -『활인방』-

약 먹는 법

병이 가슴 위에 있는 경우에는 먼저 식사를 하고 나서 약을 복용하고, 병이 가슴과 배 아래에 있는 경우에는 먼저 약을 먹고 나서 식사를 한다. 병이 사지(四肢)의 혈맥(血脈)에 있는 경우에는 공복(空腹)에 먹어야 하는데 아침이 좋고, 병이 골수(骨髓)에 있는 경우에는 배불리 먹은 뒤에 먹어야 하는데 밤이 좋다. -『증류본초』-

병이 상초(上焦)에 있으면 맑게 달여 먹이되 느리게 마시는 것이 마땅하고, 병이 하초(下焦)에 있으면 진하게 달여 먹이되 급하게 마시도록 하는 것이 마땅하다. -『동의보감』-

병이 상초에 있으면 조금씩 자주 먹는 것이 좋고, 하초에 있으면 많은 양을 한꺼번에 먹는 것이 좋다. 조금씩 먹으면 상초를 자영(滋榮)하고

단번에 많이 먹으면 하초를 준보(峻補)한다. -『동원십서』-

대체로 한약(寒藥)은 뜨겁게 먹어야 하고, 열약(熱藥)은 차갑게 먹어야 하고, 중화(中和)한 약은 따뜻하게 먹어야 한다. -『동의보감』-

탕약(湯藥)을 먹을 때는 따뜻하거나 뜨거워야 먹기가 쉽고 냉하면 토한다. -『증류본초』-

구토증(嘔吐症)이 나서 약을 먹이기 곤란한 자에게는 서서히 한 숟갈씩 먹여야 한다. 너무 급하게 먹여서는 안 된다. -『의학입문』-

보신(補腎 신장을 보함)하는 약은 반드시 오경(五更) 초 말하기 전에 먹어야 한다. 사람이 오경 초에는 신기(腎氣)가 열리는데 말 한 마디와 기침 한 번이라도 하고 나면 신기가 즉시 닫힌다. 신기가 열렸을 때에 잠잠히 약을 먹어야 공효가 특수하게 된다. -『직지』-

해독약을 뜨거울 때 먹어서는 안 된다. 뜨거울 때 먹으면 독기를 더욱 심하게 만든다. 그러니 냉복(冷服)을 해야 효력을 본다. -『지봉유설』-

약 먹을 때 금해야 할 일과 음식

약을 복용할 때에는 시체나 출산부의 더러운 빨래 빠는 것 등을 보는 것은 금기한다. -『증류본초』-

약을 복용할 때에는 생채(生菜)를 아주 금기한다. -『증류본초』-

약을 먹는 사람이 사슴고기를 먹으면 반드시 약의 효력을 얻지 못하게 된다. 이는 사슴은 항상 해독초(解毒草)를 먹고 살았으므로 모든 약의 기운을 제압하기 때문이다. -『의학입문』·『증류본초』-

모든 약을 복용할 때에는 초를 많이 먹어서는 안 된다. -『증류본초』-

약을 복용할 때에는 생호유(生胡荽)와 마늘·과실·돼지고기·개고기·비갱(肥羹 기름진 국)·어회(魚膾) 등을 먹어서는 안 된다. -『증류본초』-

모든 뿔에는 크게 소금을 금기한다.

복령(茯苓)이 들어간 약에는 초산물(醋酸物 맛이 신 것)을 먹지 말아야 한다. 어떤 데는 미초(米醋)를 금기한다고 되어 있다. 이는 복령을 먹고 초를 먹으면 앞서 있던 공효도 모두 없어지기 때문이다.

세신(細辛)이 든 약에는 생채(生菜)를 먹지 말아야 한다. 별갑(鱉甲)이 든 약에는 현채(莧菜 비름나물)를 먹지 말아야 한다.

상산(常山)이 든 약에는 날파와 배추를 먹지 말아야 한다.

계(桂 계피(桂皮)·육계(肉桂)·계지(桂枝) 따위)가 든 약에는 날파를 먹지 말아야 한다.

꿀은 생채와 상치를 금기한다.

연화(蓮花)는 지황(地黃)과 마늘을 금기한다.

사향(麝香)은 마늘 먹는 것을 금한다.

목단피(牧丹皮)가 든 약에는 생호유(生胡荽)를 먹지 말아야 한다. 또 목단피는 마늘을 금기한다고도 한다.

지황(地黃)이 든 약에는 파·마늘·무를 먹지 말아야 한다.

하수오(何首烏)가 든 약에는 무와 비늘 없는 물고기를 먹지 말아야 한다. 지황과 하수오를 먹고 무를 먹으면 모든 혈기를 소모시키므로 수염과 머리가 일찍 센다.

백출(白朮)이나 창출(蒼朮)이 든 약에는 마늘·호유(胡荽)·복숭아·오얏·참새·청어·초를 먹지 말아야 한다. 복숭아를 먹으면 죽기도 한다.

감초가 든 약에는 배추·해조(海藻)·돼지고기를 먹지 말아야 한다. 어떤 데는 감초를 먹고 배추를 먹으면 병이 제거되지 않는다고도 한다.

황련(黃蓮)과 도라지가 든 약에는 돼지고기를 먹지 말아야 한다. 3년간 황련을 먹었으면 일생 동안 돼지고기를 먹을 수 없다. 황련은 또 냉수를 금기한다.

호황련(胡黃蓮)은 돼지고기를 금기한다. 먹으면 정액이 새어 나온다.

창이(蒼耳)가 든 약에는 돼지고기와 미감(米泔) 먹는 것을 금기한다.

파두(巴頭)가 든 약에는 노순갱(蘆笋羹)과 멧돼지고기 및 된장·냉수를 먹지 말아야 한다.

우슬(牛膝)이 든 약에는 쇠고기를 먹지 말아야 한다.

상륙(商陸)이 든 약에는 개고기를 먹지 말아야 한다.

여노(藜蘆)가 든 약에는 너구리고기를 먹지 말아야 한다.

파고지(破故紙)는 양고기를 금기로 한다.

반하(半夏)·창포(菖蒲)가 든 약에는 양고기·해조(海藻)·이당(飴糖)을 먹지 말아야 한다.

양기석(陽起石)은 양혈(羊血)을 금기한다.

은 및 수은·경분(輕粉)은 일체의 피를 금기한다. 주사(朱砂)와 공청(空青)이 든 약에는 생혈(生血)을 먹지 말아야 한다.

용골(龍骨)은 물고기를 금기한다.

맥문동(麥門冬)이 든 약에는 붕어를 먹지 말아야 한다.

천문동(天門冬)이 든 약에는 잉어를 먹지 말아야 한다. 잘못 먹었다가 중독되면 부평(浮萍)으로 해독시켜야 한다.

구기(枸杞)는 유락(乳酪)과 상극이다.

건칠(乾漆)은 기름과 지방을 금기한다.

황정(黃精)을 먹고는 매실(梅實)을 먹지 말아야 한다.

돼지기름은 오매(烏梅)를 금기한다.

행인(杏仁)은 속미(粟米)를 금기한다.

당귀(當歸)는 열면(熱麪)을 금기한다.

위령선(威靈仙)은 차와 면탕(麪湯)을 금기한다.

후박(厚朴)은 콩[豆]을 금기한다. 그것을 먹으면 기(氣)가 동한다.

오두(烏豆)와 천웅(天雄)은 시즙(豉汁 메주즙)을 금기한다. -『증류본초』·『의학입문』-

성질이 상반되는 약재 상반(**相反**)은 상오(**相惡**)보다 해가 심하다

인삼(人蔘)은 오령지(五靈脂)와 상반된다.

인삼·단삼(丹蔘)·사삼(沙蔘)·고삼(苦蔘)·현삼(玄蔘)·자삼(紫蔘)·세신(細辛)·작약(芍藥)은 모두 여노(藜蘆)와 상반된다.

여노는 술과 상반된다.

반하(半夏)·과루(瓜蔞)·패모(貝母)·백렴(白蘞)·백급(白芨)은 모두 오두(烏頭)와 상반된다.

오두는 서각(犀角)과 상반된다. 대극(大戟)·원화(芫花)·감수(甘遂)·해조(海藻)는 모두 감초(甘草)와 상반된다.

석결명(石決明)은 운모(雲母)와 상반되고 유황(硫黃)은 박초(朴硝)와 상반된다.

아초(牙硝)는 삼릉(三稜)과 상반되고 수은(水銀)은 비상(砒霜)과 상반된다. 파두(巴豆)는 견우와 상반되고 정향(丁香)은 울금(鬱金)과 상반된다. 관계(官桂)는 석지(石脂)와 상반되고 낭독(狼毒)은 밀타승(蜜陀僧)과 상극이다. 피위(皮蝟)는 길경(桔梗)·맥문동(麥門冬)과 상극이다.

선택 選擇[29]

[선택 서]

건물을 수리(修理)하거나 건조(建造)하는 일은 인가(人家)에 항상 있는 것이다. 그러나 시골에는 일관(日官)[30]이 없어서 길흉(吉凶)을 판단할 수 없고, 길흉을 묻고자 서울의 일관에게 오자면 시일(時日)을 허비하게 된다. 진실로 그에 대한 책만 있으면 스스로 방법을 상고하여 행할 수 있겠기에 이에 선택(選擇)의 방법을 등초(謄抄)하여 제15편을 삼는다.

천은(天恩)[31] 상길일(上吉日)

수리(修理)하고 건조(建造)하고 벼슬에 오르고 시집장가 가는데 모두 길(吉)하다.

갑자일 · 을축일 · 병인일 · 정묘일 · 무진일 · 기묘일 · 경진일 · 신사일 · 임오일 · 계미일 · 기유일 · 경술일 · 신해일 · 임자일 · 계축일이다.

---

29) 선택(選擇) : 이 편은 산골에 살면서 수시로 있게 되는 가택(家宅)·혼가(婚嫁)·장매(葬埋)·제방(堤防)에 있어 그 건조(建造)·가례(嘉禮)·수리(修理)하기에 적당한 연(年)·월(月)·일(日)·시(時)의 길성(吉星)을, 누구나 가려서 쓰기에 편리하도록 여러 가지 방술(方術)을 선택 기록한 것이다. 그러나 대조본(對照本)인 한독본(韓獨本)과 오씨본(吳氏本)은 대본(臺本)에 비해 너무 잡박(雜駁)하므로 편의상 대본(臺本)의 목차에 위주하여 번역하였다. 대본에 없고 대조본에만 있는 것은 그 순번을 참고하여 대본 순서에 맞추어 보충 번역하였음을 밝혀 둔다.

30) 일관(日官) : 옛 제도의 추길관(諏吉官)의 별칭이다. 나라에 일이 있을 때에 길흉을 점쳐 택일하는 일을 맡았던 관리의 하나이다.

31) 천은(天恩) : 총진(叢辰)의 이름. 덕을 베풀고 아랫사람을 관대하는 별이라고 한다.

대명 상길일(大明上吉日)

신미일 · 임신일 · 계유일 · 정축일 · 기묘일 · 임오일 · 갑신일 · 정해일 · 임진일 · 을미일 · 임인일 · 갑진일 · 을사일 · 병오일 · 기유일 · 경술일 · 신해일이다.

천사 상길일(天赦上吉日) 상소(上疏) · 옥송(獄訟) · 시은(施恩) 등 백사(百事)에 모두 길하다

봄에는 무인일, 여름에는 갑오일, 가을에는 무신일, 겨울에는 갑자일이다.

모창 상길일(母倉上吉日) 창고(倉庫)를 짓는 일과 여러 일에 모두 길하다

봄에는 해일과 자일, 여름에는 인일과 묘일, 가을에는 진일 · 술일 · 축일 · 미일, 겨울에는 신일과 유일이다.

태세(太歲) 이하 모든 신(神)이 나가 노는 날 태세(太歲)와 장군(將軍) 등이다. 바야흐로 동작(動作)하여 토목(土木)의 일을 하려는 자는 이날을 가려 하되 그날에 일을 끝내야 한다. 일을 끝내지 못했으면 다시 날을 가려서 한다. 여러 신(神)이 노는 방위에 움직여서는 안 된다

갑자일에는 동방(東方)에서 논다. - 기사일에 자리에 돌아온다. - 병자일에는 남방(南方)에서 논다. - 신사일에 자리에 돌아온다. - 무자일에는 중궁(中宮)에서 논다. - 계사일에 자리에 돌아온다. - 경자일에는 서방(西方)에서 논다. - 을사일(乙巳日)에 자리에 돌아온다. - 임자일에는 북방(北方)에서 논다. - 정사일에 자리에 돌아온다. -

제신조천일(諸神朝天日)[32]

갑술일 · 을해일 · 정유일 · 무술일 · 기해일이다.

천상천하 대공망일(天上天下大空亡日)

임진일 · 임인일 · 임자일 · 갑술일 · 갑신일 · 갑오일 · 계미일 · 계사일 · 계묘일 · 을축일 · 을해일 · 을유일이다.

천롱일(天聾日) 집을 짓거나 뒷간을 수리하거나 모든 일에 길하고 마땅하다

병인일 · 무진일 · 병자일 · 병신일 · 경자일 · 임자일 · 병진일이다.

지아일(地啞日) 집을 짓거나 뒷간을 수리하거나 모든 일에 길하고 마땅하다. 계축일 · 신유일은 지아일(地啞日)에 소속되지 않는다

을축일 · 정묘일 · 기묘일 · 신사일 · 을미일 · 정유일 · 기해일 · 신축일 · 신해일 · 계축일 · 신유일이다.

투시(偸時) 구신(舊神)이 물러가고 신신(新神)은 나오지 않은 때이니 이것이 곧 1년간의 공망(空亡)이다. 살신(煞神)들이 전혀 용사(用事)치 못하므로 모든 일에 기휘가 없다. 그러나 다만 길성(吉星)의 내조(來助)는 없다

대한(大寒) 후 10일, 입춘(立春) 전 5일인데, 다만 1일이 상길(上吉)이 되고 전 1일 · 후 1일이 차길(次吉)이 되니, 연 · 월 · 일 · 시의 극

---

32) 제신조천일(諸神朝天日) : 이 부분의 조목과 내용은 한독본과 오씨본에서 보충 번역하였다.

(克)을 받는 것은 헤아리지 말고 일을 하여도 해가 없다. 그러나 5일 안에 일을 끝마쳐야 한다.

투수길일(偸修吉日)

임자일·계축일·병진일·정사일·무오일·기미일·경신일·신유일 8일은 곧 흉신(凶神)이 하늘에 조회(朝會)하는 날[33]이므로 팔방(八方)에 기휘가 없다. 편의에 따라 수리 건축할 것이나 6일 안에 끝마쳐야 한다.

투수기방(偸修忌方)

갑자일·을축일·병인일·정묘일·무진일·기사일 6일은 북방(北方)을 금해야 한다.

갑술일·을해일·병자일·정축일 4일은 동방(東方)을 금해야 한다.

갑오일·을미일·병신일·정유일·무술일·기해일 6일은 남방(南方)을 금기한다.

갑진일·을사일·병오일·정미일·무신일 5일은 서방(西方)을 금기한다.

천보투수길일방(天寶偸修吉日方) 태세(太歲) 제신(諸神)의 살(煞)을 따지지 않고, 이것에 따라 수리와 건조를 하면 만에 하나도 실수가 없다

갑자일·을축일·병인일은 건방(乾方)·해방·임방·자방·계방·축방·간방(艮方)·인방을 수리하는 것이 마땅하다.

정묘일·무진일·기사일은 병방·오방·정방·미방·곤방(坤

---

33) 무오·기미 …… 날 : 이 부분은 한독본과 오씨본에 의하여 보충 번역하였다.

方)·신방(申方)·경방·유방·신방(辛方)·술방을 수리하는 것이 마땅하다.

경오일·신미일·임신일은 건방·해방·임방·자방·축방·간방·인방·갑방·묘방·을방을 수리하는 것이 마땅하다.

계유일에는 갑방·묘방·을방·진방·손방(巽方)·사방·병방·오방을 수리하는 것이 마땅하다.

갑술일·을해일엔 중궁(中宮)·팔방 24방향 다 수리해도 좋다.

병자일·정축일·무인일·기묘일·경진일·신사일에는 곤방·신방·경방·유방·신방·술방·건방·해방을 수리하는 것이 마땅하다.

임오일·계미일·갑신일에는 병방·오방·정방·미방·건방을 수리하는 것이 마땅하다.

을유일·병술일·정해일에는 손방(巽方)·사방·병방·오방·정방·미방·곤방을 수리하는 것이 마땅하다.

무진일·기축일·경인일에는 해방·임방·자방·계방·축방을 수리하는 것이 마땅하다.

신묘일·임진일·계사일에는 병방·오방·정방·미방·곤방·신방·경방·유방을 수리하는 것이 마땅하다.

갑오일·을미일·병신일에는 신방(辛方)·술방·건방·해방·자방·축방·간방을 수리하는 것이 마땅하다.

정유일·무술일·기해일에는 중궁(中宮)·4방·8위(位)를 수리하는 것이 마땅하다.

경자일·신축일·임인일에는 곤방(坤方)·신방·경방·유방·신방·술방·건방·해방을 수리하는 것이 마땅하다.

계묘일·갑진일·을사일에는 곤방·신방·경방·유방·신방·술방·건방을 수리하는 것이 마땅하다.

병오일·정미일·무신일에는 미방·곤방·신방·경방·유방·신방·술방·건방을 수리하는 것이 마땅하다.

기유일 · 경술일 · 신해일에는, 손방(巽方) · 사방 · 병방 · 오방 · 정방 · 미방 · 곤방 · 신방 · 경방 · 유방 · 신방 · 건방을 수리하는 것이 마땅하다.

임자일 · 계축일 · 갑인일에는 건방(乾方) · 해방 · 임방 · 자방 · 계방 · 축방 · 간방 · 인방을 수리하는 것이 마땅하다.

을묘일 · 병진일 · 정사일에는 병방 · 오방 · 정방 · 미방 · 곤방 · 신방 · 경방 · 유방 · 신방 · 술방을 수리하는 것이 마땅하다.

무오일 · 기미일 · 경신일에는 임방 · 자방 · 계방 · 축방 · 간방 · 인방 · 갑방 · 묘방 · 을방을 수리하는 것이 마땅하다.

신유일 · 임술일 · 계해일에는 진방 · 손일 · 사방 · 병방 · 오방 · 정방을 수리하는 것이 마땅하다.[34]

세관교승(歲官交承)[35] 입춘일(立春日)을 범하지 말고 모름지기 황도(黃道) · 흑도(黑道)를 가려서 사용한다

대한(大寒) 뒤 5일과 입춘(立春) 전 2일은 곧 신(新) · 구(舊)의 세관(歲官)이 교승(交承 서로 주고받음)하는 때이다. 그 사이에(대한 후 5일, 입춘 전 2일) 사용할 날짜와 시간을 잘 가리면 산운(山運)의 극(克)을 받는 것과 제반의 흉살(凶煞)을 꺼리지 않고 집을 짓고 장사 지내는 일을 마음대로 하여도 이롭지 않은 것이 없다.

청명일(淸明日)과 한식일(寒食日)[36]

비석을 세우고 제절(除節)을 고치고 무덤을 고치거나 옮기는 자는

34) 손일 …… 마땅하다 : 이 부분은 한독본과 오씨본에 의하여 보충 번역하였다.
35) 세관교승(歲官交承) : 이 부분의 조목과 내용은 한독본과 오씨본에 의하여 보충 번역하였다.
36) 청명일(淸明日)과 한식일 : 이 부분의 조목과 내용은 한독본과 오씨본에 의하여 보충 번역하였다.

마땅히 이날에 움직여야 한다. 옛날에는 택일(擇日)하지 않고 모두 이 때를 사용했다.

이 양일(兩日 청명일과 한식일)은 제신(諸神)들이 상천(上天)하는 날이므로 물건을 움직이고 고치고 지으며 신묘(新墓)와 구묘(舊墓)를 사초(莎草)하거나 옮기는 데 모두 이롭다. 하루에 일을 마치지 못하면 한식일(寒食日)에 일을 끝내야 한다.

역마(驛馬)[37]

사・유・축 금국(金局)에는 역마(驛馬)가 해에 있고, 신・자・진 수국(水局)에는 역마가 인에 있고, 해・모・기 목국(木局)에는 역마가 사에 있고, 인・오・술 화국(火局)에는 역마가 신에 있다.

천록(天祿) 갑년(甲年)에 태어난 사람은 천록(天祿)이 인(寅)에 온다. 아래도 이 방법을 따른다

갑의 천록(天祿)은 인에 있으며, 을의 천록은 묘에 있다. 병과 무의 천록은 사에 있고, 정과 기의 천록은 오에 있다.

경의 천록은 신(申)에 있고 신(辛)의 천록은 해에 있고, 계의 천록은 자에 있다.

천을귀인(天乙貴人) 갑(甲)・무(戊)・경(庚)해에 태어난 사람은 천을(天乙)이 축(丑)・미(未)에 있다. 아래도 이 방법을 따른다

갑・무・경의 천을(天乙)은 소[牛:丑]・양[羊:未]에 있고, 을・기의

---

37) 역마(驛馬) : 총진(叢辰)의 이름. 천후(天后)와 같은 위치로서 월중(月中)의 복덕(福德)을 맡았다. 12월은 해일(亥日), 정월은 신일(申日), 2월은 사일(巳日), 3월은 인일(寅日), 4월은 해일(亥日)이다. 이것을 유추(類推)하여 인(寅)·사(巳)·신(申)·해(亥)로 4맹월(四孟月)의 신(辰)을 삼는다.

천을은 쥐[鼠:子]·원숭이[猴:申]에 있고, 병·정의 천을은 돼지[猪:亥]와 닭[鷄:酉]에 있다.

임·계의 천을은 토끼[兎:卯]와 뱀[蛇:巳]에 있고, 육신(六辛)의 천을은 말[馬:午]과 범[虎:寅]에 있으니, 이것을 귀인(貴人 천을귀인)이라 한다.

황흑도 길흉정국(黃黑道 吉凶定局)[38]

구분/월일시	인·신	묘·유	진·술	사·해	오·자	미·축	
청룡황도(靑龍黃道)	자	인	진	오	신	술	
명당황도(明堂黃道)	축	묘	사	미	유	해	
천형흑도(天刑黑道)	인	진	오	신	술	자	수조를 꺼린다
주작흑도(朱雀黑道)	묘	사	미	유	해	축	수조를 꺼린다
금궤황도(金匱黃道)	진	오	신	술	자	인	
대덕황도(大德黃道)	사	미	유	해	축	묘	
백호황도(白虎黃道)	오	신	술	자	인	진	수조를 꺼린다
옥당황도(玉堂黃道)	미	유	해	축	묘	사	
천뢰흑도(天牢黑道)	신	술	자	인	진	오	수조를 꺼린다
현무흑도(玄武黑道)	유	해	축	묘	사	미	산실 수조를 꺼린다
사명황도(司命黃道)	술	자	인	진	오	신	
구진흑도(句陳黑道)	해	축	묘	사	미	유	장매를 꺼린다
사명황도(司命黃道)	술	자	인	진	오	신	
구진흑도(句陳黑道)	해	축	묘	사	미	유	장매를 꺼린다

38) 황흑도 길흉정국(黃黑道 吉凶定局) : 이 부분의 제목과 내용은 한독본과 오씨본에 의하여 보충 번역하였다. 이 도표는 독자의 이해를 돕기 위해 넣었다. 이하도 같다.

황도(黃道)는 길(吉)하고 흑도(黑道)는 흉(凶)하다. 장매(葬埋)・혼인(婚姻)・상관(上官)・수영(修營)・이사(移徙)・파빈(破殯)・발인(發引)에 모두 이 법을 사용한다.

사시 수족복배일(四時首足腹背日)[39] 신토(新土 새 묏자리)를 파고 구분(舊墳)을 파 옮기는 일 및 굴뚝을 고치고 아궁이[竈]를 고치는 데 먼저 복(腹)을 파면 부귀(富貴)하고 대길(大吉)하다

봄 3개월은, 유(酉)는 머리[首], 묘(卯)는 발[足], 오(午)는 배[腹], 자(子)는 등[背]이다.

여름 3개월은, 묘는 머리, 유는 발, 오는 등, 자는 배이다.

가을 3개월은, 오는 머리, 자는 발, 묘는 배, 유는 등이다.

겨울 3개월은, 자는 머리, 오는 발, 묘는 등, 유는 배이다.

이상의 배[腹]는 대길(大吉)하고 발[足]은 무해(無害)하고 등[背]은 크게 손모(損耗)하고 머리[首]는 아주 나쁘다. - 이 법은 한결같이 사시(四時)의 절후(節候)를 따라야 하고 아무렇게나 사용해서는 안 된다. 이 법은 곽씨(郭氏)의 논(論)에서 나온 것이다. -

---

39) 사시수족복배일(四時首足腹背日) : 이 법은 초상(初喪)을 당하여 장사 지낼 묏자리를 팔 때나 구묘(舊墓)를 옮길 때나 또는 굴뚝 및 아궁이를 고칠 때에 맨 먼저 파야 하는 방위(方位)를 가리키는 것으로, 그 방법을 1년을 춘하추동 사계절(四季節)로 나누어 수족복배(首足腹背)를 배치(配置)하는 방위가 달라지고 길흉(吉凶) 또한 달라진다. 예를 들면 봄에는 유방(酉方 : 서쪽)이 머리[首], 여름에는 묘방(卯方 : 동쪽)이 머리에 해당되는 것과 같다. 배[腹]에 해당되는 방위를 먼저 파면 길하고, 머리·발[足]·등[背]에 해당하는 방위를 먼저 파면 불길하다.

월건길신(月建吉神)[40]

구분 / 월	1	2	3	4	5	6	7	8	9	10	11	12	
천덕(天德)	정	신(申)	임	신(辛)	해	갑	계	인	병	을	사	경	장사 지내며 관가에 올리는 등 모든 일에 길하다
월덕(月德)	병	갑	임	경	병	갑	인	경	병	갑	임	경	본방(本方)에는 수조(修造) 동작 등 모든 일에 이롭다 했다
천합덕(天合德)	임	사	정	병	인	사	무	해	신(辛)	경	신(申)	을	천덕의 내용과 동일하다
월합덕(月合德)	신(辛)	기	정	을	신	기	정	을	신	기	정	을	월덕의 내용과 동일하다
월은(月恩)	병	정	경	기	사	신(辛)	임	계	경	을	갑	신	
월공(月空)	임	경	병	갑	임	경	병	갑	임	경	병	갑	상장(上章)·수작·취토(取土)에 모두 길하다
월재(月財)	오	묘	사	미	유	해	오	묘	사	미	유	해	이거·조장·횡재에 모두 길하다
왕일(旺日)	인	인	인	사	사	사	신(申)	신	신	해	해	해	상량(上梁)·하관(下官)에 길하나 동토(動土)는 꺼린다
상일(相日)	사	사	사	신(申)	신	신	해	해	해	인	인	인	위 왕일(旺日)의 내용과 동일하다
육의(六儀)	진	묘	인	축	자	해	술	유	신(申)	미	오	사	결혼·시사(視事)·재종(栽種)·목양(牧養)에 마땅하다
만통일(萬通日)	오	해	신(申)	축	술	묘	자	사	인	미	진	유	전화위복(轉禍爲福)하고 거안동영(居安動榮)한다
천희(天喜)	술	해	자	축	인	묘	진	사	오	미	신	유	생기(生氣)라고도 한다

40) 월건길신(月建吉神) : 본 길신은 월건(月建) 인월(寅月 : 음력 정월)을 1월, 묘월(卯月)을 2월, 진월(辰月)을 3월, 사월(巳月)을 4월, 오월(午月)을 5월, 미월(未月)을 6월, 신월(申月)을 7월, 유월(酉月)을 8월, 술월(戌月)을 9월, 해월(亥月)을 10월, 자월(子月)을 11월, 축월(丑月)을 12월로 하고 각 달마다 길신에 해당되는 간지(干支)를 선택하여 각 해당되는 길신(吉神)에 나열해 놓음으로써, 혼인(婚姻)·건축(建築)·장매(葬埋)·출행(出行) 등 제반 행사를 시행하기 좋은 날을 가려 쓰기에 간편하도록 한 것이다.

구분 / 월	1	2	3	4	5	6	7	8	9	10	11	12	
해신(海神)	신(申)	신	술	술	자	자	인	인	진	진	오	오	모든 살(殺)을 풀 수 있으며 모든 일에 상길(上吉)하다
오부(五富)	해	인	사	신(申)	해	인	사	신	해	인	사	신	장사 지내고 창고를 짓는 데 마땅하다
옥제사일(玉帝赦日)	정	갑	을	병	신	임	정	갑	을	병	신	임	옥제가 발사하는 날로 모든 일에 마음대로 한다
	사	자	축	인	묘	진	해	오	미	신	유	술	
황은대사(皇恩大赦)	술	축	인	사	유	묘	자	오	해	진	신	미	황은으로 와서 놓아주기 때문에 재앙과 환란이 없다
천사신(天赦神)	술	축	진	미	술	축	진	미	술	축	진	미	천사신이 와서 몸의 죄를 용서해 준다
요안일(要安日)	인	신	묘	유	진	술	사	해	오	자	축	미	복을 얻고 삶을 받으며 후손을 보익하여 대를 잇는다

해신(海神) …… 요안일(要安日)[41]

월건흉살(月建凶煞)[42]

구분/월	1	2	3	4	5	6	7	8	9	10	11	12	
천강(天罡)	사	자	미	인	유	진	해	오	축	신	묘	술	조장(造葬)·동토(動土) 등 모든 일에 모두 꺼린다
지파(地破)	해	자	축	인	묘	진	사	오	미	신	유	술	동토(動土)와 금정(金井)을 다루는 데 꺼린다

---

41) 해신(解神) …… 요안일(要安日) : 이 부분은 한독본과 오씨본에 의하여 보충 번역하였다.

42) 월건흉살(月建凶殺) : 이 흉살(凶殺)의 표출(表出) 방법은 월건길신(月建吉神)의 표출방법과 같다. 이 흉살들이 드는 날에는 혼인·건축·장매·출행 등의 일을 금하는 것이 원칙이다. 이날에 위의 일을 하면 흉한 일이 있게 된다고 한다. 흉살은 천강살(天罡殺) …… 수사(受死) 등 26살이 있다. 찾는 법은 위에서 아래 순으로 하는데 즉 1월의 천강(天罡)은 사(巳), 지파(地破)

구분/월	1	2	3	4	5	6	7	8	9	10	11	12	
천격(天隔)	인	자	술	신	오	진	인	자	술	신	오	진	출행(出行)과 구관(求官)에 꺼린다
지격(地隔)	진	인	자	술	신	오	진	인	자	술	신	오	나무 심고 안장(安葬)을 꺼린다
산격(山隔)	미	사	묘	축	해	유	미	사	묘	축	해	유	산에 들어가고 사냥하고 나무 베는 데 꺼린다
수격(水隔)	술	신	오	진	인	자	술	신	오	진	인	자	물에 들어가고 고기잡고 배타는 것을 꺼린다
음차(陰差)	경·술	신·유	경·신	정·미	병·오	정·사	갑·진	기·묘	갑·인	계·축	임·자	계·해	혼인(婚姻)과 장사(葬事)를 꺼린다
양착(陽錯)	갑·인	을·묘	갑·진	정·사	병·오	정·미	경·신	신·유	경·술	계·해	임·자	계·축	음차(陰差)의 내용과 같다
중일(重日)	사·해	사·해	사·해	사·해	사·해	사·해	사·해	사·해	사·해	사·해	사·해	사·해	길사(吉事)는 거듭 길하고 흉사는 거듭 흉하다
복일(復日)	갑·경	을·신	무·기	병·임	정·계	무·기	갑·경	을·신	무·기	병·임	정·계	무·기	중일(重日)의 내용과 같다
중상(重喪)	갑	을	기	병	정	기	경	신	기	임	계	기	모든 상사(喪事) 일에 흉하다
빙소(氷消)	사	자	축	신	묘	술	해	오	미	인	유	진	와해(瓦解)라고도 한다. 입택(入宅)과 수조를 꺼린다
수사(受死)	술	진	해	사	자	오	축	미	인	신	묘	유	고기잡고 사냥에는 마땅하나 혼인 이사는 꺼린다
	문호(門戶)	정조(井竈)	동서(東西)	남북(南北)	창고(倉庫)	정대(庭碓)	문호(門戶)	정조(井竈)	동서(東西)	남북(南北)	주창(廚窓)	정대(庭)	

나망(羅網)43)

천격(天隔) …… 수사(受死)44)

는 해(亥)의 순이다.

43) 나망(羅網) : 이 부분은 한독본과 오씨본에 의하여 보충 번역하였다.

사시흉신(四時凶神)[45]

구분/사시	춘	하	추	동	
정사폐(正四廢)	경신 신유	임자 계해	갑인 을묘	병오 정사	수조(修造)와 분묘에 수목(壽木) 심는 것을 꺼린다
방사폐(傍四廢)	경·신(辛) 신(申)유(酉)	임·계 자해	갑·을 인묘	병·정 오사	위와 같다
천전지전(天轉地轉)	계묘 신묘	병오 무오	신유 계유	임자 병진	동토(動土)와 조장(造葬)을 모두 꺼린다
천지정전(天地正轉)	계묘	병오	정유	경자	위와 같다
천지황무(天地荒蕪)	사·유·축	신·자·진	해·묘·미	인·오·술	해도 없고 되는 것도 없다
사시대모(四時大耗)	을미	병술	신축	임진	동토와 수영을 모두 꺼린다
사허패(四虛敗)	기유	갑자	신묘	경오	분거(分居)·입택(入宅)·수창(修倉)에 가장 꺼린다
사시소모(四時小耗)	임자	을묘	무오	신유	사시대모와 대략 동일하다

갑순법(甲旬法) 생갑(**生甲**)은 자년(**子年**)에는 자오일(**子午日**), 병갑(**病甲**)은 자년에는 인신일(**寅申日**), 사갑(**死甲**)은 자년에는 진술일(**辰戌日**)과 같은 예이다

구분	년	자	축	인	묘	진	사	오	미	신	유	술	해
생갑순(生甲旬) ①	일일	자·오	진·술	인·신	자·오	진·술	인·신	자·오	진·술	인·신	자·오	진·술	인·신
병갑순(病甲旬) ②	일일	인·신	자·오	진·술	인·신	자·오	진·술	인·신	자·오	진·술	인·신	자·오	진·술
사갑순(死甲旬) ③	일일	진·술	인·신	자·오	진·술	인·신	자·오	진·술	인·신	자·오	진·술	인·신	자·오

---

44) 천격(天隔) …… 수사(受死) : 이 부분은 한독본과 오씨본에 의하여 보충 번역하였다.
45) 사시흉신(四時凶神) : 이 부분의 제목과 내용은 한독본과 오씨본에 의하여 보충 번역하였다.

① 수조(竪造)·입택(入宅)·이사(移徙)·상관(上官)·가취(嫁娶)에는 길하나 장매(葬埋)에는 흉하다.

② 무릇 일에 이롭지 않으며, 장매(葬埋)에도 길하지 못하다.

③ 장매에는 길하지만 무릇 일에는 모두 나쁘다.

황흑도법(黃黑道法) 황도(黃道)는 길하고 흑도(黑道)는 흉(凶)하다

자년·오년에는 신(申)에서 시작한다. 자년, 오년, 자월·오월, 자일·오일, 자시·오시에는 신(申)이 청룡(青龍)이다. 신으로부터 순수(順數)한다. 아래도 이 방법을 따른다.

신 - 청룡황도(青龍黃道) - ·유 - 명당황도(明堂黃道) - ·술 - 천형흑도(天刑黑道) - ·해 - 주작흑도(朱雀黑道) - ·자 - 금궤황도(金櫃黃道) - ·축 - 대덕황도(大德黃道) - ·인 - 백호흑도(白虎黑道) - ·묘 - 옥당황도(玉堂黃道) - ·신 - 천뢰흑도(天牢黑道) - ·사 - 현무흑도(玄武黑道) - ·오 - 사명황도(司命黃道) - ·미 - 구진흑도(句陳黑道) -

축년·미년에는 술(戌)에서 시작한다.

술 - 청룡황도(青龍黃道) - ·해 - 명당황도(明堂黃道) - ·자 - 천형황도(天刑黃道) - ·축 - 주작흑도(朱雀黑道) - ·인 - 금궤황도(金櫃黃道) - ·묘 - 대덕황도(大德黃道) - ·진 - 백호황도(白虎黃道) - ·사 - 당옥황도(當玉黃道) - ·오 - 천뢰흑도(天牢黑道) - ·미 - 현무흑도(玄武黑道) - ·신 - 사명황도(司命黃道) - ·유 - 구진흑도(句陳黑道) -

인년·신년에는 자(子)에서 시작한다.

자 - 천명황도 - ·축 - 명당황도 - ·인 - 천형흑도 - ·묘 - 주작흑도 - ·진 - 금궤황도 - ·사 - 대덕황도 - ·오 - 백호흑도 - ·미 - 옥당황도 - ·신 - 천뢰흑도 - ·유 - 현무흑도 - ·술 - 사명황도 - ·해 - 구진흑도 -

묘년·유년에는 인(寅)에서 시작한다.

인 - 청룡황도 - ·묘 - 명당황도 - ·진 - 천형흑도 - ·사 - 주작흑도 - ·오 - 금궤황도 - ·묘 - 대덕황도 - ·신 - 백호흑도 - ·유 - 옥당황도 - ·술 - 천뢰흑도 - ·해 - 현무흑도 - ·자 - 사명황도 - ·축 - 구진흑도 -

진년·술년에는 진(辰)에서 시작한다.

진 - 청룡황도 - ·사 - 명황당도 - ·오 - 천형흑도 - ·미 - 주작흑도 - ·신 - 금궤황도 - ·유 - 대덕황도 - ·술 - 백호흑도 - ·해 - 옥당황도 - ·자 - 천뢰흑도 - ·축 - 현무흑도 - ·인 - 사명황도 - ·묘 - 구진흑도 -

사년·해년에는 오(午)에서 시작한다.

오 - 청룡황도 - ·미 - 명당황도 - ·신 - 천형흑도 - ·유 - 주작흑도 - ·술 - 금궤황도 - ·해 - 대덕황도 - ·자 - 백호흑도 - ·축 - 옥당황도 - ·인 - 천뢰흑도 - ·묘 - 현무흑도 - ·진 - 사황명도 - ·사 - 구진흑도 -

신황(身皇)과 정명(定命) 두 가지 살(煞) 자기의 나이에 닿는 곳이 신황살(身皇煞)이 되고 그 궁(宮)과 마주보는 곳이 정명살(定命煞)이 된다. 수조(修造)에 크게 꺼리나 백보(百步) 밖이면 꺼리지 않는다

상원 갑자(上元甲子) - 상·중·하 원이 있는데 일원을 60년으로 한다. - 에 해당되면 남자(男子)는 10세를 간(艮)에서 시작하여 순수(順數)하고 여자(女子)는 10세를 중궁(中宮)에서 시작하여 역수(逆數)한다.

중원 갑자(中元甲子)에 해당되면 남자는 10세를 중궁에서 시작하여 순수하고 여자는 10세를 간에서 시작하여 역수한다.

하원 갑자(下元甲子)에 해당되면 남자는 10세를 곤(坤)에서 시작하여 순수하고, 여자는 곤에서 일으켜 역수(逆數)한다. 천계(天啓 명 희종의 연호) 갑자(甲子)에 이미 하원(下元)이 지났고 지금의 갑자가 상원이 된다. 감(坎)은 1인데 백(白)이고 곤(坤)은 2인데 흑(黑)이고 진(震)은 3인데 벽(碧)이고 손(巽)은 4인데 녹(綠)이고 중(中)은 5인데 황

(黃)이고 건(乾)은 6인데 백이고 태(兌)는 7인데 적(赤)이고 간(艮)은 8인데 백(白)이고 이(离)는 9인데 자(紫)이다. - 이상의 것은 바로 구궁수(九宮數)인데 이것으로 차례로 세어간다. -

임・계는 감(坎)에 속하고, 축・인은 간(艮)에 속하고, 갑・을은 묘(卯 진(震)을 말함)에 속하고, 진・사는 손(巽)에 속하고, 병・정은 오(午 이(离)를 말함)에 속하고, 미・신은 곤(坤)에 속하고, 경・신은 유(酉 태(兌)를 말함)에 속하고, 술・해는 건(乾)에 속한다.

상원에는, 남자는 10세를 간(艮)에서 시작하여 순수(順數)하면 이(离)가 11이 되고 감(坎)이 12가 되고 곤(坤)이 13이 되고 진(震)이 14가 되고 손(巽)이 15가 되고 중(中)이 16이 되고 건(乾)이 17이 되고 태(兌)가 18이 되고 간(艮)이 19가 되고 이(离)가 20이 되고 감(坎)이 30이 되고 곤(坤)이 40이 되고 진(震)이 50이 되고 손(巽)이 60이 되고 중(中)이 70이 되고 건(乾)이 80이 된다.

상원(上元)에는, 여자는 10세를 중궁(中宮)에서 시작하여 손(巽)이 11, 진(震)이 12, 곤(坤)이 13, 감(坎)이 14, 이(离)가 15, 간(艮)이 16, 태(兌)가 17, 건(乾)이 18, 중궁이 19, 손(巽)이 20, 진(震)이 30, 곤(坤)이 40, 감(坎)이 50, 이(离)가 60, 간(艮)이 70, 태(兌)가 80이 된다.

만약 상원(上元) 때 남자가 51세이면 손(巽)에 닿는데 손방(巽方)이 신황살(身皇煞)이 되며 대궁(對宮)인 건방(乾方)이 정명살(定命煞)이 된다. 나머지는 모두 이 방법을 따른다. 만약 중궁에 닿으면 중궁에 수조(修造)함을 꺼리는데 이것은 바로 인명(人命)이 일신(一身)의 나쁜 방위이다.

오합일(五合日) 혼인(婚姻)하기에 대길(大吉)한 날이다

갑인일・을묘일은 해와 달이 합한 날이다. - 혼인 지내고 집 짓는 데

마땅하다. -

병인일·정묘일은 음과 양이 합한 날이다. - 집 짓는 데 마땅하다. -

무인일·기묘일은 사람과 백성[人民 인(人)은 친족 민(民)은 타인]을 합한 날이다. - 혼인 지내고 참알(參謁)하는 일에 마땅하다. -

경인일·신묘일은 쇠[金]와 돌[石]이 합한 날이다. - 돌 뜰을 만들고 쇠를 녹여 주조하는 데 마땅하다. -

임인일·계묘일은 강과 바다가 합하는 날이다. - 배를 타거나 고기를 잡고 사냥하는 일에 마땅하다. -

십악대패일(十惡大敗日) 백사(百事)를 모두 꺼리나 장사 지내는 일만은 꺼리지 않는다

갑년·기년 3월은 무술일, 7월은 계해일, 10월은 병신일, 11월은 정해일이다.

을년·경년 4월은 임신일, 9월은 을사일이다.

병년·신년 3월은 신사일, 9월은 경진일, 10월은 갑진일이다.

무년·계년 6월은 기축일이다,

정년·임년은 꺼리는 날이 없다.

천지대파일(天地大破日) 천금(千金)으로 집을 지으나 집 주인이 죽고 육지로 가면 사람은 죽고 거마(車馬)는 부서지며, 수로로 가면 또한 배가 엎어지고 파선하며, 혼인을 지내면 한 달이 못 되어 헤어진다

정월과 9월은 묘일, 2월과 8월은 인일, 3월과 7월은 축일, 4월과 6월은 자일, 5월은 해일, 10월과 12월은 진일, 11월은 사일이다.

천지전살일(天地轉煞日) 성조(成造)와 출행(出行)에 가장 해롭다. 아울러 언덕을 쌓고 못을 파고 담을 쌓는 데도 꺼린다.[46]

봄에는 묘일, 여름에는 오일, 가을에는 유일, 겨울에는 자일이다.

왕망일(往亡日) 출행(出行)·이사(移徙)·부임(赴任)·가취(嫁娶)에 모두 꺼린다

입춘(立春) 뒤 7일이 되는 날, 경칩(驚蟄) 뒤 14일이 되는 날, 청명(淸明) 뒤 21일이 되는 날, 입하(立夏) 뒤 8일이 되는 날, 망종(芒種) 뒤 16일이 되는 날, 소서(小暑) 뒤 24일이 되는 날, 입추(立秋) 뒤 9일이 되는 날, 백로(白露) 뒤 18일이 되는 날, 한로(寒露) 뒤 7일이 되는 날, 입동(立冬) 뒤 20일이 되는 날, 대설(大雪) 뒤 20일이 되는 날, 소한(小寒) 뒤 30일이 되는 날이다.

복단일(伏斷日) 장매(葬埋)·혼인(婚姻)·기조(起造)·동토(動土)·입택(入宅)·이가(移家)·상관(上官)·출행(出行)에 모두 흉(凶)하다. 뒷간을 짓고 구멍을 막고 둑을 만드는 데는 마땅하다

자일에 허(虛)가 닿는 것, 축일에 두(斗)가 닿는 것, 인일에 실(室)이 닿는 것을 혐의로 여긴다. 묘일에 여(女)가 닿는 것, 진일에 기(箕)가 닿는 것, 사일에는 방(房)이 닿는 것을 무섭게 여긴다. 오일에 각(角)이 닿는 것, 미일에 장(張)이 닿는 것, 신일에 귀(鬼)가 닿는 것을 두렵게 여긴다. 유일에 자(觜)가 닿는 것, 술일에 위(胃)가 닿는 것, 해일에 벽(壁)이 닿는 것도 꺼린다.

---

46) 아울러 …… 꺼린다 : 이 부분은 한독본과 오씨본에 의하여 보충 번역하였다.

건제팔흉사길일(建除八凶四吉日)

건파일(建破日)은 가장(家長)을 잃게 되고 제위일(除危日)은 가모(家母)가 죽게 된다. 만성일(滿成日)은 자녀(子女)를 손실하고 집폐일(執閉日)은 가축을 죽인다. 개정일(開定日)은 재보(財寶)가 많아지고 평수일(平收日)은 전장(田莊)을 더한다.

건제십이신길흉(建除十二神吉凶)

건일(建日): 집을 소제(掃除)하고 출행(出行)하며 관가(官家)에 글을 올리거나 학교에 들어가거나 관대(冠帶)를 차려 입고 남에게 영귀(榮貴)를 구하는 데 마땅하며 건물을 수리 건조하거나 흙일을 하거나 혼인(婚姻)을 지내거나 장사를 치르거나 무덤의 참초(斬草)하는 일을 꺼린다.

제일(除日): 출행하거나 관가에 글을 올리거나 문권(文券)을 만들거나 병을 치료하거나 나무를 심는 일에는 마땅하며, 관직(官職)을 구하거나 재물을 내가거나 이사하는 일에는 꺼린다.

만일(滿日): 집안을 소제하고 노복(奴僕)을 들여오고 나무를 접(接)하는 일에는 마땅하며 흙 다루는 일과 기둥을 세우는 일이나 이사하는 일에는 꺼리는데, 사시(四時)의 맹월(孟月 첫 달)은 천적(天賊)이 되므로 더욱 흉(凶)하다.

평일(平日): 모든 일에 다 길하나, 나무를 심는 일이나 도랑을 치는 일이나 파토(破土)하는 일이나 참초(斬草)하는 일만은 꺼린다.

정일(定日): 혼인을 지내거나 집의 기둥을 세우거나 장사를 지내거나 방아를 안치[安碓]하거나 가축을 들이거나 자식을 구하는 기도를 하거나 복을 구하는 기도를 하는 일에 마땅하며, 출행하거나 송사(訟事)하거나 나무를 심는 일에는 꺼린다.

집일(執日): 혼인을 지내거나 집의 기둥을 세우거나 장사를 지내거나 관가에 글을 올리거나 문권(文券)을 만드는 일에 마땅하며, 이사하거나 집에 들거나 출행하는 일에는 꺼린다.

파일(破日): 병을 치료하고 집을 부수는 일에는 마땅하며 흙을 다루는 일이나, 장사 지내는 일이나 무덤에 풀을 베는 일이나 이사나 출행이나 혼인 지내는 일이나, 사람을 진용(進用)하는 일에는 꺼린다. 그리고 사시(四時)의 중월(仲月 둘째 달)은 천적(天賊)이 되므로 더욱 흉하다.

위일(危日): 집을 수리 건조하는 일이나 혼인 지내는 일이나 관가에 글을 올리는 일이나 문권(文券)을 만드는 일에 마땅하며, 산에 들어가 사냥하거나 물에 가서 배 타고 고기 잡는 일은 꺼린다.

성일(成日): 집을 수리 건조하는 일이나 이사하는 일이나 혼인 지내는 일이나 관가에 글을 올리는 일이나 재물을 구(求)하며 나무를 접하는 등 모든 일에다 길하나, 소송(訴訟)만은 꺼린다.

수일(收日): 혼인 지내는 일이나 학교에 들어가는 일이나, 꽃나무 심는 일이나 가축을 늘이고 사냥하는 일에 마땅하며, 파토(破土)하여 무덤을 만들며 출행하여 참초(斬草)하는 일에는 꺼린다.

폐일(閉日): 장사 지내고 뒷간을 짓고, 꽃나무를 접하고 문권을 만드는 일에는 마땅하며, 건물을 수리 건조하며 흙을 다루는 일과 출행과 이사에는 꺼린다.

개일(開日): 혼인 지내는 일이나 집에 기둥을 세우는 일이나 우물을 파고 못을 파는 일이나 방아를 안치하고 나무를 심는 일이나 출행하고 문권을 세우는 일에 마땅하며 흙을 다루는 일이나 장사 지내는 일에는 꺼린다. 사시(四時)의 계월(季月)에는 천적(天賊)이 되므로 더욱 흉하다.

이십팔수길흉(二十八宿吉凶) 장사 지내는 사람은 비록 흉성(凶星)을 만났어도 만약 사(死)·절(絶)의 기운이 없는 곳을 만나면 재앙이 되지 않는다

각일(角日): 집을 짓는 일에 마땅하며 장사 지내고 무덤 수리하는 일은 꺼린다. 초하루를 만나면 더욱 흉(凶)하다.

항일(亢日): 집을 지으면 장방(長房)이 손상되며 혼인을 지내면 주로 규방(閨房)이 비게 되고 장사를 지내면 주로 상사(喪事)가 거듭되고 보름날을 만나면 더욱 흉하다.

저일(氐日): 집을 짓고 혼인 지내는 일에 마땅하며, 장사 지내고 무덤 수리하는 일에는 꺼린다.

방일(房日): 무릇 일에 모두 형통되나 장사 지내는 일만을 꺼린다.

심일(心日): 모든 일에 모두 흉(凶)하다.

미일(尾日): 집을 짓고 장사 지내고 혼인을 지내고 문을 내는 데 마땅하다.

기일(箕日): 집을 짓고 장사를 지내고 무덤을 수리하고 문을 내는 데에 마땅하다.

규일(奎日): 집을 짓는 데는 마땅하나, 장사 지내고 문을 내는 데는 꺼린다.

누일(婁日): 집을 짓고 장사 지내고 혼인 지내고 문을 내는 데 마땅하나, 그믐날을 만나면 흉하다.

위일(胃日): 집을 짓고 장사 지내고 혼인 지내는 데 마땅하다.

묘일(昴日): 집 짓는 데는 마땅하나, 장사 지내고 혼인 지내고 문을 내는 데는 꺼린다.

필일(畢日): 집을 짓고 장사 지내고 혼인 지내고 문을 내는 데 마땅하다.

자일(觜日): 모든 일에 다 길하나 장사 지내는 일만은 꺼린다.

삼일(參日): 집 짓는 데 마땅하며 장사 지내고 혼인 지내며 문내는 일에는 꺼린다.

두일(斗日): 집을 짓고 장사 지내는 데 마땅하며, 모든 일에 다 길하다.

우일(牛日): 모든 일에 길하지 않으며, 보름날을 만나면 더욱 흉하다.

여일(女日): 집을 짓고 장사 지내고 문을 내는 데 모두 흉하다.

허일(虛日): 모든 일이 다 길하고 다만 장사 지내는 일은 꺼린다. 그믐을 만나면 더욱 흉(凶)하다.

위일(危日): 집을 짓고 장사 지내고 문을 내는 데에 모두 흉하다.

실일(室日): 집을 짓고 장사 지내고 문을 내는 데에 마땅하다.

벽일(壁日): 집을 짓고 장사를 지내고 혼인 지내고 문을 내는 데 마땅하다.

정일(井日): 집을 짓고 문을 내는 데 마땅하며, 장사 지내는 일만은 꺼린다.

귀일(鬼日): 장사 지내는 데에 마땅하며 집을 짓고 혼인 지내고 문을 내는 일에는 꺼린다. 그리고 그믐날을 만나면 더욱 흉하다.

유일(柳日): 집을 짓고 장사 지내고 문을 내는 데 마땅하다.

성일(星日): 신방(新房)을 꾸미는 데 마땅하다. 만약 흉성(凶星)이 더 임하면 생리(生離)·사별(死別)하게 된다.

장일(張日): 집을 짓고 장사 지내고 혼인 지내고 출행하는 데 마땅하다.

익일(翼日): 장사 지내는 데 마땅하며 집 짓고 문 내는 데는 꺼린다.

진일(軫日): 집 짓고 흙 다루고 장사 지내고 출행하는 데 마땅하며, 배 만드는 데 가장 길하다.

위의 성수(星宿)는 마땅히 납음오행(納音五行 육갑(六甲)에 오행을 붙인 것)으로 생극(生剋)을 취(取)해야 한다. 만약 구관(求官)을 한다면 생아(生我 본명(本命)을 생하는 것)를 취해야 하고 구재(求財)를 한다면 아극(我剋 본명이 상대를 이기는 것)을 취해야 하며 구혼(求婚)을 한다면 비화(比和 본명과 오행(五行)이 같은 것)를 취하고 장사 지내는 데는 왕상(旺相)을 취해야 한다.47)

사금일(四金日)48)

항금(亢金)·우금(牛金)·누금(婁金)·귀금(鬼金)이다. 사금신(四金神)은 일지(日支)가 극간(克干)을 만나는 것을 말하는데 '암금살(暗金煞)'이라 하니 경오일과 병자일의 유(類)이다. 이 별과 서로 만나면 흉(凶)하고, 진(辰)·술(戌)·축(丑)·미(未)와 서로 만나도 불길하다.

---

47) 위의 성수 …… 취해야 한다 : 이 부분은 한독본과 오씨본에 의하여 보충 번역하였다.

48) 사금일(四金日) : 이 부분의 제목과 내용은 한독본과 오씨본에 의하여 보충 번역하였다.

팽조백기일(彭祖百忌日)

갑일: 창고(倉庫)를 열지 않는다. - 창고를 열면 재물이 소모된다. -

을일: 나무를 심지 않는다. - 이날 심으면 말라죽고 자라지 않는다. -

병일: 부엌(아궁이)을 수리하지 않는다. - 수리를 하면 반드시 화재를 당한다. -

정일: 머리를 깎지 않는다.

무일: 농토를 받지 않는다.

기일: 문권을 파하지 않는다. - 상서롭지 못하다. -

경일: 베틀을 놓지 않는다. - 직기(織機)를 헛걸게 된다. -

신일: 장(醬)을 담지 않는다. - 주인(主人)이 먹지 못하게 된다. -

임일: 물을 터놓지 않는다. - 다시 제방(堤防)하기 어렵게 된다. -

계일: 말다툼이나 송사를 하지 않는다. - 사리(事理)가 약해지고 적(敵)이 강해진다. -

자일: 점을 묻지 않는다. - 스스로 재앙(災殃)을 끌어들이게 된다. -

축일: 관대(冠帶)를 하지 않는다. - 주인이 고향에 돌아가지 못한다. -

인일: 제사(祭祀) 지내지 않는다. - 귀신을 보면 상서롭지 못하다. -

묘일: 우물을 파지 않는다. - 물줄기가 좋지 않다. -

진일: 곡읍(哭泣)을 하지 않는다. - 반드시 주인이 중복(重服)을 당하게 된다. -

사일: 원행(遠行)하지 않는다. - 재물(財物)이 숨어버린다. -

오일: 지붕을 이지 않는다. - 반드시 다시 고치게 된다. -

미일: 약을 먹지 않는다. - 효력을 보지 못한다. -

신일: 상(床)을 안치(安置)하지 않는다. - 귀(鬼)의 빌미가 방에 들어온다. -

유일: 손님과 모이지 않는다. - 술 취한 자리에서 광증이 발한다. -

술일: 개를 얻어오지 않는다.

해일: 혼인 지내지 않는다. - 신랑(新郎)에 이롭지 않다. -

만통화성흉일(萬通火星凶日) 건물을 수리 건조하거나 지붕을 이지 않는다. 화재(火災)를 당하게 된다

1월·7월·10월·4월에는 을축일·갑술일·계미일·임진일·신축일·경술일·기미일이다.

11월·5월·2월·8월에는 갑자일·계유일·임오일·경자일·계묘일·기유일·무오일이다.

3월·9월·6월·12월에는 임신일·신사일·경인일·기해일·무신일·정사일이다.

신호귀곡일(神號鬼哭日) 사당을 짓고 소상(塑像)을 세우고 신주(神主)를 안치하거나 옮길 때 이날을 범하지 말아야 한다

정월에는 술일과 미일이며, 2월에는 술일과 해일이며, 3월에는 자일과 진일이다.

4월에는 자일과 인일이며, 5월에는 인일과 오일이며, 6월에는 사일과 유일이다.

7월에는 묘일과 신일이며, 8월에는 축일과 진일이며, 9월에는 사일과 오일이다.

10월에는 해일과 미일이며, 11월에는 축일과 신일이며, 12월에는 묘일과 유일이다.

사우(祠宇)를 짓는 데 좋은 방위와 일진

좌향(坐向)은 마땅히 자(子)·오(午)·묘(卯)·유(酉) 사정(四正)의 자리를 사용하여야 하며, 연(年)·월(月)·일(日)·시(時) 또한 자·오·묘·유로 가려서 사용해야 한다.

지운법(地運法) 집을 지으려 할 때는 먼저 이 지운(地運)을 가려야 한다

인년·신년·사년·해년에는 묘(卯)·를(乙)·유(酉)·신(辛)·자(子)·계(癸)·오(午)·정(丁)의 좌향(坐向)이 좋다.

자년·오년·묘년·유년에는 진(辰)·손(巽)·미(未)·곤(坤)·술(戌)·건(乾)·축(丑)·간(艮)의 좌향이 좋다.

진년·술년·축년·미년에는 인(寅)·갑(甲)·사(巳)·병(丙)·신(申)·경(庚)·해(亥)·임(壬)의 좌향이 좋다.

수조연운(竪造年運)[49] 무릇 해와 달을 가리되 주인(主人)의 본명(本命)에 생왕(生旺) 및 삼합(三合)을 취(取)한다. 그러나 마땅히 순중공망(旬中空亡)과 양인(羊刃)·삼살(三煞)을 피해야 하니 아울러 참고(參考)하는 것이 마땅하다

신년·자년·진년에 태어난 사람은 해·자의 연월이 좋다. - 신(申)·유(酉)·술(戌)이 비록 길운(吉運)에 있어도 재살(災煞)을 범하고 있으니 참고(參考)해서 선택해야 하고, 인(寅)·묘(卯)·진(辰)·사(巳)·축(丑)·오(午)·미(未)의 연월은 나쁘다. -

인년·오년·술년에 태어난 사람은 사·오의 연월이 좋다. - 인(寅)·묘(卯)·진(辰)이 비록 길운(吉運)에 있더라도 재살(災煞)을 범하고 있으니 참고(參考)해서 가려야 한다. 신(申)·유(酉)·술(戌)·해(亥)·미(未)·자(子)·축(丑)의 연월은 나쁘다. -

해년·묘년·미년에 태어난 사람은 인·묘의 연월이 좋다. - 해(亥)·자(子)·축(丑)이 비록 길운(吉運)에 있더라도 재살(災煞)을 범하고 있으니 참고하여 추택하여야 한다. 사(巳)·오(午)·미(未)·신(申)·진(辰)·유(酉)·술(戌)의 연월은 나쁘다. -

---

49) 수조연운(竪造年運): 이 부분의 내용은 한독본 오씨본과 서로 틀리지 않으나 그 기재(記載)된 방법이 많이 틀린다. 일일이 참조 번역할 수 없어 대본(臺本)에만 의거하여 번역하였음을 밝혀 둔다.

사년·유년에 태어난 사람은 신·유의 연월이 좋다. - 사(巳)·오(午)·미(未)는 비록 길운(吉運)에 있으나 재살을 범하고 있으니 참고하여 추택해야 한다. 해(亥)·자(子)·축(丑)·인(寅)·술(戌)·진(辰)·묘(卯)의 연월은 나쁘다. -

천간(天干)의 길년(吉年)은, 해년·자년에 태어난 사람은 갑년·기년·정년·임년·무년·계년이고, 축년·인년에 태어난 사람은 병년·정년·임년·무년·계년이다.

묘년·진년에 태어난 사람은 을년·경년·신년·정년·임년이고, 사년·오년에 태어난 사람은 갑년·기년·을년·경년·병년·신년이며, 미년·신년·유년·술년에 태어난 사람은 갑년·을년·경년·무년·계년이다.

터를 닦기에 좋은 날

갑자일·을축일·정묘일·무진일·경오일·신묘일·계유일·무인일·기묘일·신사일·갑신일·병술일·경인일·갑오일·을미일·정유일·무술일·기해일·경자일·갑진일·병오일·정미일·임자일·계축일·갑인일·을묘일·무오일·병진일·정사일·경신일·신유일 및 황도일(黃道日)·월공일(月空日)·천덕일(天德日)·월덕일(月德日)·천은일(天恩日)·제일(除日)·정일(定日)·집일(執日)·위일(危日)·성일(成日)·개일(開日)이다. 그리고 주인(主人)의 본명(本命)에 생기(生氣)가 들었나를 보아야 한다. 또한 일체 봄과 가을의 무일·기일과 두 사일(社日 춘사일(春社日)과 추사일(秋社日))이 크게 나쁘니 꺼려야 한다. - 사일(社日)은 입춘(立春) 뒤 다섯째 무일과 입추(立秋) 뒤 다섯째 무일이다. -

기둥 세우기에 좋은 날

병인일·신사일·기해일·무신일 등 사주(四柱)의 길일과 기사일·을해일·기묘일·갑신일·을유일·무자일·기축일·경인일·을미일·신축일·계묘일·을사일·기유일·임자일·갑인일·기미일·경신일·임술일·삼합일(三合日)·황도일·천덕일·월덕일·성일·개일이다. 그리고 대살(大煞)과 사폐(四廢) - 주(註)는 위에 보인다. - 와 사묘(四墓) - 진·술·축·미이다. 상량(上樑)도 같다. - 를 꺼린다.

상량(上樑)하기에 좋은 날

을축일·정묘일·무진일·기사일·경오일·신미일·임신일·갑술일·병자일·무인일·경진일·임오일·갑신일·병술일·무자일·경인일·갑오일·병신일·정유일·무술일·기해일·경자일·신축일·임인일·계묘일·을사일·정미일·기유일·계축일·을묘일·정사일·기미일·신유일·계해일이다. 그러나 주인 본명(本命) 운(運)과 산운(山運)을 참고, 대길일(大吉日)을 가려야 좋다.

금루사각(金樓四角)[50]

이른바, 사각(四角)이란 그 방소(方所)가 일정하지 않아서 사리(事理)에 어두운 자는 이것에 구애되는 일이 많다. 그러니 지금 일자(日者)들이 사용하는 것은 모두 잘못된 것이다. 오직 이 금루사각만이 의거할 만한 점이 있다. 그 방법은 먼저 팔괘(八卦)를 배열하되 1을 태(兌)에서 시작하여 2는 건(乾)에, 3은 감(坎), 4~5는 중궁(中宮)에 들어갔다가 6은 도로 간(艮)에 나와서 7은 진(震), 8은 손(巽), 9는 이

50) 금루사각(金樓四角): 이 부분은 한독본과 오씨본에는 제목으로 별행되어 있다. 대본(臺本)에는 제목으로 되어 있지 않으나 제목화했음을 밝혀 둔다.

(离), 10은 곤(坤)의 순(順)으로 돌아, 다시 태에서 시작하여 계산하되 건·곤·간·손 사궁(四宮)과 중위(中位)는 살(煞)이 있고 감·가·진·태 사궁은 모두 사용할 수 있다. 대개 사람의 나이가 1·3·7·9에 이르러서는 바야흐로 집 지을 운에 맞는다.

수조동토(修造動土) 장군(將軍)·태세(太歲) 방위일 때는 오자(五子)가 나가 노는 때를 가려서 사용한다

사시(四時)의 상일(相日)·천덕일(天德日)·월덕일(月德日)·월은일(月恩日)·천은일(天恩日)·천사일(天赦日)·옥당일(玉堂日)·금궤일(金櫃日)과 생기일(生氣日)은 좋다. - 오자(五子)가 임하는 방위와 연월(年月), 이흑방(二黑方)과 신황정명방(神皇定命方)은 꺼린다. -

성조주당(成造周堂)

〈성조(成造) 주당도(周堂圖)〉

성조주당(成造周堂)

<성조(成造) 주당도(周堂圖)>

부(富)—패(敗)—절(絶)
|　　　　　　|
군(君)　　　　신(臣)
|　　　　　　|
국(國)—왕(王)—파(破)

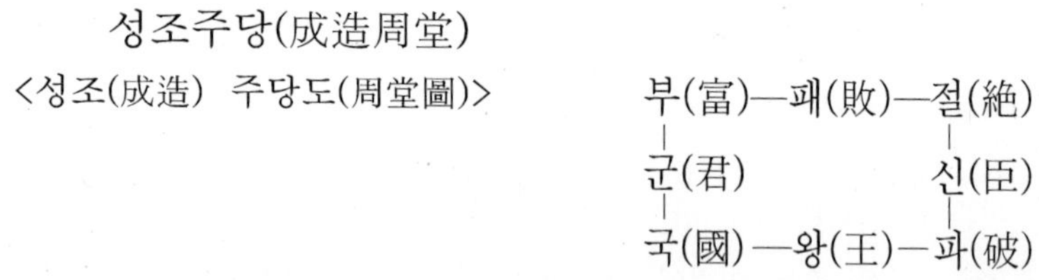

큰 달은 초하루를 왕(王)에서 국(國)을 향(向)하여 순행(順行)하고 작은 달은 초하루를 패(敗)에서 부(富)를 향하여 역행(逆行)한다.

동토(動土)와 기공(起工)하기 좋은 날

갑자일 · 계유일 · 무인일 · 기묘일 · 경진일 · 갑신일 · 병술일 · 갑오일 · 병신일 · 기해일 · 경자일 · 무술일 · 갑진일 · 계축일 · 무오일과 만일(滿日) · 평일(平日) · 정일(定日) · 수일(收日) · 개일(開日)이다.

집을 허는 데 좋은 날

갑자일 · 을축일 · 신미일 · 경진일 · 신사일 · 계미일 · 무자일 · 임진일 · 계사일 · 갑오일 · 을미일 · 경자일 · 임인일 · 계묘일 · 을사일 · 계축일 · 을묘일 · 경신일 · 계해일 · 건일(建日) · 제일(除日) · 파일(破日)이다.

지붕을 이는 데 좋은 날

갑자일 · 을축일 · 무진일 · 기사일 · 계유일 · 무인일 · 기묘일 · 계미일 · 갑신일 · 을유일 · 무자일 · 경인일 · 계사일 · 을미일 · 기해일 · 신축일 · 계묘일 · 갑진일 · 을사일 · 무신일 · 기유일 · 신해일 · 임자일 · 갑인일은 좋고, 오일과 천파일과 - 위의 월건(月建)에 보인다. - · 만통화성일(萬通火星日) - 위에 보인다. - 은 꺼린다.

아궁이를 만드는 데 좋은 날

정월(正月)은 축일 · 술일 · 자일이고, 2월은 축일과 술일이고, 3월은 묘일과 자일 · 인일이고, 4월은 묘일과 자일이고, 5월은 사일 · 인일 · 진일이고, 6월은 사일과 인일이고, 7월은 미일 · 진일 · 오일이고, 8월은 미일과 진일이고, 9월은 유일 · 오일 · 신일이고, 10월은 유일 · 오일이고, 11월은 해일 · 신일 · 술일이고, 12월은 해일과 신일이며, 또는 갑술일 ·

을해일 · 계미일 · 갑신일 · 을미일 · 신해일 · 계축일 · 갑인일 · 을묘일 · 기미일이다.

뒷간 짓는 데 좋은 날

경진일 · 병술일 · 계사일 · 임자일 · 기미일이다. 기묘일 · 임오일 · 을묘일 · 무오일도 좋다.

대문 만드는 데 좋은 날

갑자일 · 을축일 · 신미일 · 계유일 · 갑술일 · 임오일 · 갑신일 · 을유일 · 무자일 · 기축일 · 신묘일 · 계사일 · 을미일 · 기해일 · 경자일 · 임인일 · 무신일 · 임자일 · 갑인일 · 병진일 · 무오일과 천덕일(天德日) · 월덕일(月德日) · 만일(滿日) · 성일(成日)이다. 천하전운(天下轉運)이 임하는 것이 가장 좋고 오자(五子)가 노는 방위와 신황정명방(神皇定命方)은 꺼린다.

창고 짓는 데 좋은 날 창고 앞뜰과 마당에 물이 있어 창고 문으로 흘러오면 길하다. 갑(甲) · 경(庚) · 병(丙) · 임(壬) 네 방향이 마땅하다

을축일 · 경오일 · 병자일 · 임오일 · 경인일 · 갑오일 · 을미일 · 경자일 · 임인일 · 갑인일 · 임술일과 천덕일(天德日) · 월덕일 · 모창일(母倉日) · 만일(滿日) · 성일(成日) · 개일(開日)이다. 그리고 월건일(月建日) · 월살일(月煞日) · 전살일(轉煞日)은 꺼린다. - 전살일은 바로 2월 묘일, 5월 오일, 8월 유일, 11월 자일이다. -

창고 수리하는 데 좋은 날

갑자일 · 을축일 · 병인일 · 정묘일 · 경오일 · 기묘일 · 갑오일 · 을미일 · 계축일 · 갑진일 · 천덕일 · 월덕일 · 모창일 · 만일 · 성일 · 개일이다.

창고 여는 데 좋은 날

을축일 · 병인일 · 기사일 · 경오일 · 신미일 · 을해일 · 병자일 · 신사일 · 경인일 · 신묘일 · 을묘일 · 병진일과 천덕일 · 월덕일 · 월합일(月合日) · 만일 · 성일 · 개일이다. 그리고 건일(建日) · 집일(執日) · 파일(破日) · 갑일(甲日)을 꺼리고, 옛날에는 정월 16일을 모마일(耗磨日)이라 하여 창고를 열지 않았다.

방아 놓는 데 좋은 날

갑술일 · 을해일 · 경오일 · 신미일 · 경인일 · 경자일 · 경신일과 정일(定日) · 성일(成日)이다.

도랑 치고 우물 파기에 좋은 날

신황정명(身皇定命)이 있는 방위를 꺼린다.[51] 황도(黃道) · 천덕합(天德合) · 월덕합(月德合) · 개(開) · 성(成) · 생기(生氣) · 오자(五子)가 내림(來臨)하지 않은 날에는 신황정명방(身皇定命方)을 꺼린다.

---

51) 신황정명이 …… 꺼린다 : 이 부분은 한독본과 오씨본에 의하여 보충 번역하였다.

우물 파기에 좋은 날

황도일 · 천덕일 · 원덕합일 · 개일 · 성일에 판다.[52] 갑자일 · 을축일 · 갑오일 · 경자일 · 신축일 · 임인일 · 을사일 · 신해일 · 신유일 · 계유일이다.

우물 수리하기에 좋은 날

갑신일 · 경자일 · 신축일 · 을사일 · 신해일 · 계축일 · 정사일이다.

연못 파기에 좋은 날

갑자일 · 경오일 · 갑술일 · 무인일 · 기묘일 · 신사일 · 갑신일 · 을유일 · 무신일 · 경술일 · 임자일 · 계축일이다. 파일(破日) · 개일(開日)은 꺼린다.

제방 쌓기에 좋은 날[53]

성일(成日) · 폐일(閉日)과 황도일(黃道日) · 천롱일(天聾日) · 지아일(地啞日)이다.

나무 베는 데 좋은 날

기사일 · 경오일 · 신미일 · 임신일 · 갑술일 · 을해일 · 무인일 · 기묘일 · 임오일 · 갑신일 · 을유일 · 무자일 · 갑오일 · 을미일 · 병신일 · 임인일 · 병오일 · 정미일 · 무신일 · 기유일 · 갑인일 · 을묘일 · 기미일 · 경신일

---

52) 황도일 …… 판다 : 이 부분은 한독본과 오씨본에 의하여 보충 번역하였다.
53) 제방 …… 날 : 이 부분의 제목과 내용은 한독본과 오씨본에 의하여 보충 번역하였다.

・신유일・천덕일・월덕일・정일(定日)・성일(成日)・개일(開日)이나 또는 입동(立冬) 후 입춘 전의 오일(午日)과 신일(申日)이 마땅하다.

그리고 7월의 갑진일・병진일・임진일에 소나무를 베면 좀이 먹지 않는다. 건일(建日)・파일(破日)・평일(平日)・수일(收日)・위일(危日)과 사폐일(四廢日)은 꺼린다. - 사폐일은 병오일・임자일・갑인일・을묘일・정사일・신유일・계해일이다. -

오운(五運)으로 입택(入宅)하기에 좋은 날

만일(滿日)・평일(平日)・정일(定日)・수일(收日)・개일(開日)의 좋은 날을 모두 합하였다.

금택(金宅)은 신사일・을유일・기유일・정사일・경신일・신유일이 마땅하고, 목택(木宅)은 갑자일・정묘일・을해일・병자일・무자일・신묘일・기해일・계묘일・신해일・임자일・갑인일・을묘일・계해일이 마땅하다.

수택(水宅)은 무자일・기축일・병신일・신해일・임자일・경신일・신유일・계해일이 마땅하고, 화택(火宅)은 병인일・기사일・경오일・무인일・기묘일・신사일・신묘일・계사일・갑오일・을사일・갑인일・을묘일・정사일・무오일이 마땅하다.

토택(土宅)은 갑자일・임신일・계유일・을해일・병자일・갑신일・을유일・정해일・무자일・병신일・정유일・경자일・무신일・기유일・신해일이다.

육갑도(六甲圖)로 입택 이거하기에 좋은 날

갑자일・을축일・병인일・무진일・경오일・정축일・무인일・을유일・경인일・신묘일・임진일・계사일・을미일・임인일・계묘일・갑진일・병오일・계축일・병진일・정사일・임술일이다.

축월(逐月)하여 입택 이거하기에 좋은 날

정월(正月)은 신미일 · 임진일 · 정미일 · 병진일이고, 2월은 을축일이며, 3월은 병인일 · 기사일 · 경인일 · 임인일 · 정사일이다.

4월은 경오일 · 갑오일 · 계묘일 · 병오일이고, 5월은 경진일 · 갑신일이다. 6월은 계유일 · 경인일 · 정유일 · 갑인일이고, 7월은 갑술일 · 무술일 · 경술일이다.

8월은 을해일 · 신해일 · 계축일이고, 9월에는 임신일 · 갑신일 · 갑오일 · 병오일 · 경신일이다. 10월은 갑자일 · 계유일 · 경진일 · 임오일 · 무자일 · 갑오일이고, 11월에는 을축일 · 신미일 · 갑술일 · 정축일 · 을미일 · 정미일 · 경축일이다. 또는 병일 · 축일 – 길성(吉星)이 많다. – · 미일 – 만통(萬通) 3길일에 매어 있다. – 은 더욱 사용할 수 있다. 12월은 정묘일 · 을해일 · 경인일 · 신해일 · 갑인일이다.

이사(移徙)하기에 좋은 날

태세일(太歲日) · 본명일(本命日) · 역마일(驛馬日)이 좋고, 신황정명방(身皇定命方) · 왕망일(往亡日) · 복단일(伏斷日) · 월염일(月厭日) · 건일(建日) · 파일(破日) · 평일(平日) · 수일(收日)을 꺼리며, 또 축월 · 인월에는 축일 · 인일을 꺼린다.

출행(出行)하기에 좋은 날 먼 데서 돌아오고 배를 타는 것도 동일하다

태세일 · 본명일 · 역마일, 사시(四時)의 상일(相日) · 건일(建日) · 개일(開日)이 좋으며, 왕망일(往亡日) · 월염일(月厭日) · 귀기일(歸忌日) · 삼패일(三敗日) · 파일(破日) · 평일(平日) · 수일(收日)을 꺼린다.

출행하기에 나쁜 방위와 날짜

자년에 태어난 사람은 5월 14~15일에 신방(申方 서남간방)에 가면 크게 나쁘고, 축년에 태어난 사람은 12월 15일에 자방(子方 북방)에 가면 크게 나쁘다.

인년에 태어난 사람은 3월 15일과 6월 15일에 신방(申方)에 가면 크게 나쁘고, 묘년에 태어난 사람은 3월 15일과 6월 15일에 유방(酉方)에 가면 나쁘다.

진년에 태어난 사람은 3월 19일과 6월 16일에 신방(申方)에 가면 나쁘고, 사년에 태어난 사람은 3월 8일과 8월 15일에 자방(子方)에 나가면 나쁘다.

신년에 태어난 사람은 4월 16일과 6월 16일에 유방(酉方)에 나가면 나쁘고, 술년에 태어난 사람은 12월 15일에 오방(午方)에 나가면 나쁘다.

출행천라일(出行天羅日)

1월 · 5월 · 9월은 인일 · 묘일이며, 2월 · 6월 · 10월은 해일이며, 3월 · 7월 · 11월은 신일 · 유일이며, 4월 · 8월 · 12월은 사일 · 오일이다.

배 타기에 좋은 날

갑자일 · 병인일 · 정묘일 · 무진일 · 신미일 · 무인일 · 임오일 · 을유일 · 무자일 · 신묘일 · 갑오일 · 을미일 · 경자일 · 신축일 · 임인일 · 계묘일 · 병진일 · 무오일 · 기미일 · 신유일이다. - 8월의 상경(上庚 첫 경일)은 바로 하백(河伯)이 죽은 날이므로 행선(行船)하지 말아야 한다. -

관(官)에 부임하기에 좋은 날

갑자일 · 병인일 · 정묘일 · 무진일 · 기사일 · 경오일 · 을해일 · 병자일 · 기묘일 · 임오일 · 갑신일 · 을유일 · 병술일 · 무자일 · 계사일 · 기해일 · 경자일 · 임인일 · 병오일 · 무신일 · 경술일 · 신해일 · 임자일 · 계축일 · 경신일 · 신유일이요, 건일 · 만일 · 평일 · 정일 · 파일 · 폐일(閉日) 및 멸몰일(滅沒日)은 꺼린다.

의원을 찾아 병 치료하기에 좋은 날

천의일(天醫日) · 제일(除日) · 파일(破日) · 개일(開日)이 좋으며, 왕망일(往亡日) · 유화일(遊禍日) · 육미일(六未日) · 삼패일(三敗日 매월 5일 14일 23일) · 현일(弦日) · 망일 · 회일(晦日) · 삭일(朔日)을 꺼린다. 그리고 신미일을 크게 꺼리는데 그날은 바로 편작(扁鵲)이 죽은 날이기 때문이다.

남자는 무일을 꺼리고 여자는 기일을 꺼린다. 출입(出入)할 때는 태백(太白)이 있는 방위(方位)로 가지 말아야 한다.

자식을 구하는 데 좋은 날[54]

천간장생일(天干長生日) · 납음장생일(納音長生日) · 익후속세일(益後續世日)과 – 월건(月建) 요안(要安)에 보인다. – 본명일(本命日) · 녹마일(祿馬日) · 귀인일(貴人日) · 천덕일(天德日) · 월덕일(月德日) · 천은일(天恩日) · 월은일(月恩日)이 마땅하다.

---

54) 자식을 …… 날 : 이 부분의 제목과 내용은 한독본과 오씨본에 의하여 보충 번역하였다.

옷을 마르는[裁衣] 데 좋은날

갑자일·을축일·병인일·정묘일·기사일·계유일·갑술일·을해일·병자일·정축일·기묘일·경진일·기축일·갑오일·을미일·병신일·경자일·신축일·계묘일·갑진일·무신일·기유일·계축일·갑인일·을묘일·병진일·신유일이다.

각일(角日)에 옷을 마르면 안온(安穩)하게 되고, 항일(亢日)은 미식(美食)을 하게 되고, 저일(氐日)은 벗을 보고, 방일(房日)은 옷을 더 얻는다. 심일(心日)은 도적을 맞는다. 미일(尾日)은 해어지고 찢어진다. 기일(箕日)은 병을 얻는다. 두일(斗日)은 좋은 음식을 먹는다. 우일(牛日)은 길하게 된다. 여일(女日)은 병을 얻는다. 허일(虛日)은 양식을 얻는다. 위일(危日)은 독(毒)을 만난다. 실일(室日)은 수액(水厄)을 당한다.

벽일(壁日)은 재물을 얻는다. 규일(奎日)은 보물을 얻는다. 누일(婁日)은 옷을 더 얻는다. 위일(胃日)은 옷벌이 준다. 묘일(昴日)은 불에 태운다. 필일(畢日)은 일이 많아진다. 자일(觜日)은 쥐가 쏠게 된다. 삼일(參日)은 화액을 만난다. 정일(井日)은 서로 이별한다. 귀일(鬼日)은 길한 상서가 있다. 유일(柳日)은 잃어버리게 된다. 성일(星日) 상복(喪服)을 입게 된다. 장일(張日)은 관직을 빼앗기게 된다. 익일(翼日)은 재물을 얻게 된다. 진일(軫日)은 오래도록 입게 된다. 그리고 사시(四時)의 맹월(孟月)과 중월(仲月)에는 사일(巳日), 계월(季月)에는 축일(丑日)이 나쁘다. 그리고 화성일(火星日)과 건일(建日)·파일(破日)·평일(平日)·수일(收日)도 꺼린다.[55]

사시(四時) 중에서 정해·정사 양일에는 삼가 옷을 마르지 말라. 만약 그날에 옷을 마르면 호환(虎患)을 당하게 된다.[56]

---

55) 그리고 …… 꺼린다 : 이 부분은 한독본과 오씨본에 의하여 보충 번역하였다.
56) 사시(四時) …… 된다 : 이 부분은 오씨본에 의하여 보충 번역하였다.

도둑이나 도망간 자를 체포하는 날

을축일 · 갑술일 · 임오일 · 무자일 · 경인일 · 신묘일 · 계사일 · 을미일 · 병신일 · 정유일 · 기해일 · 갑진일 그리고 수일(收日) · 집일(執日)과 간(干)이 지(支)를 극하는 날이 마땅하다. 간이 지를 극하는 날은 바로 을축일 · 갑술일 · 임오일 · 무자일 · 경인일 · 신묘일 · 계사일 · 을미일 · 병신일 · 정유일 · 기해일 · 갑진일이다.

그리고 매달 15일 귀기일(歸忌日) · 수사일(受死日)과 지(支)가 간(干)을 이기는 날을 꺼린다. 지가 간을 이기는 날은 바로 경오일 · 병자일 · 무인일 · 기묘일 · 신사일 · 계미일 · 갑신일 · 을유일 · 정해일 · 임진일 · 계축일 · 임술일이다. 귀기일은 월건(月建)에 보인다. 수사(受死)는 바로 1월의 술일, 2월의 진일, 3월의 해일, 4월의 사일, 5월의 자일, 6월의 오일, 7월의 축일, 8월의 미일, 9월의 인일, 10월의 신일, 11월의 묘일, 12월의 유일이다.

쥐구멍을 막는 날

경인일 · 임진일과 정월의 상진일(上辰日), 7월의 임술일 또는 매월(每月) 진일에 쥐구멍을 막으면 뭇 쥐가 저절로 없어진다.

생기복덕(生氣福德)[57]

[보기] 대길일(大吉日): 생기일(生氣日) · 복덕일(福德日) · 천의일(天

57) 생기복덕(生氣福德) : 이것은 바로 사람이 일상생활을 하는 데에 그날그날의 길흉을 따져보는 법이다. 즉 그 당일(當日)의 일진(日辰)과 그 당년(當年)의 자기 연령[本命]에 맞추어 그날이 자기에게 생기가 닿는 날인지 화해(禍害)가 닿는 날인지를 알아보는 방법을 말한다. 길흉에 관계되는 조목이 생기를 위시하여 8가지가 있으나 이를 생기복덕이라고 줄여서 명칭을 붙인 것이다. 따지는 방법은 생략한다.

醫日) 평길일(平吉日): 절체일(絶體日)·유혼일(遊魂日)·귀혼일(歸魂日) 대흉일(大凶日): 화해일(禍害日)·절명일(絶命日)

연령 / 남여 / 간지		자	축·인	묘	진·사	오	미·신	유	술·해
10 18 26 34 42 50 58 66 74 82 90	남 여	화해	절체	절명	유혼	천의	복덕	본궁	생기
11 19 17 35 43 51 59 67 75 83 91	남	유혼	복덕	천의	화해	절명	절체	생기	본궁
	여	절명	생기	화해	천의	유혼	본궁	복덕	절체
12 20 28 36 44 52 60 68 76 84 92	남	본궁	천의	복덕	생기	절체	절명	화해	유혼
	여	절체	화해	생기	복덕	본궁	유혼	천의	절명
13 21 29 37 45 53 61 69 77 85 93	남	천의	본궁	유혼	절명	화해	생기	절체	복덕
	여	생기	절명	절체	본궁	복덕	천의	유혼	화해
14 22 30 38 46 55 62 70 78 86 94	남 여	복덕	유혼	본궁	절명	생기	화해	절명	천의
15 23 31 39 47 55 63 71 79 87 95	남	생기	절명	절체	본궁	복덕	천의	유혼	화해
	여	천의	본궁	유혼	절명	화해	생기	절체	복덕
16 24 32 40 48 56 64 72 80 88 96	남	절체	화해	생기	복덕	본궁	유혼	천의	절명
	여	본궁	천의	복덕	생기	절체	절명	화해	유혼
17 25 33 41 49 57 65 73 81 89 97	남	절명	생기	화해	천의	유혼	본궁	복덕	절체
	여	유혼	복덕	천의	화해	절명	절체	생기	본궁

방소(方所)[58]

[보기]길: 1천록방(天祿方) · 3식신방(食神方) · 6합식방(合食方) · 8관인방(官印方)

흉: 2안손방(眼損方) · 4징파방(徵破方) · 5오귀방(五鬼方) · 7진귀방(進鬼方) · 9퇴식방(退食方)

연령/남여/방위		자	간	묘	손	오	곤	유	건
10 19 28 37 46 55 64 73 82	남	관인방	합식방	천록방	안손방	진귀방	퇴식방	오귀방	징파방
	여	진귀방	오귀방	퇴식방	천록방	합식방	관인방	징파방	식신방
11 20 29 38 47 56 65 74 83	남	퇴식방	진귀방	안손방	식신방	관인방	천록방	합식방	오귀방
	여	관인방	합식방	천록방	안손방	진귀방	퇴식방	오귀방	징파방
12 21 30 39 48 57 66 75 84	남	천록방	관인방	식신방	징파방	퇴식방	안손방	진귀방	합식방
	여	퇴식방	진귀방	안손방	식신방	관인방	천록방	합식방	오귀방
13 22 31 40 49 58 67 76 85	남	안손방	퇴식방	징파방	오귀방	천록방	식신방	관인방	진귀방
	여	천록방	관인방	식신방	징파방	퇴식방	안손방	진귀방	합식방
14 23 32 41 50 59 68 77 86	남	식신방	천록방	오귀방	합식방	안손방	징파방	퇴식방	관인방
	여	안손방	퇴식방	징파방	오귀방	천록방	식신방	관인방	진귀방
15 24 33 42 51 60 69 78 87	남	징파방	안손방	합식방	진귀방	식신방	오귀방	관인방	퇴식방
	여	식신방	천록방	오귀방	합식방	안손방	징파방	퇴식방	관인방

58) 방소(方所): 이것은 이사(移徙)하는 데 사용되는 법으로 현재 사는 집에서 이사 가는 방위의 길흉을 보는 법이다. 이 법을 구궁법(九宮法)이라고도 하며, 1천록방(天祿方)에서 9퇴식방(退食方) 등 9방위로 나누어져 있다. 방소 가리는 방법은 생략한다.

연령 / 남여 / 방위		자	간	묘	손	오	곤	유	건
16 25 34 43 52 61 70 79 88	남	오귀방	식신방	진귀방	관인방	징파방	합식방	안손방	천록방
	여	징파방	안손방	합식방	진귀방	식신방	오귀방	천록방	퇴식방
17 26 35 44 53 62 71 80 89	남	합식방	징파방	관인방	퇴식방	오귀방	진귀방	식신방	안손방
	여	오귀방	안손방	진귀방	관인방	징파방	합식방	안손방	천록방
18 27 36 45 54 63 72 81 90	남	진귀방	오귀방	퇴식방	천록방	합식방	관인방	징파방	식신방
	여	합식방	징파방	관인방	퇴식방	오귀방	진귀방	식신방	안손방

시월둔취법(時月遁取法)[59] 시(時)는 일간(日干)을 사용하여 오서(五鼠 자〈子〉)가 숨은 것을 취하고, 월(月)은 연간(年干)을 사용하여 오호(五虎 인〈寅〉)가 숨은 것을 취(取)한다

갑일・기일은 갑자시(甲子時)를 생(生)하고, 을일・경일은 병자시를 생하고, 병일・신일은 무자시를 생하고, 정일・임일은 경자시를 생하고, 무일・계일은 임자시를 생한다.

갑년・기년은 병인이 정월, 을년・경년은 무인이 정월, 병년・신년은 경인이 정월, 정년・임년은 임인이 정월이고, 무년・계년은 갑인이 정월이다.

59) 시월둔취법(時月遁取法) : 이 부분의 제목과 내용은 한독본과 오씨본에 의하여 보충 번역하였다.

잡방 雜方

잡방 서

산골에 살면서 할 수 있는 청신(淸新)한 일로서는 문방(文房)의 사우(四友 먹·벼루·붓·종이)보다 더 좋은 게 없다. 그러나 붓을 간직하고 먹을 만들고 종이를 다듬고[搥紙] 벼루를 씻는 데도 각각 그 방법이 있게 마련이다. 그리고 기타(其他) 물건으로서 일용(日用)에 절실한 것이나 기완(奇翫 노리개 등 구경거리의 물건)에 소속된 것들도 모두 제조(製造)하고 간직하는 방법이 있으며 그 밖의 잡된 일까지도 혹 알고 있지 않아서는 안 될 것이 있다. 그래서 이 갖가지 잡방(雜方)을 기록하여 제16편을 삼는다.

붓을 간직하는 법

동파(東坡)가 황련(黃連)과 와거(萵苣)의 전탕(煎湯)으로 경분(輕粉)을 개어 붓끝에 찍어 말려서 간직해 두었는데 좀이 먹지 않았다고 한다. -『거가필용』·『신은지』-

산골에서는 촉초(蜀椒)와 황벽(黃蘗)의 전탕(煎湯)에 송매(松煤 소나무를 태워 생긴 그을음)를 갈아서 붓에 물들여 간직하는데 좀이 먹지 않게 하는 데 더욱 좋다. -『거가필용』-

붓을 잘 길들여 오래가게 하려면 유황주(硫黃酒)로 털[毫]을 펴야 한다. -『소창청기』-

붓을 만드는 방법은, 그릇에 열탕(熱湯)에 담가 밥 한 그릇 먹을 동안 놓아두었다가 살살 흔들어 빨고 다음에 냉수(冷水)로 빤다. 만약 기름기

가 있으면 조각자탕(皁角刺湯)에 빨아내면 매우 좋다. -『거가필용』-

먹을 만드는 법

이정규(李廷珪)의 먹 만드는 방법은, 청마유(淸痲油 참기름) 10근 중에서 먼저 3근을 취(取)하여 소목(蘇木) 1냥 반, 황련(黃連) 2냥 반, 행인(杏仁) 2냥을 빻아 부수어서 함께 달인다.

그리하여 기름이 변색(變色)이 되기를 기다려 따뜻할 때에 꺼내어 짜고 찌꺼기는 버린다. 그리고 짜낸 물을 기울여 나머지 기름 속에 붓고 고루 섞이도록 젓는다. 땅을 파고 등잔을 놓아두되 깊이를 등잔의 높이와 평평하게 만들고 기름을 가득 붓고 심지를 넣어 불을 붙인다. 그리고 면(面 동이의 입)의 넓이가 8~9촌이 되고 밑[底]의 깊이가 3촌가량 되는 와분(瓦盆)으로 위를 덮되 방촌(方寸 사방 1촌)이 되는 기와 조각으로 3면에 기둥을 세우기를 너무 높지도 않고 너무 낮지도 않게 만들어야 한다. 이렇게 해 놓고 매양 밥 한 솥 지을 만한 시간의 간격으로 한 차례씩 그을음을 쓸어내야 하므로, 등잔 열 개만을 만들어 놓아야 적당하다. 만약 등잔을 많이 만들어 놓으면 그을음을 쓸어서 모두 벗겨 내지를 못한다.

그리고 쓸어낸 그을음 4냥 반마다 황련(黃連) 반 냥과 소목(蘇木) 4냥을 각각 빻아 부수어서 물 두 잔에 함께 5~7차 끓도록 달인다. 그리하여 빛깔이 변하기를 기다렸다가 숙초(熟綃)로 짜 찌꺼기를 버리고 따로 침향(沈香) 1전 반과 함께 달여 물 4냥쯤 되었을 때 다시 짜낸다. 그다음 용뇌(龍腦) 반 전, 사향(麝香) 1전, 경분(輕粉) 1전 반을 약즙(藥汁) 반 홉과 연화(硏化)한다. 먼저 약즙에 건교(乾膠) 1냥 1전 5푼을 넣고 함께 볶되 부지런히 저어 녹인 다음, 용뇌와 사향즙을 넣고 고루 섞이도록 저어, 뜨거울 적에 그을음 안에 부어 넣고 바람이 치지 않는 곳에서 속히 갠다. 그다음 안상(案上)에다 놓고 둥글게 주무르되 빛이 비치기를 기다려서 방인(方印 네모진 틀)에 넣어 정자(錠子 먹자루)를 만들어 전혀 바람을 쏘이지 말고 움 속에 5~7일을 두었다가 마르기를 기다렸다가 꺼내서 깨끗이 닦아 저장해 둔다. -『거가필용』-

아교(阿膠)를 만드는 방법은, 누른 소가죽을 물이 배도록 담갔다가 털을 뽑아내고 판판한 판자 위에 반듯이 펴놓은 다음 생황토(生黃土)를 취(取)하여 골고루 가죽위에 뿌리고서 작은 칼로 근막(筋膜)을 긁어 버리되, 자주 물을 바꾸어 깎인 부스러기를 씻어낸다. 그리고 기름기[油膩] 없는 노구솥[鍋] 안에 넣고 물로 달여 아교를 만들어서 대로 만든 격자(隔子 칸막이) 위에 쏟아내어 얇게 펴놓고 바람을 쐬어 말린다. -『거가필용』-

위중장(韋仲將)60)이 먹을 만들던 방법은, 잡물이 섞이지 않은 좋은 그을음을 빻아서 세초(細綃)로써 항아리 속에 쳐 넣는다. 그리고 그을음 1근에 먼저 좋은 아교 5냥을 섞어 잠피(梣皮) - 잠(梣)은 강남(江南)의 번계나무[樊鷄木]인데 그 껍질을 물에 넣으면 녹색(綠色)이 된다. - 즙(汁) 속에 담그되, 계자(鷄子)에서 흰자를 버리고 노른자 5냥을 넣어야 하며, 또한 진주홍(眞珠紅) 1냥, 사향 1냥을 빻아 모두 따로따로 가는 체에 쳐서, 모두 합하여 섞어서 쇠절구 안에 넣고 찧되, 물기를 마르게 하는 것이 좋고 물기가 많은 것은 마땅치 않다. 그리고 3만 번을 찧어야 하는데 많이 찧을수록 좋다. 먹을 만드는 시기는 2월이나 9월이 좋다. 여름에 날씨가 더울 때는 썩어서 냄새가 나고, 겨울 추울 때는 말리기가 어려워 물기가 흘러내리며 바람과 햇볕을 쐬면 부서진다. 중장(仲將)의 먹은 한 번만 찍어도 검기가 옻칠과 같다. -『고사촬요』-

세속에서 보통으로 먹을 만드는 방법은, 순전한 그을음 10근, 아교(阿膠) 4근, 물 10근이 소요된다. 물 10근 중에서 9근의 물에 아교를

---

60) 위중장(韋仲將) : 삼국(三國) 때 위(魏)나라 위탄(韋誕)임. 중장(仲將)은 그의 자(字)이다. 그는 먹을 잘 만들었으므로 세상에서 "중장이 만든 먹은 한 방울만 떨어뜨려도 옻칠과 같다."고 하였다.

담가 동분(銅盆 구리로 만든 동이)에 붓고 불 위에 올려놓아 다 녹기를 기다려서 그을음과 잘 섞는다. 그리고 남은 한 근의 물로 동이를 씻어 다른 그릇에 담아 놓았다가 아교와 그을음을 찧을 적에 손으로 뿌리고 씻으면서 만 번 정도를 찧되 손바닥에 물들지 않을 때까지 해 준다.

그리고 먹자루를 만들 적에는 얇은 틀을 유실(幽室 움 속) 속에서 꺼내다가 평평한 판자 위에 놓고, 따뜻한 재를 1쯤 평평하게 깐 다음 종이를 깐다. 그리고 종이 위에 먹을 펴고, 먹 위에 다시 종이를 깐다. 종이 위에 재차 따뜻한 재를 1촌쯤 깔아 삼일 밤을 지내거나, 하룻밤을 지낸 뒤에 먹자루마다 사방으로 반듯하게 자른다. 그리고 또 마른 재 1촌쯤을 판자 위에 전처럼 깔고 종이를 먹의 위아래에 깐 다음, 또 마른 재 1촌쯤을 깔아 3일 밤을 지내거나 하룻밤을 지낸 뒤에 꺼내어 유실 속의 평평한 판자 위에 펴놓고 자주자주 뒤집어 놓아 말려서 굳어질 때까지 해준다. -『고사촬요』-

소나무 그을음으로 먹을 만드는 방법은, 소나무를 태워 그을음을 많이 받아 부대에 넣고 푹 쪄서 말린 다음에 제조하는데 아교와 물의 분량은 위에서 말한 제조법과 같이 한다. 그리고 먹자루를 만들 때에는 크고 작고 얇고 두터운 것을 편의에 맞도록 하였으나, 반드시 만 번까지 찧어 주는 것은 참먹[眞墨]과 다를 것이 없다. -『고사촬요』-

먹을 저장하는 방법은, 숙애(熟艾)와 섞어서 간수하되 매월(梅月 음력 4월)을 만났으면 석회(石灰) 속에 저장해야 윤기(潤氣)가 증발되지 않는다. -『산거사요』·『거가필용』-

먹을 잘 다스리는 법은, 표피(豹皮) 주머니에 넣어 두되 습기를 멀리하는 것이 좋다. -『소창청기』-

비조(肥皂)를 담갔던 물로 먹을 갈면 유지(油紙) 위에다도 글씨를 쓸 수 있다. -『소설』-

종이를 다듬는 법

마른 종이 10장(張) 외에 다른 한 장을 술로 적시어서 그 위에 겹쳐 놓는다. 이와 같이 거듭거듭 겹쳐놓아 100장을 1타(垜)로 만들어 평평하고 똑바른 안상(案上) 위에 놓고 판판한 판자를 위에 올려놓은 다음 큰 돌로 일복시(一伏時)를 눌러 놓아 위아래의 건습도를 모두 똑 고르게 한 다음 돌매 위에 놓고 200~300번을 고루 두드리면 모두 착실하게 된다. 다시 100장 안에서 50장을 빼내어 햇볕에 말려서 젖은 것 50장과 더불어 마른 종이와 젖은 종이를 서로 간격을 두어 겹쳐 놓고 골고루 200~300번을 두드린다. 다시 위의 방법에 따라 반을 볕에 말려서 마른 종이와 젖은 종이를 겹쳐 놓는다. 이와 같이 3~4차례 하되 서로 1장도 달라붙지 않게 될 때까지 해준다.

그리고 다시 돌매[石碾]에다 3~5차례 고루 두드리면 곧바로 미끄럽기가 유지(油紙)와 같이 된다. -『거가필용』-

종이를 다스리는 법은 부용분(芙蓉粉)으로 빛을 나게 한다. -『소창청기』-

백향산(白香山 향산은 당나라 시인 백거이(白居易)의 호)은 항상 규전(葵牋)을 사용하였는데 녹색(綠色)이 윤택하여 먹이 들어가면 정채(精采)가 있음을 느끼게 했다. 그 방법은 이슬 띤 촉규엽(蜀葵葉)을 따다가 짓찧어 즙을 내서 그 즙으로 종이 위를 문지르고 약간 마른 다음 돌로 눌러 놓는다. -『소창청기』-

벼루를 씻는 법

무릇 벼루는 모름지기 날마다 씻어야 한다. 씻지 않고 2~3일을 지나면 먹의 색깔이 줄어들게 된다. 그러므로 비록 씻을 수 없다 하더라도 모름지기 벼루에 있는 물만은 바꿔야 한다.

봄과 여름 증습(蒸濕)한 시기에는 먹을 오래도록 벼루에 머물러 두면 아교 기운이 정체되어 쓸 수가 없게 되니 더욱 자주 씻어야 한다. -『거가필용』-

벼루를 씻는 데는 뜨거운 물을 써서도 안 되며 또한 전(氈 털로 짠 천) 조각으로 씻어서도 안 된다. 그러므로 종이를 비벼 조각자(皂角刺) 물로 씻는 것이 좋다. -『거가필용』-

벼루를 씻는 데 연봉각(蓮蓬殼) -『필용방』에는 연방(蓮房)의 고탄(枯炭)이라고 하였다. - 을 사용하거나 반하(半夏)를 평절(平切)해서 문지르면 묻어 있는 먹이 제거된다. -『산거사요』·『거가필용』·『신은지』-

연적(硯滴)

구리의 성질은 맹열(猛熱)해서 물을 오래도록 담아둘 수 있다. 그러나 독기(毒氣)가 있어서 붓털을 많이 약하게 만든다. 그리고 자기(磁器) 연적이 좋기는 하나 대나무 연적만은 못하다.

그러므로 대나무 한 마디의 길이가 2촌쯤 되는 것을 취(取)하여 구멍을 뚫고 작은 대통을 꽂아 부리를 만들면 매우 사용하기에 편리하다. 그리고 그 표격(標格 품위를 말함)이 청아하여 야인(野人)의 물건됨에 알맞다. -『신은지』-

명주 천에 글씨 쓰는 법

생강(生薑)을 사용하여 먹을 갈면 불어나지 않는다. 그리고 천[絹]으로 글씨를 쓸 천의 바닥을 문지르면 그 위에 글씨 쓰기가 쉽다. -『산거사요』-

서화(書畫) 보관하는 법

무릇 서화(書畫)는 마땅히 매우(梅雨) 전에 아주 건조(乾燥)하게 말려야 한다. 그리하여 글씨는 궤(櫃)에 넣어두고서 두껍게 종이로 궤와 갑의 틈을 발라 바람이 통하지 않게 하였다가 매월(梅月)을 지나 열면 누기가 지지 않는다. 대개 누기는 공기가 밖에서부터 들어오기 때문이다.

고인(古人)들이 서화(書畫)를 보관하는 데는 운향(芸香)을 많이 사용하여 좀을 쫓았다. 사향(麝香)도 좋다. 한 방법에 장뇌(獐腦)를 사용하는 것도 좋다 하였다. -『거가필용』-

서화를 씻는 방법

서화(書畫)를 평평한 상 위에 펴놓고 물을 고루 뿜어 적시고 다시 사면(四面)을 판판하게 한 다음 마미라자(馬尾羅子)로 한수석(寒水石) 가루를 1전 두께로 깔고 다시 물을 뿜어 적신다. 그리고 또 조각자 재를 깔고 앞의 방법과 같이 하여 반시간 동안 놓아두면 물에 젖어 일어나게 된다. 만약 오손(汚損)된 것이 있으면 등심초(燈心草)로 문지르면 깨끗하게 된다. 그리고 만약 먹에 더럽혀졌으면 모름지기 일복시(一伏時)의 방법을 사용하여 물에 젖어서 일어나면 먹의 흔적은 즉시 제거된다. -『거가필용』-

서화가 증습(蒸濕)되어 변색되고 젖은 것은 동과(冬瓜)를 사용하거나 은행(銀杏)이나 마늘을 사용하여 씻어낸다. -『산거사요』-

먹으로 오손(汚損)된 화견(畫絹)은 등심초로 물을 찍어서 씻어내면 즉시 제거된다. -『산거사요』-

서화를 배접하는 방법

먼저 동이에 물을 담아 느긋이 호면(好麪)을 물 위에 쏟아 넣는다. 그리고 저절로 가라앉도록 놓아두어야 하고 저어서는 안 된다. 저으면 덩이가 생기기 때문이다. 그리고 동이를 깨끗한 방 안에 놓아두되, 여름에는 7~8일 겨울에는 반 달 동안을 두어 썩어서 냄새가 나기를 기다려 서서히 겉물을 따라 버리고 거기에다 신수(新水 새로 떠온 물)와 호초(胡椒) 달인 물을 넣어 고루 섞이도록 저어서 푹 익도록 달인다. 그리고 조금 굳어질 때 퍼내어 크게 단(團)을 만들어서 석회탕(石灰湯)에 넣어 잠기게 해놓았다가 사용할 때에 가서 꺼내어 묽고 된가를 헤아려서 열탕(熱湯)을 부어 골고루 섞어 삼베로 짠다. 한 사발마다 백반(白礬) 가루 반냥과 황랍(黃蠟) 2전 반을 넣어 고루 섞어서 쓴다. 만약 백반을 사용하지 않으면 좀이 먹거나 누져서 손상될 걱정이 있게 된다.

무릇 비문(碑文)과 능백(綾帛)을 배접할 적에는 모름지기 된 풀을 사용해야 빛을 잃지 않는다. 만약 묽어 늘어지면 빛을 잃게 된다. -『신은지』-

면(麪) 1근을 물에 담가 여름에는 5일, 겨울에는 10일을 두어 냄새가 나기를 기다렸다가 찌꺼기를 걷어 백급(白芨) 5전, 백반(白礬) 3푼을 물에 달여 찌꺼기를 버린 다음 면(麪)에 섞어 농호(濃糊)를 만들어 동유(桐油)·황랍(黃蠟)·운향(芸香) 각 3전을 넣는다. 그리고 거듭 노구솥[鍋] 안에다 넣어 한 덩어리가 되게 한다. 그리고 물을 바꾸어 익도록 달여서 물은 따라 버리고 그릇 안에 부어 넣어 날마다 물을 바꾸어 담갔다가 사용할 때 가서는 탕(湯)에 타서 풀어쓴다. -『거가필용』-

등촉(燈燭) 만드는 방법

서등(書燈)은 얇은 목판(木板)으로 나무 궤짝의 모양과 같이 만들어서 6~7촌 넓이로 검은 칠을 하고 등잔(燈盞) 하나만을 용납할 수 있게 하되, 높이는 8촌으로 하여 꼭대기에는 둥근 구멍을 지름 3촌이 되도록 뚫어 놓는다. 그리고 앞에는 창(窓)을 내어 걸어 놓으면 등잔 빛이 바로 책 위에 비치게 되어, 밝기가 보통 등의 배가 된다. -『신은지』-

향유(香油) 1근에 동유(桐油) 3냥을 넣으면 기름이 덜 닳고 쥐가 소모하는 것도 방지할 수 있다. 그리고 소금 조금을 등잔 속에 넣어 두어도 기름을 생감(省減)할 수 있으며 생강(生薑)으로 등잔 가를 문질러 주면 무리가 지지 않는다. -『산거사요』·『거가필용』·『신은지』-

소목(蘇木)으로 등심(燈心)을 달여 볕에 말렸다가 불을 켜면 불똥이 없다. -『거가필용』-

입춘(立春) 전 1일이나 납형(臘亨) 전 1일에 등잔 심지를 잠시 동안 물에 담가 볕에 말려 간직했다가 여름에 불을 켜면 모기가 근접을 못한다. -『신은지』-

등잔 심지 돋울 막대[桃燈杖]는 2월 초 2일이나 청명일(淸明日) 오경(五更)에 -『신은지』에는, 해가 뜨지 않았을 때라고 하였다.- 말하지 말고 냉이 대궁[薺菜梗]을 채취하여 음건(陰乾)해서 등잔 돋울 대를 만들면 모든 벌레가 영영 등잔 속에 들어가지 않는다. -『거가필용』·『신은지』-

내점랍촉(耐點蠟燭)은, 황랍(黃蠟)·송지(松脂)·괴화(槐花) 각 1근, 부석(浮石) - 수포석(水泡石)이다. - 4냥을 한 곳에 녹여 등심(燈心)에 바르면 주야(晝夜)를 켜도 겨우 1촌이 닳는다. -『거가필용』·『신은지』-

풍전촉(風前燭)은, 건칠(乾漆)·찧은 해금사(海金沙)·초석(硝石)·유황(硫黃) 각 1냥, 흑두(黑豆)가루·역청(瀝靑 송지(松脂)의 별명)·황랍(黃蠟) 각 2냥에 먼저 역청과 황랍을 녹여서 즙을 만든 다음, 앞의 물건들을 넣고 반죽하여 구포(舊布)를 불 위에 펴놓고 촛가락을 만들어서 불을 붙이면 바람이 불어도 꺼지지 않는다. -『거가필용』·『신은지』, 『신은지』에는 "촉규화 댕이[蜀葵稭]를 사용하면 비바람 속에서도 꺼지지 않는다."고 하였다. -

만리촉(萬里燭)은, 황화(黃花)·지정(地丁 포공영(蒲公英)의 이칭)과 조각화(皂角花)·송화(松花)·괴화(槐花) 각 2전, 밀(蜜) 1근과 함께 달여

자주 끓여서 걸러 내고 백급(白芨) 2전을 넣고 붉은 무리[赤暈]가 생길 때를 기다려서 불을 물리면 즉시 응결(凝結)이 된다. -『거가필용』-

인광노(引光奴 성냥개비) 광솔[松明]은 쪼개어 작은 조각을 만들되 종이처럼 얇게 만들어 유황(硫黃)을 녹여 그 끝에 발라두었다가 밤의 급한 일이 있을 적에 이것을 사용하여 불을 붙이면 즉시 붙게 된다. 어떤 때는 화피(樺皮)를 사용하기도 하지만 그것은 너무 급히 타서 쉽게 꺼지기 때문에 오래 타는 광솔만은 못하다. -『소설』-

불씨를 꺼지지 않게 잘 묻는 법

숯 10근과 철시(鐵屎) - 불무 간에 떨어진 쇠똥이다. - 10근을 합하여 찧어 가루를 만든 다음 생부용(生芙蓉)잎 3근을 넣고 다시 찧는다. 그리고 찹쌀[糯米]과 아교를 넣고 섞어 반죽해서 수탄(獸炭)을 만들어서 볕에 말려 태우면 3일 동안 꺼지지 않는다. 만일 불을 사용하지 않을 때는 재로 덮어야 한다. -『거가필용』·『신은지』-

좋은 호도(胡桃) 1개를 태워 반쯤 탈 때에 뜨거운 재 속에 묻어 놓으면 3~5일 동안을 꺼지지 않는다. -『거가필용』·『신은지』-

향탄(香炭)을 만드는 방법은, 석탄(石炭) - 석탄이 없으면 목탄(木炭)도 좋다. - 을 생규엽(生葵葉 생아욱잎)과 함께 찧어 버무려서 떡을 만드는 것인데, 볕에 말렸다가 태우면 향기롭다. 그리고 비록 냉습(冷濕)한 땅이라도 불이 꺼지지 않는다. -『신은지』-

노향(爐香)

노향(爐香)은 산골에 사는 사람들에게는 없어서는 안 될 물건이다. 늙은 소나무와 잣나무의 뿌리와 가지 잎 열매를 취(取)하여 찧어서 만들되 풍방(楓肪 단풍나무 진)을 갈아 섞는다. 매양 1알(丸)만

태워도 청고(淸苦 깨끗하고 신선함)함을 돕기에 족하다. -『소창청기』-

베게와 요를 만드는 법

신침(神枕)을 만드는 방법은, 5월 5일과 7월 7일에 산속의 잣나무를 베어 1척 2촌의 길이와 4촌의 높이로 잘라 1말 2되의 곡식이 들어갈 수 있도록 그 속을 파내고서 잣나무의 붉은 속으로 덮개를 만들되 2푼을 두께로 한다. 그리하여 덮개를 빽빽하게 맞추되 또한 여닫을 수 있도록 만든다.

그리고 덮개 위를 세 줄로 뚫되, 한 줄에 40구멍씩 무릇 120구멍을 좁쌀이 들어갈 수 있을 만큼의 크기로 뚫는다. 그다음 궁궁(芎藭)·당귀(當歸)·백지(白芷)·신리(辛夷)·두형(杜蘅)·백출(白朮)·고본(藁本)·목란(木蘭)·촉초(蜀椒)·관계(官桂)·건간(乾干)·방풍(防風)·인삼(人蔘)·길경(桔梗)·백미(白薇)·형실(荊實)·비렴(飛廉)·백실(柏實)·백술(白術)·진초(秦椒)·미무(蘪蕪)·육종용(肉蓯蓉)·의이인(薏苡仁)·관동화(款冬花) 등 무릇 24가지의 약물을 사용하여 24기(氣)를 응하고, 오두(烏頭)·부자(附子)·여로(藜蘆)·조협(皂莢)·감초(甘草)·반석(礬石)·반하(半夏)·세신(細辛) 무릇 8가지 약물을 더하여 팔풍(八風)에 응한다. 이상의 32가지의 약물을 각각 1냥씩 하여 모두 썰어서 24가지를 먼저 넣고, 다음 8가지를 위에 덮어 베개 속을 가득히 채운다. 그리고 포낭(布囊 베로 만든 주머니)으로 베개에 입히고 다시 가죽 주머니를 만들어 거듭 씌워 놓았다가 누울 때에 임하여 벗겨내고 베는데, 그것은 대개 약 기운이 새어 나가지 못하도록 방지하려는 것이다.

그 베개를 100일 동안 베고 나면 얼굴에는 광택(光澤)이 있게 되고, 1년을 베고 나면 모든 병이 다 낫는가 하면 온몸에서 향기가 난다. 4년을 베면 흰 머리가 검어지고 빠진 이가 다시 나며 눈귀가 밝아진다.

동방삭(東方朔)이, "옛날에 여염(女廉)이 이 방법을 옥청(玉靑)에게 전했는데 옥청은 광성자(廣成子)[61]에게 전한 것이다."라고 하였다. -『소창청기』-

돌베개는 자석(磁石)만 한 것이 없다. 만약 큰 덩이의 자석이 없으면, 부서진 자석을 베개 겉[枕面]을 뚫고 넣은 다음 나무로 채워 베면 눈을 밝게 하는 데 제일 좋다. 그러니 눈을 밝게 하는 방법에는 이만 한 것이 없어 늙어도 어두워지지 않는다. -『소창청기』-

국화(菊花)로 속을 넣어 베개를 만드는 방법은, 가을에 감국(甘菊)의 꽃을 따서 붉은 베주머니에 담아 베개를 만들어 사용하면 머리와 눈을 맑게 할 수 있고 사특하고 더러운 기운을 제거할 수 있다. -『소창청기』-

부들꽃[蒲花]으로 속을 넣어 요를 만드는 법은, 부들꽃이 유서(柳絮) 같이 된 것을 따서 익도록 두드려 - 부들을 채취하여 조금 쪄서 말려 꽃을 채취한다고도 한다. - 방청낭(方靑囊)에 넣어 방석을 만들거나 요를 만들어 쓴다. 봄이면 볕에 내어 말려 두었다가 사용하는데, 매우 따뜻하여 목면(木綿 솜)이 따르지 못한다. -『소창청기』-

지팡이

지팡이[拄杖]는 반죽(斑竹)을 상품으로 여긴다. 대나무는 노수(老瘦)하면서도 단단해야 하고 반점은 약간 붉으면서도 드물게 박혀야 한다. -『미공비급』-

대나무에 반점을 만드는 방법은, 노사(瑙砂) 5전, 반묘(斑猫) 1전, 석회(石灰) 1전을 초(醋)와 개어 대나무 위에 떨어뜨리고 불로 지져서 빛깔을 낸다. -『거가필용』-

---

61) 광성자(廣成子) : 상고(上古) 때의 선인(仙人). 그는 공동산(崆峒山) 석실(石室) 속에서 은거(隱居)하였었다. 황제(黃帝)가 치신(治身)의 방법을 묻자 "너의 형체를 수고롭게 말고 너의 정력을 요란케 말며, 너의 사려(思慮)를 번다하게 하지 말아야 장생(長生)할 수 있다."고 하였다. 『莊子』

도가(道家)의 구절장(九節杖)은 1절(節)은 태음성(太陰星), 2절은 형혹성(熒惑星), 3절은 각성(角星), 4절은 형성(衡星), 5절은 장성(張星), 6절은 영실성(營室星), 7절은 진성(鎭星), 8절은 동정성(東井星), 9절은 구성(拘星)인데 요사(妖邪)를 항복(降伏)시키고 신령(神靈)이 지휘를 듣는다고 한다. -『도서전집』-

거문고 걸어 놓는 법

거문고는 벽(壁)에 닿게 하여 흙기운이 있게 해서는 안 되니 오직 판벽(板壁)에 걸어 놓는 것이 묘방이다. -『신은지』-

칼을 갈아 광을 내는 법

칼을 가는 데는 물과 추석(麤石)을 써서는 아니 되고 마땅히 향유(香油)를 이석(膩石)에 붓고 오래 갈아서 녹을 제거하고 쇠화로 전[鐵爐邊]을 쳐서 떨어진 철아예(鐵蛾兒 화로전에서 떨어진 쇠녹) 3냥을 목탄(木炭) 1냥에 넣어 수은(水銀) 1전과 함께 가루로 만들어 칼 위에 뿌리고 베조각으로 기름을 찍어 오래도록 문지르면 그 광(光)이 거울과 같다. 그다음 솜으로 깨끗이 닦아 우유를 발라서 걸어두면 오래도록 녹이 슬지 않는다. -『거가필용』-

숭채자(菘菜子 배추씨)로 기름을 짜서 발라둔다.

언서(鼴鼠) - 두더지 - 의 가죽[皮毛]으로 자주 철물(鐵物)을 닦으면 좋다.

목적(木賊)으로 문지르면 녹이 저절로 벗어진다. - 이상은 모두 <속방>이다. -

옥(玉)을 부드럽게 하는 법

두꺼비기름[蟾蜍肪]을 옥(玉)에 바르면 옥을 조각하기가 납(蠟)을 새기듯이 쉽다. 그러나 두꺼비 기름을 많이 구할 수 없으니 살찐 두꺼비를 잡아서 썰어 고약을 고아 옥에 발라도 연하고 미끄러워서 자르기가 쉽다. 옛 옥기(玉器) 중에 조각(雕刻)이 기특(奇特)하여 인공(人功)이 아닌 듯한 것이 있는 것은 곤오도(昆吾刀 곤오에서 만든 칼. 날카로운 칼을 말함)와 두꺼비 기름을 사용하여 새긴 것이다. -『증류본초』-

돌을 무르게 하는 방법

지유뿌리[地楡根] 태운 재가 돌을 무르게 할 수 있다. 두꺼비오줌을 받아 돌에 발라도 물러진다. -『증류본초』-

기와와 돌을 붙이는 법

느릅나무의 흰 껍질[楡白皮]을 질게 풀처럼 짓찧어 기와와 돌을 붙이는 데 사용하면 아주 효력이 있다. -『증류본초』-

백교향(白膠香) 진품 1냥, 황랍(黃蠟)·역청(瀝靑) 각 1전, 향유(香油) 1적(滴)에 부서진 돌로 색깔이 같은 것을 찾아 찧어 가루로 만들어서 섞어 고약을 만들어서 뜨겁게 하여 붙이는데, 이것이 곧 보석(補石)하는 신교(神膠)이다. 만약 산석(山石)이 잘라진 것을 붙이려면 돌가루를 버리고 합분(蛤粉)을 더 넣어 섞어 말려서 붙인다. -『거가필용』-

자기(磁器)를 붙이는 법

계자백(鷄子白 계란의 흰자)에 백반(白礬) 가루를 섞어서 자기(磁器)를 붙이면 매우 단단하다. -『증류본초』-

피 묻은 옷을 빠는 법

냉수(冷水)로 빨면 핏자국이 없어지지만 만약 열탕(熱湯)으로 빨면 핏자국이 빠지지 않는다. -『산거사요』·『고사촬요』-

유묵(油墨) 묻은 옷을 빠는 법

먼저 유묵(油墨)으로 하룻밤 동안 적셔 놓았다가 반하(半夏)·오적골(烏賊骨)·활석(滑石)·고백반(枯白礬)을 등분(等分)하여 가루로 만들어서 깨끗이 빨아내고 등심초[燈草]로 닦아내면 즉시 제거된다. -『산거사요』-

먹 묻은 옷을 빠는 법

생행인(生杏仁)과 함께 씹어 뱉어내고 즉시 빨아내면 된다. 속반(粟飯)과 함께 씹어내도 된다. -『거가필용』-

입에 물을 머금고 젓가락 끝으로 물을 떨어뜨리면서 씻어내면 즉시 제거된다. -『산거사요』-

기름 묻은 옷을 빠는 법

목맥(木麥 모밀) 가루를 위와 아래에 펴고 종이로 덮은 다음 다리미로 다리면 즉시 기름 흔적이 없어진다. -『고사촬요』-

활석(滑石) 가루를 위에 뿌리고 뜨거운 다리미로 자주 바꿔가며 다려 주면 없어진다. -『산거사요』-

동벽토(東壁土)로 기름에 더럽혀진 옷을 빨아낼 수 있는데 석회(石灰)와 활석(滑石)보다 좋다. -『증류본초』-

의복의 때를 빼는 법

합환피(合歡皮)와 합환엽으로 의복의 때를 뺄 수 있다. 또 매화나무 잎을 찧어 부수어 끓여서 의복을 빨면 쉽게 빠진다. 또 토란을 삶은 즙으로 옷의 때를 빨아내면 옷이 옥과 같이 희어진다. 또 적소두(赤小豆) 가루는 유의(油衣)가 붙어 다린 것을 푸는 데 매우 신묘하다. 또 조각자탕(皁角刺湯)으로 때를 제거하면 매우 신묘하다. -『증류본초』-

철(鐵)을 범하지 않은 석창포(石菖蒲)를 동도(銅刀)로 얇게 썰어 햇볕에 말린 다음 찧어 가루로 만든다. 그 가루를 물동이 안에 넣고 젓은 다음 옷을 가져다가 잠시 동안 흔들기만 해도 때가 저절로 빠져 깨끗해진다. -『거가필용』-

의복이 누져 변색이 된 것은 동과(冬瓜)나 은행(銀杏)·마늘로 씻어낸다. -『산거사요』-

노비(奴婢)에게 도망할 마음이 없게 하는 법

장화(張華)62)의 『물류상감지(物類相感志)』에 다음과 같은 기록이 있다.

"시루를 동였던 삼[甑帶麻]으로 실을 만들어 왼쪽으로 꼬아 노비(奴婢)의 옷 등솔에 1척 6촌의 길이로 꿰매 놓으면 즉시 도망할 마음이 없어진다." -『지봉유설』-

---

62) 장화(張華) : 진(晉)나라 방성인(方城人). 자(字)는 무선(茂先). 그는 도·위·방·기(圖緯方技)에 대한 책을 모두 상람(詳覽)했다. 저서로는 박물지(博物志)가 있다. 『晉書三十六』

도망간 노비가 저절로 돌아오게 하는 법

장화(張華)의 『물류상감지(物類相感志)』에,

"도망한 사람의 의상(衣裳)을 가져다가 우물 속에 늘어뜨리고 돌리면 도망한 사람이 저절로 돌아온다."

하였다. 『본초(本草)』에,

"도망한 사람의 머리카락을 위거(緯車 물레) 위에 놓고 돌리면 미란(迷亂)되어 어디로 갈 바를 알지 못한다."

하였다. 지금의 풍속에는 종이에다 도망한 사람의 성명(姓名)을 써서 대들보 위에 붙여 놓는데 그 또한 이와 같은 유(類)이다. -『지봉유설』-

무덤 속의 망상(罔象)과 온(蝹)을 물리치는 법

구곡자(灸轂子)가,

"망상(罔象)은 죽은 사람의 간(肝)과 뇌(腦)를 잘 먹는데 범과 잣나무를 무서워한다. 그러므로 무덤가에 잣나무를 심고 무덤 앞에 석호(石虎)를 세워 놓는 것이다."

하였으며, 또 『소설(小說)』에,

"땅 속에 물건이 있으니 이름이 온(蝹)으로서 죽은 사람의 뇌(腦)를 먹는데, 잣나무로 그 머리를 뚫으면 죽기 때문에 무덤 앞에 잣나무를 심는 것이다."

하였다. -『지봉유설』-

밤길을 걸을 때 귀화(鬼火)를 물리치는 법

『설부(說郛)』63)에,

"전야(田野)에 들어갔다가 귀화(鬼火 도깨비불)를 보았을 때는 안장의 양쪽 발판[鐙]을 서로 두드려 소리를 내면 귀화가 즉시 없어진다."

하였다. -『지봉유설』-

산에 들어가서 도깨비를 물리치는 법

산에 들어가면 산정(山精 여우)과 노매(老魅 도깨비)가 혹 인형(人形)으로 변하여 미혹하는 수가 있으니, 마땅히 9촌이 되는 밝은 거울을 등 뒤에 달아야 한다. 그리하여 그들의 형상이 그 거울 속에 비치게 하면 변화하지 못하고 사라져 없어지거나 뒤로 물러난다. -『수양총서유집』-

호랑이를 물리치는 법

산속에 들어가서는 '의강(儀康)'을 뇌이면 호랑(虎狼)의 위협을 당하지 않는다. -『신은지』-

밤에 길을 갈 때에는 노래를 하거나 크게 소리를 지르지 말아야 한다. 호랑이는 밤에 사람이 노래 부르는 소리를 들으면 좇아와 잡아먹는다. -『산거사요』·『지봉유설』-

---

63) 설부(說郛) : 총서(叢書)의 이름. 모두 120권으로 되었으며 명(明)나라 사람 도종의(陶宗儀)가 찬(撰)한 것으로 명나라 이전의 소설(小說)·사(史)·지(志)를 간추려 그 대개(大槪)를 절록(節錄)한 것이다.

피란할 때 아이의 울음을 그치게 하는 법

솜으로 입에 찰 정도의 조그만 뭉치를 만들되 숨이 막히지 않도록 하여 감초(甘草) 달인 물이나, 꿀물에 적시어 임시 아이의 입안에 넣어 동여매 준다. 그렇게 하면 아이가 그 단맛을 빨아 먹게도 되고 아이의 입은 물건으로 채워져 있게 되기 때문에 저절로 소리를 낼 수도 없게 된다. 그러나 솜은 부드러운 것이므로 아이의 입을 상하게 하지 않는다.

대개 불행히 화난(禍難)을 만났을 때 아이의 울음소리가 그치지 않음으로 하여 도적에게 들릴까 두려워서 길가에 버리고 가는 수가 있는데 슬픈 일이다. 이 방법을 사용하여 살린 사람이 매우 많으니, 이 방법을 몰라서는 안 된다. -『동의보감』-

피란할 때 연기에 쏘인 독을 푸는 법

어느 사람이 석굴(石窟) 속에서 피란을 하는데 도적이 석굴에 불을 때어 연기로 훈(熏)을 하였다. 그리하여 답답해서 죽으려 하는 것을 나복(蘿葍) - 무 - 을 얻어 씹어서 그 즙을 먹여주니 소생되었다. 나복자(蘿葍子)를 물에 갈아 즙을 내어 먹여도 훈독이 풀린다. -『동의보감』-

피란할 때 시장기를 면하는 법

피란대도환(避亂大道丸)은, 흑두(黑豆) 1되, 껍질을 벗긴 관중(貫衆) - 회초미 뿌리 - 감초(甘草) 각 1전, 복령(茯苓)·창출(蒼朮)·사인(砂仁) 각 5전을 썰고 부수어서 물 5잔에 흑두(黑豆)와 함께 만화(慢火 끄느름한 불을 말함)에 물이 다 되도록 바짝 달여서 다른 약은 버리고 콩만 가려내어 흙처럼 찧어서 감실(芡實) 크기로 만든다. 그리하여 자기(磁器)에 넣고 꼭 봉해 놓고서 1알씩 먹으면 곡식의 싹만 뜯어 먹어도 종일(終

日) 배부를 수 있으며, 비록 이상한 풀과 나무로서 평소 알지 못하던 것을 먹어도 독(毒)이 없으며 맛이 밥을 먹는 것과 같다. -『의학입문』-

또 한 처방에는 흑두(黑豆) 1되, 관중(貫衆) 1근을 함께 달인다고도 한다. - 구황편(救荒篇)에 자세히 보인다. -

침을 삼키고 물을 마시는 방법은, 굶주려 죽게 되었을 때에는 문득 입을 다물고 혀로 아래 이[齒]를 더듬어 진액(津液)을 취(取)하여 삼키되, 하루에 100번을 삼키면 좋아진다. 그리하여 점점 익혀서 1천 번에 이르면 자연히 기갈이 오지 않는데 3~5일 동안이 가장 피로하게 된다. 이 고비를 넘기면 점차 강건해진다. 만약 물이 있는 곳에서 마침 그릇이 없으면 좌수(左手)로 물을 움키고 주문(呪文)을 외우기를,

> "승연리지사진핍량정적황 행무과성하제의이자방(承掾吏之賜眞乏粮正赤黃 行無過城下諸醫以自防)"

하고, 주문을 마치고는 세 번 고치(叩齒 아랫니와 윗니를 마주쳐 소리를 냄)를 하고 오른손 손가락으로 왼손을 세 번 친다. 이와 같이 세 번 하고는 마신다. 잔이나 그릇이 있어서 물을 뜨면 더욱 좋다. 이와 같은 방법으로 하루에 두되를 먹으면 배고프지 않다. -『동의보감』-

여섯 가지 천기(天氣)를 먹는 방법은, 봄에는 아침 안개[朝瀣]를 먹는데 해가 나오려고 할 때에 동쪽을 향하여 흡기한다. 여름에는 정양(正陽)을 먹는데 정오에 남쪽을 향하여 흡기한다. 가을에는 비천(飛泉)을 먹는데 해가 지려할 때에 서쪽을 향하여 흡기한다. 겨울에는 항해(沆瀣 이슬기운)를 먹는데 자정에 북쪽을 향하여 흡기한다. 그리고 천현기(天玄氣)・지황기(地黃氣)를 아울러 육기(六氣)라 하는 것으로 모두 사람을 배고프지 않게 하고 오래 살게 하며 병이 없게 만든다. 어떤 데는 '평명(平明)을 조하(朝霞), 일중(日中)을 정양(正陽), 일입(日入)을 비천(飛泉), 야반(夜半)을 항해(沆瀣), 천현(天玄)과 지황(地黃)을 아울러 육기(六氣)라 한다.' 하였다.

옛날에 어떤 사람이 굴속으로 떨어졌는데 그 속에 뱀이 있어 매일 일어나면 이 기운을 먹는 것이었다. 그래서 그 사람도 뱀이 때를 맞추는 것을 따라서 배고플 때면 그 기(氣)를 먹곤 하여 날마다 그와 같이 하니 날이 오래됨에 점점 효험(效驗)이 있게 되어 몸이 가벼워 날 듯하였다. 그리하여 계칩(啓蟄 경칩(驚蟄)을 말함)이 지난 뒤에 사람과 뱀이 일시(一時)에 뛰어나왔다고 한다. -『동의보감』-

잡기(雜忌)

『유양잡조(酉陽雜俎)』64)에,

"그림자는 물 위에 비치거나 우물 및 욕분(浴盆) 속에 비치지 않게 해야 한다."

하였는데, 이른바 '걸을 때는 그림자를 밟지 않는다.'는 것도 이러한 뜻에서일 것이다. -『지봉유설』-

『산거사요(山居四要)』에,

"무릇 누워서 노래하거나 시를 읊는 것은 크게 상서롭지 못하다."

하였는데, 세속에서 말하기를 '밤에 누워 노래 부르기를 좋아하는 자는 일찍 죽는 사람이 많다.'고 하는 것은 대개 여기에서 비롯된 말이다. -『지봉유설』-

『유양잡조』에,

"세속에서는 9월에 지붕에 올라가는 것을 꺼린다."

하였는데, 세속에서 말하기를,

---

64) 유양잡조(酉陽雜俎) : 책 이름. 모두 20권으로 되어 있다. 속집(續集)이 10권. 당(唐)나라 단성식(段成式)이 찬(撰)한 것으로, 책 내용에는 궤괴불경(詭怪不經)한 이야기와 황묘무계(荒渺無稽)한 물건이 많이 등장하고 있다.

"오월은 사람이 허물을 벗는 달로서 지붕에 올라가 그림자를 보게 되면 혼(魂)이 달아난다."

한다. -『지봉유설』-

한화제(漢和帝) 때에 처음으로 복일(伏日)에는 온종일 일을 하지 말라는 영(令)이 있었는데, 그 주(註)에,

"복일(伏日)에는 모든 귀신이 다니는 날이기 때문에 온종일 일을 하지 않으며 다른 일도 간섭하지 않는다."

하였다. 그리고 정효(程曉)의 복일시(伏日詩)에,

언제나 삼복 때에는	平生三伏時
거리에 나다니는 수레가 없네	道路無行車

하였다. -『지봉유설』-

『설부(說郛)』에,

"집을 판 돈으로는 노비(奴婢)와 생물(生物)을 사면 모두 사람에게 이롭지 않으며 나귀나 말[驢馬]을 판 돈으로 며느리를 맞이하지 않는다. 가세(家勢)를 손모(損耗) 시키며 집안이 편치 않게 되기 때문이다."

하였다. -『지봉유설』-

매월(每月) 초6일 16일 26일에는 뒷간에 가지 말아야 한다. 그날은 측신(厠神)이 뒷간을 지키는 날이다.65)

65) 매월(每月) …… 날이다 : 이 부분은 한독본과 오씨본에 의하여 보충 번역하였다.

신편 국역 **산림경제 2**

• 인 쇄 일 2007년 9월 21일
• 발 행 일 2007년 9월 21일

• 옮 긴 이 재단법인 민족문화추진회
• 펴 낸 이 채종준
• 펴 낸 곳 한국학술정보(주)
경기도 파주시 교하읍 문발리
파주출판문화정보산업단지 526-2
전화 031) 908-3181(대표) · 팩스 031) 908-3189
홈페이지 http://www.kstudy.com
e-mail(출판사업부) publish@kstudy.com

• 등 록 제일산-115호(2000. 6. 19)
• 가 격 29,000원

ISBN 978-89-534-7505-2 94810(Paper Book)
978-89-534-7506-9 98810(e-Book)
978-89-534-7501-4 94810(Paper Book Set)
978-89-534-7502-1 98810(e-Book Set)